Perfect Boy

Helena Hunting

Traduit de l'anglais
par Benoîte Dauvergne

Eden

Publié aux États-Unis sous le titre *Pucked Up*
This work was negociated by Bookcase Literary Agency
on behalf of Rebecca Friedman Literary Agency

Couverture : Studio City
ISBN : 978-2-8246-0767-2
Code Hachette : 10 8092 6

Rayon : New romance

Collection dirigée par Christian English et Frédéric Thibaud
Catalogues et manuscrits : www.city-editions.com

Dépôt légal : mai 2016
Imprimé dans la C.E.E. par France Quercy - Mercuès - N° 60457/

À ma famille. Merci de me soutenir,
de m'encourager comme
de vraies pom-pom girls
et de me permettre de vivre ce rêve.
Je vous aime tous.

I

Bourré, mais pas seulement...

Je suis totalement bourré. Au point que Lance, mon coéquipier, a deux paires d'yeux.

– J'vais rentrer.

J'ai l'impression de prononcer ces mots, mais en réalité, je crois que cette phrase ressemble plutôt à un grognement. Je fais un pas chancelant vers la file de taxis arrêtés devant le bar.

Lance pose une main sur mon épaule avec un sourire niais. Il est presque aussi torché que moi.

– Ta voiture est chez moi, Butterson. Rentre avec nous.

– Je la récupérerai demain matin.

Je mélange quelques syllabes, mais il semble me comprendre.

– Allez, monte dans la limousine, mon frère.

Lance se tourne vers Randy, un autre de mes coéquipiers et l'un de mes plus proches amis d'enfance, pour qu'il l'aide à me convaincre.

– La coach sera chez Lance à dix heures et demie, tu te souviens ? dit Randy. Tu n'auras qu'à plonger dans la piscine depuis ton lit.

– En plus, je n'aurai pas besoin de t'appeler cinquante fois pour que tu te bouges le cul, ajoute Lance.

– Rentre avec nous, Buck !

L'une des groupies de Lance m'appelle par le surnom que

je porte depuis que je suis gamin. Mon vrai prénom, c'est Miller. Oui, je sais, comme la bière. Buck Butterson sonne tellement mieux que Miller Butterson, de toute façon – trop de « er ».

Les trois filles que Lance a convaincues de venir chez lui se recoiffent les unes les autres et retouchent leur maquillage, pendant que j'hésite à faire le mauvais choix.

Lance sourit – il est chaud comme la braise – et me donne une tape dans le dos.

– Allez, mec, tu vas t'absenter pendant deux semaines. C'est ta dernière occasion de faire la fête.

Je marmonne un truc que je n'arrive même pas à comprendre et m'appuie contre la limousine afin de soulager mes pauvres jambes. C'était une mauvaise idée, ces shooters. On en a bu beaucoup trop. Il se peut que je les aie payés, en plus.

J'attends que les filles soient montées dans la limousine. J'ai beau être bourré, il me reste quelques bonnes manières. Lorsque la dernière se penche en avant, sa micro-minijupe remonte sur ses cuisses et m'offre une vue imprenable sur sa chatte nue avant de s'asseoir. Il est hors de question que je me retrouve à côté d'elle.

Lance me donne un coup de coude dans le bras.

– Monte, Buck.

– Toi d'abord. Ce sont tes groupies.

Retourner chez Lance n'est pas une bonne idée, mais j'ai déjà accepté. En plus, il n'a pas tort : je pourrai récupérer ma voiture chez lui.

Il hausse les épaules, se tient à l'encadrement de la portière et rentre sa tête à l'intérieur.

– Alors, qui est-ce qui me prête ses genoux ?

Il se jette dans la limousine.

Les filles poussent des cris perçants, puis éclatent de rire.

Je pose une main sur le torse de Randy pour lui parler avant qu'il monte à son tour.

– Ne me laisse pas faire de conneries, d'accord, mon frère ?

– T'en fais pas, Miller. Je m'en ferai deux s'il le faut.

Il me lance un clin d'œil, mais il est sérieux.

Randy est l'une des rares personnes à m'appeler par mon vrai prénom. Mon père aussi, mais seulement quand il est en colère. Il a grandi à Chicago, dans la même rue que moi. Nous jouons au hockey ensemble depuis que nous savons patiner. Quand nous avons été recrutés pour jouer en NHL au cours de notre premier semestre à la fac, nous avons atterri dans deux équipes différentes. Cinq ans plus tard, nous jouons de nouveau dans la même, Randy ayant été transféré à Chicago récemment. Comme c'était l'intersaison, il lui a fallu seulement deux semaines pour réemménager. Ça fait plaisir de le retrouver. Nous sommes restés proches au fil des années ; s'il y a une personne qui peut m'empêcher de déconner, c'est bien lui.

Randy monte dans la limousine et s'assied entre deux filles, si bien que la banquette est entièrement libre et n'attend que moi. Je me glisse à l'intérieur et m'allonge. En gros, je prends toute la place.

Lance a déjà passé le bras autour des épaules de Chatte Éclair et sa copine au milieu a l'air de ne plus savoir où se mettre. Voyant qu'elle s'apprête à me rejoindre, Lance la serre contre son flanc et lui chuchote quelque chose à l'oreille. Elle écarquille les yeux, puis se mord la lèvre et reste collée contre lui.

Il aurait été plus malin de rentrer tout seul en taxi. De cette façon, je ne me serais pas retrouvé exposé inutilement à la tentation. Parfois, c'est vraiment galère de faire les bons choix, d'éviter par exemple de me retrouver au milieu d'un tas de groupies qui vont inévitablement m'offrir leur chatte, alors que je vais devoir la refuser.

Ce n'est pas que je sois incapable de m'en passer. J'ai simplement choisi de me taper tout ce qui me tombait sous la main pendant les cinq dernières années. Et j'ai eu beaucoup plus de mal que prévu à arrêter. Lance et Chatte Éclair se sont glissés dans un coin de la limousine. Je suis sûr et certain qu'il a déjà la main sous sa jupe, à en juger par les gloussements et les gémissements de la fille. Je ferme les yeux et m'appuie contre l'accoudoir. Je suis fatigué. Et j'ai faim. Il me faut une pizza.

Je cherche mon portable dans ma poche. J'ai reçu des messages : deux ou trois SMS, un message de ma sœur Violet sur mon répondeur et quelques autres de ma petite amie, Sunny. Enfin, de ma presque petite amie. J'ai envie qu'elle le devienne pour de bon. C'est à cause de Sunny que Randy – ou Lance, peut-être – va se faire deux filles ce soir et que je suis assis tout seul dans mon coin.

J'ai fait tout mon possible pour qu'elle devienne ma petite amie ces derniers mois, mais j'ai toujours autant de mal à la mettre au pied du mur. Elle est encore pire que moi, mais elle n'a rien d'une fille facile. Sunny est même tout le contraire. Disons que, contrairement à la plupart des femmes, elle met un peu de temps à céder à mon charme. Si je veux qu'elle sorte avec moi, j'ai intérêt à faire de gros efforts.

Histoire de compliquer un peu plus les choses, son frère, Alex Waters, est l'un de mes coéquipiers. C'est aussi le fiancé de ma sœur et le capitaine de mon équipe. Waters me hait. La situation est difficile. Le soir où j'ai rencontré Sunny, j'ai envisagé – une demi-seconde – de coucher avec elle pour me venger de lui. Mais je suis juste un coureur, pas un connard. En plus, Sunny n'avait pas envie de s'envoyer en l'air avec moi. Elle voulait simplement discuter. Et elle me plaisait. Alors je lui ai demandé son numéro. C'était il y a des mois et elle ne veut toujours pas coucher avec moi. Mais j'espère bien remédier à ça très bientôt.

J'essaie de lire mes SMS, mais je vois flou et les mots se mélangent – c'est encore pire que d'habitude. Je ne peux pas utiliser l'application de synthèse vocale dans la voiture comme je le fais normalement, parce que la musique est trop forte et que tout le monde va entendre mes messages. En plus, ceux de ma sœur sont vraiment dégueu parfois. Elle n'a pas de filtre. Absolument aucun.

– J'ai la dalle. Quelqu'un d'autre a faim ?

Je suis obligé de hurler à cause de la musique.

Lance est trop occupé à dévorer la bouche de la fille pour me répondre, mais Randy lève la main. Les filles de chaque côté de lui haussent les épaules. Celle qui est coincée au milieu a l'air de s'ennuyer à mort. J'ouvre Siri et lui demande d'appeler ma pizzeria préférée. Étant donné que je suis ivre et que la musique est super forte, je dois m'y reprendre à plusieurs fois avant de parvenir à lui faire comprendre ce que je veux. Finalement, quelqu'un baisse le son pour que je puisse passer ma commande. Au moment de donner l'adresse de livraison, je crie à Randy :

– T'habites au 521 ou au 251 ?

– Au 521.

– T'es sûr que c'est pas au 251 ?

Lance cesse un instant de lécher la tronche de la fille pour me répondre.

– Tu es venu chez moi des millions de fois et tu te rappelles toujours pas mon adresse exacte ?

Je lui fais un doigt d'honneur.

– Je suis dyslexique et bourré, mais merci de me casser les couilles avec ça.

Je n'aurais sans doute pas dû prononcer ces mots. En général, je ne parle pas de ces choses devant des groupies. C'est frustrant d'avoir vingt-trois ans et d'être nul en lecture. Je donne l'adresse exacte au mec de la pizzeria. Ensuite, je mets fin à l'appel et glisse mon portable dans ma poche.

Dix minutes plus tard, la voiture s'arrête dans l'allée de Lance. Je suis le premier à descendre et je trébuche presque en montant les marches du perron. En attendant les autres, je m'accroche au jambage de la porte pour ne pas m'écrouler. Je devrais connaître le code pour entrer dans la maison, mais je l'oublie tout le temps.

Lance et Chatte Éclair sont les derniers à sortir de la limousine. Faisant honneur à son nom, elle nous offre un parfait aperçu de la nudité de sa foufoune – le deuxième pour moi – au moment où elle glisse sur la banquette. Lorsque ses pieds se posent sur le sol, Lance se place devant elle pour nous bloquer la vue. Il se penche vers elle pour tirer sur sa jupe, ce qui est sympa de sa part. Quand il est de mauvaise humeur, il laisse les filles se ridiculiser et se moque d'elles ensuite. Il peut être vraiment stupide parfois.

Ses copines jouent les langues de putes en gloussant et chuchotant. Enfin, seulement celle qui était collée à Randy ; l'autre a l'air mal à l'aise. Des trois filles que Randy et Lance ont levées ce soir, celle-ci semble la plus réservée. Peut-être que l'idée de partager une bite ne l'enthousiasme pas vraiment. Appuyant la tête contre la porte fermée, je lance à Randy :

– Tu es le meilleur, mec. Je te l'avais jamais dit ?

Je tente d'appuyer sur la sonnette, mais la rate.

– C'est ce que me répètent les filles sans arrêt.

Je m'esclaffe et tente à nouveau de viser la sonnette. Cette fois, je tape en plein dans le mille. La mélodie d'un film retentit aussitôt. Je n'arrive pas vraiment à me rappeler du titre, mais c'est très drôle, alors je continue à appuyer jusqu'à ce que Lance et Chatte Éclair arrivent enfin devant la porte.

Lance compose le code.

– Je crois pas que tu ferais mieux de te redresser, Butterson.

– Ça va.

Je ferme les yeux et commence à me dire que ce serait sympa d'aller direct au lit. Tant pis pour la pizza.

Je ne comprends le sens de sa phrase que lorsque la porte bouge. Je lève les mains pour m'accrocher au cadre, mais n'étant pas assez rapide, je tombe la tête la première dans le vestibule. Et malheureusement, le parquet n'amortit pas ma chute. Je grogne au moment de l'impact et l'une des filles se précipite vers moi pour m'aider, tandis que Lance se tord de rire. Je lui assure que ça va et reste allongé quelques secondes avant de rouler sur le dos. Chatte Éclair tente de nouveau de m'aider. Je vois tout ce qu'il y a sous sa jupe. C'est comme un sandwich à la viande complètement défait. J'ai vu plus de chattes au cours de la dernière demi-heure que depuis que j'essaie de sortir avec Sunny.

Randy me tend la main pour m'aider à me relever.

Je refuse de la prendre.

– Je vais rester ici jusqu'à ce que la pizza arrive, d'accord ?

– Ça risque d'être long. On va te trouver un canapé.

J'attrape sa main, mais ne fais aucun effort pour essayer de me relever. Comme il est sur le point d'abandonner, je tire d'un coup sec sur son bras et Randy atterrit sur le sol à côté de moi. Je lui fais une cravate.

Il se débat pour se dégager, mais il est aussi bourré que moi et l'effet de surprise joue en ma faveur.

– Va te faire foutre, connard, me crie-t-il.

– Oh mon Dieu ! hurle l'une des filles, tandis que nous luttons sur le sol comme des cons. Est-ce qu'ils sont vraiment en train de se battre ? Tu devrais peut-être les arrêter ?

– Tout va bien.

Lance pose les mains sur les reins de deux filles.

– Venez. Allons nous chercher des boissons et nous installer dans le jacuzzi.

Randy me donne un coup de coude dans les côtes et je le relâche. Il roule sur le dos, bondit sur ses pieds, puis il suit Lance et les groupies en titubant. J'ai un mal de chien à me relever, mais je finis par y arriver. Je longe le couloir, l'épaule appuyée contre le mur pour éviter de retomber.

Il faut que je boive de l'eau – et ce truc atroce que me donne Natasha, ma coach, quand j'ai la gueule de bois. Mais la cuisine de Lance est beaucoup trop loin. J'entre en trébuchant dans l'immense salon et me dirige vers le canapé libre. Quand mes genoux heurtent l'accoudoir, je me laisse tomber en avant comme un arbre. Mais je vise mal et atterris sur un coin, si bien que je bascule et me cogne la tête contre la table basse.

– Aïe ! Putain !

Comme il n'y a pas assez de place pour que je me retourne sur le dos, je reste allongé dans la même position, coincé entre le canapé et la table basse.

Lance rigole.

– Tout va bien, Butterson ?

– Y a une capote usagée là-dessous.

– Ah ouais ? Récupère-la pour moi s'te plaît.

– Tu rêves.

Elle est couverte de poussière, mais je devine qu'elle est rouge – c'est certainement moi qui la lui ai donnée. Ou peut-être que c'est moi qui l'ai utilisée. Je n'en ai aucune idée. J'achète toujours l'assortiment arc-en-ciel qui est vendu avec le grand tube de lubrifiant. J'ai donné des surnoms à ces capotes en fonction de leur couleur : rouge, c'est bite du diable, vert, géant vert, bleu, bite de Schtroumpf, et noir, marteau de forgeron. Je ne suis pas fan des capotes jaunes ; ma bite ressemble à une banane et on dirait qu'elle a la jaunisse. Mes préférées, ce sont les phosphorescentes, qui donnent à ma queue l'apparence d'un gros bâton lumineux.

– Tu restes par terre ou tu viens avec nous dans le jacuzzi ?

– J'arrive dans une minute.

– Comme tu veux, Butterson. Mais si tu t'endors ici, compte pas sur moi pour te réveiller.

– Pas de problème.

Je vois des talons pointus se diriger en vacillant vers les portes du patio.

– J'ai pas de maillot de bain, dit Chatte Éclair.

Lance passe un bras autour de sa taille et sa main se pose sur son cul.

– Qui a dit qu'il t'en fallait un ?

De la musique bruyante retentit soudain à travers la maison grâce aux enceintes extérieures. J'entends un plongeon et un cri au loin. On a jeté quelqu'un dans la piscine. Je reste allongé, la joue écrasée sur le sol, et regarde fixement la capote poussiéreuse en regrettant de ne pas être rentré chez moi. J'ai dû m'endormir comme ça, parce que je suis soudain réveillé par le bruit de la sonnette. Je dois faire trois tentatives avant de parvenir à me lever. La vache, la porte n'arrête pas de bouger, c'est dur de l'atteindre.

Je paie le livreur de pizzas avec ma carte de crédit, puis emporte les boîtes et le pack de six sodas. Pas la peine d'appeler les mecs. Je connais Lance, il a dû réussir à convaincre les filles de se mettre en slip et en soutif – sauf celle qui ne portait rien.

Je pose les pizzas sur la table basse, ouvre un soda et le siffle. Il faut que je m'hydrate si je ne veux pas vomir comme une lavette pendant l'entraînement de demain. De l'eau, ce serait encore mieux, mais je suis déjà assis. Avant de me jeter sur la bouffe, j'enlève mon pantalon. Ce n'est pas que j'aie peur de le salir ; j'en ai simplement marre de porter un jean. J'aime aussi ne pas être encombré par des vêtements. Comme j'ai tout le temps chaud, j'en profite pour me désaper, souvent entièrement, dès que c'est possible.

N'étant pas chez moi, je garde mon boxer et mon T-shirt. Normalement, je ne porte pas de sous-vêtement, mais il fait chaud en boîte de nuit. Et à cause de la transpiration, j'ai souvent les couilles qui se collent à ma jambe. Je m'installe confortablement sur le canapé. Il est en cuir blanc, un choix de couleur totalement stupide, mais peu importe. J'ouvre la boîte d'une pizza et grogne de plaisir à la vue du fromage fondu et des dizaines de délicieux morceaux de viande.

Quand Sunny et moi commandons une pizza, je n'ai même pas droit au fromage. Elle ne mange rien avec une tête ou qui vient d'un truc avec une tête. Franchement, je ne pourrais jamais supporter de ne plus jamais manger de vache. Mais je respecte son choix.

Au moment où je tire sur une part, le fromage s'accroche à ses potes comme si son destin le terrifiait. Je me penche au-dessus de la boîte – trop la flemme d'aller me chercher une assiette dans la cuisine – et mords dans la pizza à pleines dents. Elle est brûlante. Aussi brûlante que si elle sortait tout droit du four, ce qui est dingue parce qu'elle ne sort évidemment pas tout droit du four. Moins ivre, j'aurais peut-être prêté attention au nuage de vapeur qui s'est échappé quand j'ai soulevé le couvercle, mais j'avais trop hâte de me remplir le ventre.

Le fromage me brûle le palais et des fils se collent à mon menton, brûlants eux aussi. Quand je laisse tomber la part, celle-ci tombe à cheval sur le bord de la boîte et dégouline sur la table basse et le numéro le plus récent de *The Hockey News*. Ouvrant un autre soda, j'en siffle la moitié pour me rafraîchir la bouche. Je suis vraiment un gros naze ce soir.

En attendant que la pizza refroidisse, je cherche la télécommande. Elle n'est pas sur la table basse, ni sous la boîte à pizza. Je la retrouve coincée entre les coussins du canapé, en compagnie d'une petite culotte, que j'évite soigneusement de toucher.

Les programmes de qualité sont rares à deux heures du matin. Si j'exclus les infopublicités et les pornos, il ne me reste que les temps forts du sport, de vieilles sitcoms ou la chaîne de clips. Je zappe un moment et finis par m'arrêter sur un mauvais porno. Ça m'étonnerait que j'aie l'énergie de m'astiquer plus tard. Si ça se trouve, je suis tellement bourré que je banderai mou.

Je me décide finalement pour la chaîne musicale et retourne à ma pizza, qui a suffisamment refroidi. Je dévore la moitié des parts et pique du nez sur le canapé. La seule raison pour laquelle je finis par me réveiller, c'est que mon portable sonne. Comme il est dans la poche de mon pantalon, qui se trouve à environ six mètres de moi sur le sol, je rate l'appel. Je me dis que je ferais mieux de dormir dans un lit plutôt que sur le canapé de Lance. J'ai pioncé suffisamment de fois ici depuis qu'on m'a transféré en pleine saison pour pouvoir revendiquer un droit sur une chambre quand je suis trop torché pour me traîner jusque chez moi.

J'ignore totalement si Lance et Randy sont toujours dehors avec les filles. Si c'est le cas, il y a des chances pour que le jacuzzi ait besoin d'un bon nettoyage demain. Je me prends presque les pieds dans mon pantalon en montant à l'étage. Je le traîne derrière moi jusqu'au premier et entre dans la chambre d'amis.

Tout en donnant un coup de pied dans la porte pour la refermer, je tire mon T-shirt par-dessus ma tête, enlève mon boxer et tombe face contre le matelas. La musique bat toujours son plein dehors et ses basses font vibrer la maison tout entière. Ce n'est plus de la pop maintenant, mais une ballade ringarde des années 1980. Le genre de truc qui plairait à Sunny.

Penser à elle réveille aussitôt ma bite, mais ça craint parce que je n'ai pas la coordination suffisante pour faire quoi que ce soit. Ça me soûle qu'elle n'habite pas plus près. Le Canada n'est pas si loin que ça de Chicago, mais la distance suffit à rendre toute notre histoire beaucoup plus compliquée.

J'ai envie de l'appeler. Je sais que c'est une mauvaise idée. Je suis bourré et elle dort probablement puisqu'il est plus de deux heures du matin. Ou peut-être cinq. Je n'arrive pas à lire les chiffres sur le réveil. Dans l'état où je suis, la logique et moi, ça fait deux. Je cherche mon pantalon à tâtons, le trouve par terre et tombe presque du lit en essayant de l'attraper. Je sors mon portable de la poche. La batterie est dans le rouge : neuf pour cent. Mais ça devrait suffire pour un appel rapide. Je tomberai sans doute sur sa messagerie, de toute façon.

Comme prévu, j'entends quatre sonneries puis son message d'accueil.

« Vous êtes bien sur le portable de Sunshine Waters. Je suis probablement occupée à purifier mon chi, mais je vous rappelle dès que c'est terminé. Et n'oubliez pas, le karma est votre ami ! »

Je raccroche sans laisser de message et la rappelle. Je tombe une deuxième fois sur sa messagerie. Au troisième essai, elle décroche.

– Allô ?

Sa voix est rauque et ensommeillée. Elle a la même quand elle jouit. Je n'ai pu lui faire atteindre l'orgasme qu'avec les doigts jusqu'à maintenant. Elle veut y aller doucement. En gros, il faut que je prenne le contrôle du palet avant de pouvoir marquer le genre de but que je préfère.

– Salut poussin, je te réveille ?

Question stupide. Bien sûr que je la réveille ; je l'ai appelée trois fois au milieu de la nuit.

– Miller ?

– Je suis désolé. Il est tard, hein ?

Je roule sur le dos, puis écarte les bras et les jambes pour laisser mes couilles respirer. J'entends le bruissement de ses draps au téléphone. J'imagine ce qu'elle porte en me basant sur le souvenir de nos conversations nocturnes sur Skype. C'est une fille du genre short et T-shirt ample. Parfois, elle porte un haut très fin, si bien que c'est comme si elle était nue sans l'être. Malheureusement, elle a toujours un soutien-gorge de sport en dessous. Ce truc est la pire invention du monde. Ça vous ruine n'importe quel décolleté.

– Il est quelle heure ?

– Euh…

Je regarde le réveil sur la table de nuit en plissant les yeux, comme si ça pouvait m'aider à lire les chiffres. J'ai moins de mal avec les aiguilles.

– Assez tôt.

– Le matin ?

– Ouais.

– Est-ce que tout va bien ?

– Ouais.

S'ensuit un long silence.

– Tu es sorti avec les gars hier soir ?

– Ouais.

Sa voix douce devient sévère.

– Qui ça ?

– Comme d'hab. Randy Ballistic et Lance Romero. D'autres mecs ont débarqué plus tard.

– Donc tu es bourré ?

Je savais bien qu'il ne fallait pas l'appeler. Si seulement quelqu'un pouvait m'empêcher de faire toutes ces conneries. Cette fois au moins, les groupies sont occupées et loin de moi. La plupart du temps, Lance ne m'est pas d'une grande aide. Il me pousse à faire les mauvais choix.

– J'ai bu quelques verres. J'avais envie d'entendre ta voix.

On dirait une phrase cliché, mais ce n'en est pas une. J'ai vraiment envie d'entendre sa voix, même si ça me donne l'air d'une couille molle.

Elle fait un petit bruit comme si elle s'étirait ou essayait de se mettre à l'aise. Ce son se dirige droit vers ma bite, qui se gonfle comme un ballon d'hélium.

– C'est gentil, Miller, dit-elle en soupirant.

J'adore le fait qu'elle m'appelle par mon vrai prénom plutôt que par mon surnom.

– Mais tu ne crois pas qu'il vaudrait mieux m'appeler quand tu es sobre et pas au milieu de la nuit ? Je faisais un rêve agréable quand tu m'as réveillée.

– Quel genre ? Un rêve sexuel ?

– Je ne te le dirai pas.

– C'était ça, hein ?

– Je ne te dirai rien.

– Tu sais, ce sera mille fois mieux quand tu me laisseras te déshabiller pour de vrai.

– Ne va pas plus vite que la musique, Butterson.

– Tout ce que je veux dire, c'est que quand tu voudras bien qu'on passe à cette étape, ce sera l'extase.

Elle soupire.

– Poussin ?

– Tu ferais mieux de dormir maintenant, histoire de te remettre de ta cuite. Tu viens toujours demain ?

– Si tu veux, je viens tout de suite, bébé.

On frappe à la porte. J'entends la voix de Randy, suivie d'un gloussement. Je couvre mon portable – du moins je crois le faire – et hurle :

– Je dors !

– Tu es chez toi ? C'était qui, cette voix ?

– Je suis chez Lance.

Sunny retient brusquement son souffle et demande :

– Tu comptes y passer la nuit ?

– Natasha vient demain matin.

– Qui ça ?

– Notre coach. On se sert de la piscine de Lance pour faire de la pliométrie.

J'ai moins de mal à articuler maintenant. Je parviens à prononcer ce mot sans le massacrer.

– Ma voiture est ici, en plus. Je me montre responsable en dormant ici.

– Est-ce qu'il y a des filles avec vous ?

– Lance a invité quelques copines. Je suis au lit.

– Combien de copines ?

– Quelques-unes.

– Est-ce que certaines sont les tiennes aussi ?

– Non, bébé. La seule copine que j'ai en ce moment, c'est ma main gauche.

Un long silence s'installe.

– Sunny ? Tu es toujours là ?

– Oui. Mais je devrais te laisser, il est tard. Je donne un cours de yoga à la première heure demain matin.

– Tu es sûre de ne pas vouloir me raconter le rêve que tu faisais ?

Je n'obtiens pour toute réponse qu'un rire peu enthousiaste.

– Tu es insupportable. Tu ferais mieux de fermer ta porte à clé. Bonne nuit, Miller.

Mon portable n'a plus de batterie. La connexion se coupe avant que j'aie pu lui répondre. Je n'ai pas de chargeur sur moi et je suis trop fatigué pour renfiler mes vêtements et aller en chercher un. Au lieu de bouger, je ferme les yeux et visualise Sunny dans son bikini – c'est la plus petite tenue dans laquelle je l'ai vue – et je saisis ma bite à moitié dure. Je n'ai pas suffisamment de coordination, de matière grise ou d'énergie pour conserver cette image dans ma tête et m'astiquer en même temps. Je tiens donc mon manche dans une main et mon portable éteint dans l'autre.

Et soudain, je m'empaffe comme un con.

2

Tête de nœud

J'ai mal à la tête et un sale goût dans la bouche. J'essaie de ne pas bouger, mais une musique atroce résonne à l'extérieur de ma chambre et m'empêche de dormir. Je soulève une paupière et grimace à cause de la lumière vive qui traverse les rideaux. La première chose que je remarque, c'est que je ne suis pas dans mon lit. Je mets un moment à me rappeler que je suis chez Lance. J'ai le très vague souvenir d'un trajet en limousine et d'être resté un moment allongé sur le sol dans le salon. Je me souviens ensuite d'une capote, d'une chatte nue, et la panique m'envahit.

L'autre côté du grand lit est vide, j'imagine que c'est bon signe. Étant donné mon énorme gaule du matin et la douleur dans mes couilles, je suis quasiment certain de ne pas avoir mis ma queue quelque part où je n'aurais pas dû.

Il y a quelques mois, j'aurais forcément découvert sur l'oreiller libre la tête d'une groupie très satisfaite et épuisée. Avant, j'étais un coureur. Cette réputation continue à me coller à la peau, mais je fais de mon mieux pour évoluer. Ce qui n'est pas si facile. Les femmes ont tout le temps envie de s'empaler sur ma queue. Ne pas ramener de filles à la maison, c'est comme passer devant un MacDo alors que je vais au camp d'entraînement : je sais que je n'y ai pas droit parce que ça ne fait pas partie du régime prévu, donc j'en ai encore plus envie.

Au lieu de faire l'amour, Sunny et moi, on s'envoie des SMS, ou alors on discute sur Skype. C'est ce que je préfère, surtout quand il est tard le soir. Elle est installée dans son lit et je peux la mater pendant qu'on parle.

J'espère qu'un jour, on passera à l'étape suivante : une petite partie de jambes en l'air par webcams interposées. On n'a pas encore couché ensemble pour de vrai, alors il est hors de question de lui demander de coucher virtuellement avec moi pour le moment. Il faut que je fasse les choses dans l'ordre. Je me contenterai de séances de branlette post-Skype tant qu'on n'aura pas couché ensemble. C'est frustrant, mais en même temps, ça me plaît bien que Sunny ne soit pas une fille facile, comme les groupies auxquelles je suis habitué.

Bref, tout ça pour dire que ma bite n'a pas servi depuis plusieurs mois. On s'est pelotés et roulé des pelles, elle m'a mis la main au paquet et vice versa, mais c'est tout. C'est bizarre. D'habitude, je couche toujours le premier soir.

Avant Sunny, tout ce que j'avais à faire quand j'avais besoin de compagnie, c'était ouvrir ma liste de contacts, chercher mes chéries, en appeler une et attendre. En général, la chérie en question arrivait dans la demi-heure ; les trop maquillées mettaient plus de temps. C'était presque comme commander une pizza.

Peu importait que je rentre juste d'une séance de muscu ou d'entraînement. Je n'avais même pas besoin de prendre une douche. Que je sois dégueulasse et en sueur, ou que j'aie mangé une gousse d'ail crue juste avant, elles venaient me voir et bondissaient sur ma queue.

Maintenant que j'essaie de convaincre Sunny de devenir ma petite amie, ce n'est plus possible, alors je n'ai que ma main pour me satisfaire. En principe, si je peux me passer d'ailes de poulet pendant quelques mois, je devrais être capable de me passer de sexe. Mais c'est beaucoup plus dur en pratique.

Je décide de traîner un peu dans ce lit qui n'est pas le mien et tente de me rappeler la fin de ma soirée. Il est possible que j'aie appelé Sunny alors que j'étais bourré.

J'espère qu'elle n'a pas décroché. D'après mes maigres souvenirs, je n'étais pas en grande forme.

C'est comme ça pendant l'intersaison – on se couche tard, on fait beaucoup la fête, on boit, on bouffe de la merde, et on regrette tout ça lorsque reprend l'entraînement. Je repositionne mon oreiller sur ma tête pour échapper à cette musique atroce.

Je m'assoupis juste au moment où quelqu'un frappe à la porte.

– Natasha arrive dans vingt minutes. Bouge-toi le cul, Butterson, hurle Randy.

Je soulève un peu l'oreiller et regarde fixement les chiffres sur le réveil. Si seulement ils pouvaient arrêter de changer de place ! Je n'arrive pas à les lire. Il est plus de neuf heures. L'alarme de mon portable aurait dû se déclencher il y a une demi-heure. D'habitude, je la reporte au moins quatre fois avant de me lever. Je déteste me réveiller tôt presque autant que l'odeur de ma pisse après avoir mangé des asperges. Et la musique pop.

Quelques minutes plus tard, on frappe encore à la porte.

– Buck ?

C'est une voix féminine, cette fois. Elle m'est vaguement familière. Je décide de l'ignorer.

On frappe encore.

– Randy m'a dit que tu devais te lever.

Je ne réponds toujours pas. J'entends des chuchotements et des gloussements de l'autre côté de la porte, suivis du son de la poignée qui tourne. J'ai oublié de fermer à clé. Je bondis de mon lit et plaque l'épaule contre le bois de la porte pour la maintenir fermée. Je suis à poil. Et j'ai une gaule d'enfer. Et un super mal de crâne.

Je me laisse glisser sur le sol et presse les talons de mes mains sur mes yeux.

– Je suis debout. Je descends dans, disons, dix minutes.

J'entends encore quelques gloussements, puis des pieds qui s'éloignent dans le couloir et une voix qui hurle :

– Il dit qu'il est levé !

Quelques minutes plus tard, je suis toujours assis sur le sol, la tête entre les mains, quand Randy vient frapper à ma porte.

– Si tu n'es pas descendu dans huit minutes, Natasha va te coller des suicides.

– J'aimerais bien voir ça.

Natasha est ma coach depuis que j'ai été transféré de Miami à Chicago. Elle est dure, mais géniale. Raison pour laquelle il m'arrive de la détester. Ces menaces suffisent à me faire bouger. Je ferme le verrou cependant, au cas où quelqu'un déciderait de débarquer dans ma chambre.

Je cherche vainement mon portable sur la table de chevet. Il n'est pas non plus sur le sol, alors je passe la main sur la couette pour vérifier si j'ai accidentellement dormi avec. Je le retrouve sous l'oreiller. Je l'emporte dans la salle de bains, puis je l'allume pour pouvoir taper mon mot de passe et vérifier mes messages, mais l'écran reste noir. La batterie doit être à plat. Je le pose sur le réservoir de la chasse d'eau et relève la lunette. Comme je bande, il m'est presque impossible de pisser.

Si ma batterie n'était pas à plat, je trouverais une photo de Sunny et résoudrais mon problème. Mais cette fois, je dois faire appel à mon imagination. Cette matinée est encore plus merdique que les autres. Comme je ne l'ai pas encore vue nue, il faut que j'assemble des images d'elle presque entièrement à poil dans son bikini et que j'imagine à quoi ressemblent ses seins. Je finis par laisser tomber, attrape un magazine de cul sur le porte-revues et l'ouvre. Je tombe sur une blonde sexy aux faux seins. Ça devrait le faire.

Juste avant de balancer la purée, je pose la main sur le mur et appuie mes tibias contre le siège des toilettes. Finalement, mes genoux se dérobent, je rate ma cible et me cogne contre le couvercle relevé des toilettes. L'impact fait trembler le réservoir et mon portable glisse vers l'avant.

Je suis trop lent pour le rattraper. Il rebondit sur le siège des toilettes et, au lieu d'atterrir sur le sol, tombe tout droit dans la cuvette.

– Merde ! Merde ! Merde !

Je tends le bras et le repêche. Tant pis si je dois tremper la main dans l'eau des toilettes où flotte mon propre sperme. Je le secoue, attrape la serviette la plus proche et l'essuie. Comme la batterie est déjà à plat, j'ignore totalement s'il est foutu ou non.

Bien sûr, c'est à ce moment-là qu'on frappe encore sur cette foutue porte. Je traverse la chambre d'un pas raide, mon portable potentiellement foutu enveloppé dans une serviette de toilette. J'ouvre la porte à toute volée.

– Mec, qu'est-ce que tu…

Randy s'arrête au milieu de sa phrase.

Il y a une fille derrière lui. Son visage m'est vaguement familier.

Elle a le même maquillage qu'hier soir et porte un T-shirt de Randy trop grand pour elle – et sans doute rien d'autre. Ses yeux se posent sous ma ceinture.

– Oh mon Dieu !

Je suis nu et bande encore à moitié après ma séance de branlette. Je couvre mon paquet avec la serviette. Randy lève une main pour lui couvrir les yeux. Elle essaie de l'enlever, mais Randy a d'énormes paluches et il est beaucoup plus fort qu'elle, malgré sa gueule de bois.

Bien qu'elle ne puisse pas me voir, elle me pointe du doigt.

– Tu as quelque chose sur le…

– Et si tu descendais voir ce que font les filles, chérie ?

– Mais…

– Je m'en occupe.

Il lui chuchote quelque chose à l'oreille. L'une de ses mains glisse sous le T-shirt de la fille. Je détourne les yeux parce que je n'ai aucune envie de voir ses parties intimes – même si elle a vu les miennes.

Elle rit et s'éloigne dans le couloir en hurlant :

– J'ai vu la bite de Buck. Elle est énorme !

– Non, mais t'es con ou quoi ?

Comme si j'avais besoin d'être encore plus dans la merde.

– Fallait pas ouvrir la porte à poil.

Randy désigne mon corps nu.

– Tu t'es cru dans un vestiaire, Miller ?

– Mon putain de portable est tombé dans les toilettes !

Je tends la serviette dans laquelle est enveloppé mon téléphone.

– T'étais encore en train de pisser en surfant sur Facebook ?

– C'est ça, marre-toi, connard. J'ai tous mes contacts là-dedans.

– Il fonctionne ?

– Aucune idée, la batterie est à plat.

Il me lance un caleçon de bain.

– Enfile ça et apporte-le en bas. Je vais chercher un sachet de riz.

– Qu'est-ce que tu vas foutre avec du riz ?

– Relax, mon vieux. On dit qu'il absorbe l'humidité, ou quelque chose comme ça. On va le recharger et le mettre dans un sachet de riz. Avec un peu de chance, il sera en état de marche d'ici deux ou trois heures.

J'enfile le caleçon, range ma bite dégonflée et le suis dans les escaliers. Randy a l'air en bien meilleure forme que moi ce matin.

Deux filles – celle qui a annoncé la taille de ma bite à toute la maison, nous l'appellerons donc Crieuse de Bite, et une autre qui était là hier soir, je la reconnais vaguement – sont assises au bar et mangent le petit déjeuner en buvant du café. Une autre, allongée sur le canapé du salon, tapote sur son portable. Les filles au bar me dévisagent, puis baissent les yeux vers leurs tasses, les épaules tremblantes.

– T'as encore exhibé tes bijoux de famille, hein, Miller ? dit Natasha, notre coach, occupée à jeter des fruits dans le mixeur de l'autre côté de la cuisine.

On dirait qu'elle est de mauvaise humeur. Ça veut dire que l'entraînement va être encore plus dur que d'habitude aujourd'hui.

– J'ai pas fait exprès.

Elle pose une main sur le dessus du mixeur et un doigt sur le bouton. Elle lève les yeux vers moi, puis appuie. Je n'ai pas le temps de me couvrir les oreilles. C'est comme une bombe qui explose dans ma tête.

Natasha écarquille les yeux et hurle de rire en se laissant tomber sur le sol. Je suis content que le mixeur s'arrête.

Des ricanements résonnent un peu partout dans la pièce.

– C'est quoi ce bordel ? Tout le monde est défoncé ou quoi ?

– Je croyais que tu allais t'en occuper ? dit Crieuse de Bite à Randy.

Il hausse les épaules.

– De quoi ? fais-je, totalement paumé.

Crieuse de Bite secoue la tête et lève les yeux au ciel.

– Va te regarder dans la glace.

Je laisse tomber mon portable sur le plan de travail et entre dans la salle de bains la plus proche. Sur mon front, au marqueur noir, il y a une énorme queue en train d'éjaculer. Elle a même des poils aux couilles.

– Qui a fait ça ?

– Pas moi, hurle Randy. Je sais même pas dessiner un bonhomme.

Je fais gicler une dose de savon liquide dans ma paume et me frotte le front, mais l'encre ne part pas. Je sors d'un pas lourd de la salle de bains et hurle :

– Prépare-toi à prendre la raclée de ta vie, Lance ! Si quelqu'un a pris des photos, je t'arrache les couilles, fils de pute !

Les deux filles assises au bar ont l'air de se demander s'il vaut mieux rire ou fuir. Natasha est toujours morte de rire par terre et Randy a la main posée sur la bouche.

Lance ouvre la porte coulissante qui mène au patio et à la piscine.

– Ça finira par partir.

– J'ai un putain d'avion à prendre ce soir. On me laissera jamais mettre les pieds au Canada si j'ai une bite sur le front.

– C'est ce soir ? demande Lance.

– Ouais, mec. Je te l'ai dit.

Enfin, je crois.

Natasha parvient à se calmer suffisamment pour me demander :

– Tu vas voir Sunny ?

– Pas si j'ai toujours ce truc ce soir !

Je pointe mon front du doigt.

– C'est qui, Sunny ? demande Crieuse de Bite.

– La petite amie de Miller, répond Randy.

– Je croyais qu'il s'appelait Buck.

– C'est un surnom, réponds-je. C'est quoi ce truc ? Du marqueur indélébile ? Comment je vais le faire partir ?

– Le démaquillant marchera peut-être, dit la fille sur le canapé.

– Est-ce qu'une de vous en a sous la main ?

Les deux filles au bar secouent la tête. La plus calme, allongée sur le canapé, se redresse.

– Oh ! J'ai du gel désinfectant pour les mains !

Elle bondit et sort de la pièce. Une minute plus tard, elle revient avec trois petits flacons et tapote un tabouret.

Je m'assieds. Elle verse un peu de gel dans sa paume ; il a un parfum fruité.

– Tu es sûre que ça va marcher ?

– Ça vaut le coup d'essayer.

Elle attrape une serviette en papier et la trempe dans le gel.

– Il y a de l'alcool dedans.

Elle commence à frotter mon front.

– Ouah, ce truc est dur à enlever.

Elle prend une plus grosse dose de gel et m'en met accidentellement dans les yeux. Ça brûle à mort.

– Oh ! Pardon ! Ce serait peut-être mieux si tu t'allongeais.

– Bois ça et rejoins-nous dehors, quand tu seras débarrassé de ta bite.

Natasha pose un verre sur le plan de travail, à côté de deux analgésiques, et sort de la cuisine d'un pas nonchalant. Randy emmène Crieuse de Bite et l'autre fille dehors.

Natasha a l'habitude de ces conneries. Il lui arrive souvent de débarquer alors que des filles de la veille traînent encore dans la maison. La baraque de Lance est toujours pleine de meufs et de cadavres de bouteilles.

Bien que le canapé soit à moins de trois mètres, je m'allonge par terre et la fille calme s'assied à côté de moi en croisant les jambes.

– Puisque tu t'apprêtes à m'effacer la bite que j'ai sur le front, autant que tu me dises ton nom.

Son sourire faiblit et elle fait la moue.

– Je m'appelle Poppy. Lance est un sacré blagueur.

– Ouais. C'est du Lance tout craché. Merci de t'occuper de la bite sur mon front.

– Pas de problème.

Elle masse ma peau avec du gel.

– Kristi suit sa carrière depuis le jour où il a été sélectionné.

– Qui ça ?

– La fille avec qui il était hier soir.

– Celle qui ne portait pas de sous-vêtement ?

Elle doit bien se douter que Lance se tape des filles comme une pute se tape des mecs.

– C'est du Kristi tout craché. Au fait, je n'ai pas couché avec Lance après elle.

– Euh…

– Désolée. Je ne sais pas pourquoi j'ai dit ça.

Elle verse du gel directement sur mon front. Je ne vois pas son visage, mais au son de sa voix, je devine qu'elle est embarrassée.

– Lance veut juste s'amuser. Il ne cherche pas à vivre une vraie relation, tu sais.

– Oh, je suis au courant. J'étais à l'école primaire avec lui ; ensuite, ma famille a déménagé. Il me taquinait tout le temps. Enfin bref, on était gamins. Il est différent aujourd'hui. Moi aussi, j'imagine.

Je ne connais Lance que depuis que j'ai été transféré, alors je ne sais pas comment il était avant de jouer en NHL.

En général, c'est un sale prétentieux, mais il peut être bien pire que ça.

– Est-ce qu'il sait que vous vous connaissez ?

– Je ne crois pas qu'il se souvienne de moi. D'ailleurs, je préférerais que tu ne lui dises rien. Vous êtes copains tous les deux, non ?

Je n'arrive pas à deviner si cette fille est une espèce d'admiratrice monomaniaque, une simple fan, ou autre chose. Elle fait la même tête que moi quand je n'ai pas le droit de commander des ailes de poulet.

Je lui réponds d'un vague hochement de tête.

– Maintenant, il va falloir que tu m'expliques pourquoi je ne dois pas lui dire que vous vous connaissez.

– Hors de question.

Elle essuie mon front plus agressivement.

– Dis donc, ce truc tient vraiment.

– Lance va avoir droit à un bon coup de pied dans les couilles.

– C'est pourtant un chouette dessin.

– Alors, c'est quoi le problème avec lui ?

– Rien. Un truc idiot.

– C'était ton premier amoureux, un truc comme ça ? Vous vous teniez par la main, tout ça ?

Comme elle cesse de me frotter la peau, j'en profite pour la regarder. Son visage est tout rouge et elle se mord la lèvre. Elle est jolie. Peut-être qu'elle le serait encore plus sans son maquillage de la veille. Dommage que Lance soit occupé à baiser tout ce qui a une chatte, elle est exactement son genre : menue, cheveux blond vénitien, taches de rousseur et formes harmonieuses.

– J'ai deviné ? Putain de merde.

Je n'arrive pas à croire que j'ai raison.

– Comment se fait-il qu'il ne se souvienne pas de toi ?

– Ça ne s'est pas passé de cette façon. Et c'était il y a dix ans. Il était deux classes au-dessus de la mienne. Un soir, j'ai suivi ma grande sœur à une fête du lycée et on a joué à un jeu, tu vois ? Sept minutes dans le placard, ou un truc de ce genre.

Elle enfouit son visage dans ses mains.

– Oh mon Dieu. C'est tellement embarrassant. Je ferais mieux de me taire, maintenant.

Je m'assieds, soudain très intéressé. On se croirait dans une de ces horribles séries pour ados. J'adore ces merdes.

– Vous avez baisé ?

Elle baisse les mains.

– J'avais douze ans !

– C'est vrai. T'étais pas encore une petite traînée, hein ?

Elle me donne un coup de poing dans l'épaule.

– Alors il t'a pelotée ?

– Non !

– C'est vrai ? J'aurais donné ma couille droite pour pouvoir peloter une fille à cet âge-là. Je n'ai pas posé les mains sur une paire de seins nus avant mes seize ans.

– Tu plaisantes ?

– Juré craché.

Je fais semblant de cracher.

– Ouah. En tout cas, tu t'es bien rattrapé depuis, pas vrai ?

– Ouais. Sans doute plus que nécessaire.

Elle appuie sur mon épaule et je me rallonge sur le sol pour qu'elle puisse finir d'effacer cette stupide bite.

– Au fait, est-ce qu'on t'appelle Buck parce que tu te promènes tout le temps à poil ? demande-t-elle.

– Non. J'avais des dents de lapin quand j'étais petit[1].

– Oh, c'est méchant.

– Les gamins sont très cons. Ce surnom m'est resté, et au bout d'un moment, j'ai arrêté de m'en préoccuper. Mes dents sont parfaites maintenant, mais aucune de celles de devant n'est vraie.

– Qu'est-ce qui t'est arrivé ?

– J'ai pris un palet en pleine figure un jour que je jouais au hockey dans la rue.

1. En anglais, *buck naked* signifie à poil, et *buck teeth*, dents de lapin. *(NdT)*

Elle retient brusquement son souffle.

– Tu as dû avoir super mal.

– Ouais, mais c'était pas la première, ni la dernière fois. Je m'apprêtais à porter un appareil, mais du coup, je n'en ai pas eu besoin. J'ai eu des implants en titane à la place. Heureusement, on t'injecte une bonne dose de médocs avant de t'enfoncer ces merdes dans les gencives. Enfin bref, grâce à cet accident, on m'a finalement réparé les dents, alors j'imagine que ça valait la peine de souffrir.

– Ça fait beaucoup de souffrances pour un joli sourire. J'espère que tu portes une grille maintenant.

Elle essuie mon front une dernière fois.

– C'est bon. On dirait bien que tu es débarrassé de ton dessin de bite.

Je m'assieds.

– Merci de t'en être occupée.

– Pas de problème.

Je me lève et lui tends la main pour l'aider à se relever.

– Tu es très différent de ce que j'imaginais.

– En bien ou en mal ?

Elle sourit.

– En bien. Je te trouve sympa.

Lance m'appelle en hurlant depuis l'extérieur. Comme Poppy ne fait pas un mouvement pour me suivre, je m'arrête.

– Tu ne viens pas ?

– Je vais aller me rincer les mains d'abord. Je sens la salade de fruits à plein nez.

– D'accord. À tout'.

Je m'empare de la boisson que Natasha a préparée, du sachet de riz contenant mon portable, du chargeur et je rejoins Lance et Randy, qui sont déjà dans la piscine. Je branche mon portable près du barbecue, vérifie s'il fonctionne – l'écran reste noir – et siffle mon jus de fruits.

Lance semble avoir du mal à suivre le rythme. En revanche, Randy a l'air de s'en sortir. Je les rejoins d'un bond et plonge la tête dans l'eau en me frottant le visage pour rincer le gel au parfum artificiel.

– T'en a mis du temps, dit Lance entre deux halètements.

– C'est grâce à toi, tête de nœud.

– La ferme, tous les deux.

Natasha souffle dans son sifflet. Je déteste ce truc.

– Miller, tu me fais des suicides dans le petit bain. J'en veux vingt.

Lance m'adresse un grand sourire et lève le pouce.

Natasha le pointe du doigt.

– Toi aussi, Lance Romance.

Au moins, je ne serai pas le seul à en baver ce matin.

3

Nuée de poulettes

Au bout d'une demi-heure, je remarque que Poppy, la fille qui a effacé la bite dessinée sur mon front, ne nous a pas rejoints dehors. Peut-être qu'elle est retournée se coucher. Je n'ai pas le temps de poser des questions, Natasha est déchaînée. Lance, le moins motivé de nous trois, lui tape incontestablement sur les nerfs.

Il est tout le temps distrait par Chatte Éclair, la poule qu'il a sautée hier soir. Quelques bikinis devaient traîner dans la maison, parce qu'elle en porte un blanc si minuscule qu'il ne couvre presque rien. Crieuse de Bite porte un soutif rose et une petite culotte jaune. J'essaie de ne pas les regarder et de rester concentré sur mes exercices.

La pliométrie, c'est déjà difficile sur un sol sec, mais alors, dans l'eau et avec la gueule de bois, c'est carrément de la torture. Nous en sommes à notre troisième pause lorsque la sonnette retentit.

Je regarde Lance, qui ne bouge pas, assis sur le bord de la piscine.

– C'est qui ?

– J'ai invité quelques personnes.

Il donne un coup de coude à Chatte Éclair et lui demande d'aller ouvrir.

Lance n'invite jamais personne dans la journée. Ce n'est pas comme ça qu'il fonctionne, à moins que ce soit pour se taper une groupie, comme hier soir. Il est même surprenant que ces filles soient encore là. D'habitude, il leur appelle un taxi à la première heure le lendemain matin et les renvoie chez elles. Il a dû bien s'amuser avec Chatte Éclair.

Je demande à Crieuse de Bite :

– Elle est où, ta copine ?

La fille lève les yeux de son portable et me lance un drôle de regard.

– Elle est allée ouvrir la porte.

– Non. Je parlais de l'autre.

Je désigne mon front.

– L'effaceuse de bite.

– Oh, Poppy ? Comme elle ne se sentait pas bien, elle est rentrée chez elle en taxi.

Elle recommence à s'amuser avec son portable.

Cette nana m'a l'air d'être une copine assez pourrie.

Natasha est déjà sortie de la piscine et commence à remballer ses affaires. Je suis sûr qu'on n'avait pas fini, mais il est clair qu'elle abandonne. Chatte Éclair revient avec deux mecs de mon équipe et des filles que je n'avais jamais vues avant, ce qui est une bonne chose. Je lève la main pour les saluer, puis attrape les poids et les élastiques que nous n'avons pas pu utiliser. Lance se lève, non pour m'aider, mais pour saluer ses invités.

– Désolé pour aujourd'hui.

Je rassemble le tout à la façon de Natasha et lui tends le paquet pour qu'elle puisse le ranger dans son sac marin.

– Toi, ça va ; ce sont les deux autres qui posaient problème. Je ne crois pas que ces séances à domicile soient une bonne idée.

– On aurait pas eu de problème si Lance s'était débarrassé des groupies.

Lance habite en dehors de la ville dans une maison gigantesque sur un terrain immense. Il a même une salle de muscu chez lui et une piste de course dans son jardin. Sa piscine déchire et le jacuzzi est génial après un entraînement intensif. Comme je ne sais pas ce qui s'est passé dedans hier soir, je ne l'utiliserai pas aujourd'hui. On a commencé à programmer nos entraînements ici quand le temps s'est réchauffé. De cette façon, je n'avais pas à supporter toutes les groupies à la salle de sports. Malheureusement, Lance a commencé à les ramener ici.

– Ouais, eh bien, il a préféré qu'elles restent, alors je laisse tomber.

Natasha attrape son sac.

– Désolé pour son comportement. Tu sais comment il est.

Elle secoue la tête. Bizarrement, j'ai l'impression qu'il se passe un truc entre Lance et elle. Natasha le coache depuis deux ans, alors elle sait bien à quel point il peut être con. Draguer les filles est un besoin compulsif chez lui, et je sais que Natasha y a eu droit aussi. C'est compréhensible. Elle est super musclée – je trouve moi-même très sexy le fait qu'elle soit capable de me foutre une raclée, il faut bien l'admettre. Des tonnes de mecs doivent avoir envie de se la faire, y compris Lance. Mais je ne crois pas que ce soit le genre de nana à tomber dans le piège. Enfin, on ne sait jamais. Les gens font un tas de choses stupides quand il est question de sexe.

– Tu vas bientôt t'absenter une quinzaine de jours, non ? me demande-t-elle.

– Ouais. Je m'envole pour Toronto ce soir. Mon vol est à vingt et une heures, quelque chose comme ça.

Il faudra que je vérifie quand mon portable remarchera.

Son regard s'illumine.

– Ça t'excite de revoir Sunny ?

– Pourquoi ma vie sexuelle t'intéresse-t-elle autant ?

Natasha rit.

– C'est plutôt ton manque de vie sexuelle qui m'intéresse. Est-ce qu'elle te fait toujours attendre ?

Natasha en sait beaucoup plus sur ma vie intime que la plupart de mes proches. Elle m'a vu me taper des groupies à la chaîne après que j'ai emménagé ici, puis m'efforcer de faire une croix sur cet exutoire ces trois derniers mois en attendant que Sunny se décide.

Comme je ne réponds pas, elle me lance un sourire entendu.

– Bon, et après ta visite à Sunny, tu vas animer un camp, c'est ça ?

– Ouais. Randy me rejoint à Toronto et nous ferons le reste du trajet en voiture.

– Vous allez bien vous amuser. Ce n'est pas un stage de hockey comme les autres, hein ?

– J'ai eu envie de changer un peu cette année, et je serai tout près de Sunny.

Le fait que j'aie réussi à convaincre Randy de m'accompagner est un vrai exploit. Je lui ai rappelé comme on se marrait bien à ces stages en plein air quand on était gamins. Il a aussi quelques copains par là-bas, puisqu'il a joué dans l'équipe de Toronto pendant sa première année.

– Pas bête. Tu reviens ici juste après ou tu as autre chose de prévu ?

– J'ai des idées pour un autre projet, mais ça se fera sur place, et je vais avoir besoin de l'aide de Vi.

– Qu'est-ce qu'elle devient, au fait ?

– Toujours aussi chiante.

Étant la coach de mon équipe, Natasha l'a rencontrée deux ou trois fois.

– C'est incroyable qu'elle arrive à te supporter.

– Je ne vois pas ce que tu veux dire. Je suis génial.

Je lui lance un regard insolent.

– Vi va très bien, si c'est ce que tu veux savoir. Waters et elle se sont fiancés.

– J'en ai entendu parler. Mais ça n'a pas l'air de te réjouir.

– C'est n'importe quoi. Ils sont ensemble depuis si peu de temps ! Six mois, quelque chose comme ça ? Ça paraît beaucoup trop tôt, non ?

– Parfois, ces choses-là semblent aller de soi.

Le soir où j'ai rencontré Sunny, j'ai tout de suite su qu'elle n'était pas comme les filles avec lesquelles j'avais l'habitude de passer mes nuits. Ou mes fins de soirée. Mais ce n'est sans doute pas de ça que veut parler Natasha.

– Sans doute. C'est une grande fille, elle peut prendre ses décisions toute seule, mais s'il recommence à déconner, je lui casse la gueule.

– Je suis sûre qu'il ferait la même chose si tu déconnais avec Sunny.

– Exact. Mais ça n'arrivera pas.

Je sors mon portable du sachet de riz dans lequel Randy – ou plus probablement l'une des filles – l'a enfoui. Il est resté branché depuis le début, mais l'écran est toujours noir. Natasha m'envoie par mail quelques dates de séances pour que je vérifie mon emploi du temps chez moi, avant de partir à l'aéroport. J'ai envie d'appeler Sunny et de m'enregistrer pour mon vol, mais je n'ai jamais été doué pour mémoriser les numéros de téléphone, alors je ne connais pas le sien. Comme on est en semaine, elle doit être en train de donner un cours de yoga ou de faire du bénévolat au refuge pour animaux, de toute façon.

Natasha passe un bras autour de mon cou et me serre contre elle, puis elle fait au revoir à Randy qui flotte sur le dos dans la piscine. Enfin, le haut de son corps flotte grâce à une frite, mais ses jambes coulent. Avant de traverser la maison, elle n'adresse pas un regard à Lance en passant devant lui, mais il est trop occupé à socialiser pour le remarquer.

J'enfonce mon portable dans le sachet de riz. Il faudra que je revérifie plus tard. Je ne sais pas très bien combien de temps je dois le laisser sécher pour qu'il remarche. Si j'ai encore des problèmes dans quelques heures, je devrai passer à la boutique de portables. Je déteste ne pas pouvoir contacter les gens quand j'en ai besoin. J'espère que notre campement ne sera pas trop isolé, histoire d'avoir accès au réseau. Sinon, ça risque de tout foutre en l'air pour moi. Je compte envoyer des messages tous les jours à Sunny pour qu'elle sache que je pense à elle.

Tout à coup, quelqu'un change de musique. Le rock qui passait – c'est ce qu'on écoute en s'entraînant – est remplacé par une atroce dance-pop.

Lance balaie le patio du regard.

– Elle est où, Tash ?

– Partie.

– Quoi ? Quand ça ?

– Il y a une minute.

Lance se lève d'un bond et court sur le sol de béton, le front plissé. Décidément, j'aimerais bien savoir ce qui se passe. Parfois, j'ai l'impression que Lance ne fait pas que s'amuser quand il flirte avec Natasha. Ça craindrait qu'il la kiffe vraiment, parce qu'elle sait exactement à quelle fréquence il laisse des groupies profiter de sa queue.

Randy barbote jusqu'au bord de la piscine et sort.

– Qu'est-ce qui lui prend ?

– J'en sais trop rien, réponds-je, parce que c'est vrai et que je préfère garder mes hypothèses pour moi.

La sonnette retentit et, comme le chien de Pavlov, Randy se met à courir. Il revient quelques minutes plus tard en portant sur son dos l'une des dernières arrivées. Les trois autres se bousculent quasiment pour pouvoir être à côté de lui. Il y a quelques mois, quand Vi et Waters étaient brouillés parce que monsieur était – et je maintiens qu'il l'est toujours – un énorme connard, j'ai suggéré à ma sœur de sortir avec Randy. Mais même si c'est mon pote, je suis content que ce ne soit jamais arrivé.

Je reconnais deux ou trois filles dans le groupe. J'espère que ma queue n'a jamais pénétré un de leurs trous. Même s'il y a de bonnes chances pour que ce soit le cas.

Randy ne perd pas de temps. Il se met à courir vers l'eau avec la fille sur son dos. La pauvre écarquille les yeux quand elle comprend ce qu'il va faire, puis elle se met à hurler et à lui donner des coups de pied. Mais il lui tient fermement les jambes, alors elle n'a aucune chance de s'échapper. La fille lui mord l'épaule au moment où il bondit. Je souris en voyant son regard horrifié.

Crieuse de Bite passe devant Chatte Éclair d'un pas lourd et se dirige vers la maison. Les nouvelles filles s'en aperçoivent et chuchotent entre elles. Ce n'est que le matin, et pourtant, on nage déjà en plein drame.

Leur présence ne devrait pas me surprendre, mais je ne m'attendais pas à voir des groupies aujourd'hui. Lance ne décompresse pas souvent. D'habitude, quand Natasha passe, elle traîne un peu avec nous après l'entraînement. On prépare des grillades et on se baigne, et puis lorsqu'elle repart, on fait des projets pour la soirée. Lance la raccompagne toujours. Je pensais que c'était par pure politesse, mais je n'en suis plus si sûr à présent.

– Ça doit être une vraie torture, dit Lance à côté de moi.

Je lui lance un regard. Il a dû arriver pendant que j'observais les filles.

– De quoi tu parles ?

Je descends le reste de ma bouteille d'eau.

– De toutes ces meufs.

– C'est pas un problème.

Honnêtement, je pensais que ce serait beaucoup plus dur, même si j'ai beaucoup de mal à éviter les groupies, surtout à cause des potes comme Lance qui organisent tout le temps des fêtes.

Je change de sujet.

– T'as trouvé Natasha ?

– Non, elle était déjà partie quand je suis arrivé dans la maison.

À en juger par le tic qui agite son œil, j'ai touché un point sensible.

– Tu sais, personne ne dirait rien si tu disparaissais un moment avec une groupie.

J'enlève mes lunettes de soleil et le fusille du regard.

– Même si mes couilles me faisaient mal à en mourir, je ne ferais jamais ça à Sunny.

Il lève les mains.

– Désolé, mon pote. Je ne voulais pas te contrarier. Je me disais juste… j'en sais rien. Ça ne doit pas être facile. Elle au Canada, toi ici. Les relations à distance ne fonctionnent jamais vraiment, tu sais.

Je laisse tomber mes lunettes sur mon nez. Je n'ai pas envie d'imaginer que ça pourrait ne pas marcher, ce qui est pourtant une vraie possibilité. Je ne connais pas les statistiques sur les relations à distance, mais je devine qu'elles ne sont pas terribles.

En fait, si Sunny et moi finissons par vivre une relation durable, l'un de nous devra déménager. Puisque mon boulot m'oblige tout le temps à me déplacer, ça veut dire que Sunny devra me suivre partout où j'irai, et qu'elle aura besoin d'un travail flexible. C'est une chose à laquelle j'ai déjà réfléchi, ce qui en dit très long sur mes sentiments pour elle.

J'attrape un fauteuil gonflable, le lance sur l'eau et plonge pour l'atteindre. Je n'ai aucune envie de parler de ça avec Lance avant d'avoir vu Sunny. Parfois, j'ai l'impression que toute cette histoire est vouée à l'échec depuis le début.

J'ai dû m'endormir sur le fauteuil, car tout à coup, je suis réveillé et j'ai une énorme envie de pisser. Le problème, c'est qu'en sortant, je vais devoir affronter quelques groupies. Je patauge vers le bord et quitte la piscine. Mais au lieu de passer devant la vingtaine de groupies plantées devant la maison – elles se sont multipliées pendant ma sieste –, je me dirige vers les toilettes du bungalow. Par chance, l'endroit est désert. Il m'est arrivé plus d'une fois de tomber sur des gens qui se pelotaient à l'intérieur.

Quand je ressors des toilettes, une fille au visage vaguement familier attend devant la porte.

– Buck !

Elle passe les bras autour de mon cou.

– Salut.

Je lui tapote le dos, tout à fait conscient qu'elle ne porte rien d'autre qu'un haut de bikini et un string, de sorte qu'elle a les fesses carrément à l'air. Je sens ses seins contre mon ventre. Ça fait trop de peau. Ma queue a envie de réagir. Je pense à des chatons morts et à des animaux écrasés sur la route pour stopper net mon érection.

Finalement, elle me lâche et fait un pas en arrière. Mais ça ne suffit pas. Elle est encore trop près. Je m'efforce de regarder son visage et tente d'ignorer ses seins à moitié nus. Je me triture les méninges histoire de retrouver son nom, sinon je vais être obligé de l'appeler « chérie » comme les autres. Rien ne me vient.

– Ça fait un bail, dit-elle. Je ne te croise plus dans les bars. Tu traînes ailleurs ces temps-ci ?

Son désespoir est repoussant.

– Je ne sors plus autant qu'avant.

Elle se cambre et boude. Ses lèvres sont rouges comme des cerises, ou du sang, ou les valseuses de Satan.

– C'est dommage. Quelques-unes d'entre nous vont en boîte demain soir. Tu devrais venir.

– Je ne serai pas en ville. Une autre fois peut-être.

Je m'écarte du chemin pour qu'elle puisse entrer dans les toilettes.

– Je devrais te laisser… euh… tu as besoin d'intimité. La ventilation ne fonctionne pas là-dedans.

Ce que je viens de dire est totalement con, mais je m'en fous. Il faut que je m'éloigne de cette nana à moitié nue avec qui j'ai apparemment eu une brève relation. Je la laisse faire ce qu'elle a à faire et repars vers la piscine. Ce n'est pas mieux.

Quelques filles sont entrées dans l'eau. Deux d'entre elles, les cheveux attachés en queue-de-cheval, sont pendues au cou de Randy. D'autres ont enlevé leurs shorts et T-shirts, si bien que je ne vois que de la peau nue partout. Une meuf me tend une bière, et je la prends pour être poli.

Peu disposé à retourner dans la piscine avec toutes ces filles à moitié nues, je me laisse tomber sur un transat dans le patio.

– Oh mon Dieu ! Buck Butterson ! Ton vrai prénom, c'est Miller, je me trompe ?

Une brune bien roulée se plante juste devant moi et sa copine, une blonde maigrichonne, prend l'air horrifié. Je suis stupéfait qu'elle connaisse mon vrai prénom.

– Je suis désolée. Je ne voulais pas – bon sang, c'est dingue – tu es incroyable. Je t'adore. Enfin, tu es un joueur génial. Chicago a gagné la Coupe après ton transfert ! Et c'était nul de la part de Miami. Tu n'avais rien fait de mal. Les médias foutent vraiment la merde, parfois. Enfin bref, tu étais exceptionnel pendant la finale. Je suis vraiment désolée, je suis incapable de m'arrêter.

Je souris. C'est une vraie fan – du genre qui s'enthousiasme vraiment pour le match, pas seulement pour ma queue.

– Pas de problème.

Je lui tends la main.

Elle la saisit et la serre plus fort que nécessaire.

– Jessabelle.

Ses joues prennent une teinte rouge vif.

– Mais mes amis m'appellent Jellie.

– Comme la gelée en anglais ?

– Mais avec « ie » à la fin. Tu trouves ce diminutif bizarre ? Il l'est un peu, c'est vrai. Ça te dérange si je t'appelle Miller ? Je sais que les autres t'appellent Buck, mais si tu n'y vois pas d'inconvénient…

– Pas de problème. T'inquiète. Reprends ton souffle.

– Ouah. Super. Mortel. Tu es tellement blond. On dirait un Ken grandeur nature, sauf que tes cheveux ne sont pas en plastique. C'est qui la fille qui poste tout le temps des trucs sur toi en te traitant de yeti ?

Elle jette un œil à mes bras.

– Tu n'es pas si poilu que ça.

Putain, Vi et ses commentaires sur Facebook…

– C'est parce que je ne me transforme en yeti qu'à la pleine lune.

Voyant qu'elle ne pige rien, j'ajoute :

– Ma sœur trouve hilarant de poster ces conneries.

Elle hoche la tête comme si elle avait compris.

– Elle est drôle, hein ? Tu crois que je pourrais me prendre en photo avec toi ?

– Ouais. Bien sûr.

Je ne réfléchis pas à sa tenue – elle porte un short moulant et un haut de bikini qui couvre tout juste ses tétons – ni au fait que je ne porte qu'un caleçon de bain.

Elle sort son portable de sa poche arrière et le tend à sa copine. Ensuite, elle se laisse tomber sur mes genoux et m'enlace. Avant que je puisse l'en empêcher, la copine de Jellie se met à nous mitrailler.

– Holà ! Attends !

Je lève les mains en l'air pour être sûr de ne la toucher nulle part. Le problème, c'est qu'elle me touche partout avec sa peau nue.

– Tu ne peux pas poster ces photos.

Sa copine cesse de nous mitrailler et fait de nouveau une tête de six pieds de long. Je force Jellie à se relever en la touchant le moins possible.

– J'ai une petite amie. Et mes genoux ne sont pas un fauteuil.

– Oh, merde. Je croyais que c'était juste une rumeur. C'est vrai, quoi. Tu n'as jamais eu de petite amie avant et comme il n'y a pas eu de photos de vous ces dernières semaines, j'ai pensé que c'était fini.

– Ce n'est pas fini.

– Pas même après hier soir ?

Non mais qu'est-ce qu'elle sait sur hier soir ?

– Je suis juste sorti avec les mecs.

Jellie a l'air bizarre tout à coup. Elle secoue la tête.

– Je suis désolée. J'ai juste… tu es un joueur génial.

Elle prend le portable des mains de sa copine et commence à supprimer les photos – du moins c'est ce que je crois. Je n'ai pas envie d'être relou avec elle et de regarder par-dessus son épaule pour être sûr qu'elle les efface toutes.

– C'est bon. Je veux simplement éviter les problèmes, tu vois ?

– Bien sûr. D'accord. Évidemment.

Je laisse sa copine en prendre une autre, nettement plus inoffensive : nous nous tenons côte à côte, un peu maladroitement, tout souriants.

– Eh bien, si jamais vous rompez et que tu cherches quelqu'un pour te remonter le moral, tu peux toujours me contacter sur Facebook.

Elle lève son portable pour me montrer son profil. On voit surtout ses seins sur son avatar. En dessous, j'aperçois une photo d'elle sur les genoux de Lance. Je l'aimais bien jusque-là, comme un sportif peut aimer ses fans. Mais finalement, c'est juste une groupie de plus qui nous prend pour ses fauteuils.

4

Chaud aux fesses

Vingt minutes plus tard, j'ai abandonné ma bière quelque part et sirote une bouteille d'eau minérale en retournant les steaks hachés sur le barbecue. C'est sans doute l'endroit le plus sûr, loin des groupies qui se baignent dans la piscine, suffisamment éméchées pour ne plus se soucier de leurs chevelures. Randy arrive vers moi avec mon portable.

– Je crois qu'il faut que tu voies ça.

– Il remarche ? Il était toujours mort il y a une heure.

Il laisse tomber l'appareil dans ma paume.

– Ouais, mon pote, je l'ai allumé et il fonctionne. T'as reçu un paquet de messages. Il vaudrait mieux que tu vérifies l'heure de ton vol, histoire d'être sûr que tu ne t'es pas trompé.

C'est probablement la seule chose que j'ai oublié de faire : l'allumer. Mais je garde ça pour moi parce que ça me soûlerait de passer pour un idiot. D'habitude, je peux compter sur Amber, mon assistante, pour m'envoyer un million de messages – vocaux pour la plupart – afin que je n'oublie pas les choses importantes comme les vols, les dates et les événements. Mais comme elle est partie faire du canoë au milieu de nulle part pendant deux semaines, je dois me débrouiller sans elle pour gérer ma vie.

– C'est ça, bonne idée.

Je n'aime pas son air au moment où je lui adresse un doigt d'honneur. Je tape mon mot de passe ; il avait raison pour les messages. J'en ai reçu plein de Sunny. Et d'autres de Violet. Et j'ai des messages vocaux. Plusieurs.

– Je reviens dans une minute.

– Prends ton temps. Je m'occupe des steaks. En plus, il faut que je fasse une pause. J'en peux plus des groupies en chaleur.

Je lui donne une tape dans le dos, contourne la cuisine où glandent quelques groupies et me dirige vers les escaliers. J'entre dans la chambre d'amis au premier et m'enferme à double tour.

Je commence par écouter les messages vocaux. C'est plus simple, je n'ai pas besoin de les lire. Le premier est de Vi. J'ai beau tenir le portable à trente centimètres de mon oreille, je l'entends quand même hurler. Elle fait beaucoup de bruit quand elle est en colère.

> *« T'es qu'un pauvre connard ! Mais qu'est-ce qui t'a pris, franchement ? Tu as une idée de la merde dans laquelle tu t'es mis ? Alex va t'arracher les couilles. Ça n'a aucune importance, en fait, puisqu'elles sont aussi grosses que des grains de raisin et que ta bite est microscopique. Mais tu ferais mieux de me rappeler dès que tu auras ce message. Tu es foutu, mon vieux. Prépare-toi à prendre des raclées tous les jours pendant les cent prochaines années, salaud de yeti ! »*

J'ignore totalement pourquoi je suis dans la merde, mais je comprends qu'il est dans mon intérêt d'écouter quelques messages de plus avant de la rappeler. Celui que je viens d'entendre est arrivé tôt ce matin – deux heures, ou cinq. Ce qui l'a mise en colère m'inquiète tellement que je suis incapable de reconnaître les chiffres.

Le message suivant est de Sunny. Apparemment, elle me l'a laissé il y a une heure, s'il est bien quatorze heures passées, comme je le pense. Je ne comprends rien à ce qu'elle dit parce que le son est tout brouillé. Les seuls mots que je reconnais sont « photos » et « groupies ».

Merde. Ça craint. C'est forcément un malentendu. Il faut admettre qu'il y en a eu un paquet ces derniers mois. J'ai beau me démener, je n'arrête pas de tout faire foirer avec elle. Et c'est bien le plus gros obstacle dans mon histoire avec Sunny. Les gens postent tout le temps des photos. Parfois, ils ne me demandent même pas la permission avant de les prendre. C'est dingue.

J'ai reçu deux messages vocaux de mon assistante, mais ils peuvent attendre. Il faut que je m'occupe d'abord de ce psychodrame. Je passe aux SMS. Une vraie galère. J'ai toujours été lent en lecture. Les seuls A que j'ai eus au lycée, c'était en technologie et en sport. Ce n'est pas que je n'y comprenais rien. Il me fallait simplement dix fois plus longtemps que les autres pour déchiffrer une phrase. Ça me donnait l'air stupide. Les gens partaient du principe que, comme j'étais sportif, je ne pouvais pas être intelligent. Alors j'ai arrêté d'essayer. Comme mon père était découvreur de talents pour la NHL et que je n'avais pas de mère – elle est morte avant que je sois assez grand pour vraiment la connaître –, les profs avaient tendance à se montrer indulgents.

J'ai eu des profs particuliers à partir de la seconde, surtout après m'être cassé les dents et avoir raté quelques cours. Une fois que j'ai eu mes nouvelles dents et que mon problème de malocclusion a été réglé, mes profs particulières se sont révélées plus que prêtes à m'aider. La plupart du temps, il y avait un « échange » de services. Ces filles m'aidaient à rédiger mes dissertations et je parfaisais l'art de les faire jouir avec mes doigts. En terminale, un tas de filles étaient prêtes à m'aider à faire mes devoirs. Mes notes n'étaient pas terribles – même pas passables – mais je me suis quand même débrouillé pour obtenir une bourse d'études de sport pour l'université. C'était tout ce qui m'importait puisque le hockey était ma seule raison de vivre.

Une fois que j'ai été sélectionné, je n'ai plus trouvé le temps de faire tous mes devoirs, même si l'université se montrait flexible. J'ai donc laissé tomber la fac. Ça n'avait aucun sens de me démener pour obtenir un diplôme qui ne me servirait jamais, alors que je pouvais me faire un paquet de fric sans.

J'ai reçu d'innombrables SMS de Vi et Sunny, mais j'en ai aussi un de Waters. En principe, il ne m'en envoie jamais. Le sien est facile à dire :

T'ES UN HOMME MORT, CONNARD !

Ceux de Violet et Sunny sont plus difficiles à comprendre. On dirait qu'il y a plein de corrections automatiques et d'abréviations – la pire chose jamais créée. Les mots sont encore plus difficiles à déchiffrer.

J'ouvre l'application synthèse vocale et écoute les premiers messages ; l'anglais massacré de Violet prend la forme d'un gros coup de gueule. C'est beaucoup plus facile à comprendre, même si la voix corrige maladroitement certains mots.

Patin, mais pourquoi as-tu laissé quelqu'un te dessiner une batte sur la gueule ?

Une botte.

Une bique.

Bordel, Bite putain BITE, pas botte. Correcteur automatique de merle.

Connard.

Les messages suivants m'ont été envoyés quelques heures plus tard. Le premier contient une vingtaine d'émoticônes fâchées.

Non mais je rêve ?!!!!!!! T'es à poil ! ☹☹☹💣💣💣
C'est qui, cette meuf ?

Quelqu'un t'aurait-il lobotomisé ?

Cette question est suivie de plusieurs captures d'écran. Sur la première, je me découvre en train de dormir. Ce ne serait pas si grave si j'étais habillé – ma fesse gauche est visible – et si je n'avais pas une énorme bite dessinée sur le front. Le pire, c'est que la groupie de Lance – Chatte Éclair – lève les pouces en faisant semblant de me baiser par-derrière. Lance est un homme mort.

Quelques photos datent d'hier soir. Elles ne sont pas si terribles – on me voit simplement avec les mecs et quelques groupies qui prennent des selfies. Mais celle d'aujourd'hui avec la meuf à moitié à poil dans son petit haut de bikini assise sur mes genoux est carrément compromettante.

Mais t'es où ?

T'as intérêt à m'appeler.

Je vais chez toi.

Les deux derniers messages m'ont été envoyés il y a dix minutes.

Pourquoi t'es pas là ? T'as un avion à prendre !

Je viens te chercher.

Mon portable sonne alors que je finis d'écouter les SMS de Vi. C'est elle. Il vaut mieux répondre plutôt qu'attendre qu'elle tombe encore sur mon répondeur.

– Je suis devant chez Lance. Laisse-moi entrer.

– Quoi ? Comment tu as su que j'étais là ?

– Je suis médium et Instagram est ma boule de cristal.

Allez, laisse-moi entrer. À cause de toi, je risque fort de ne pas atteindre mon quota hebdomadaire d'orgasmes.

Je n'ai aucune envie d'en entendre plus. Je descends l'escalier en courant et fonce vers la porte d'entrée. Avant d'ouvrir, je lui demande :

– Est-ce que Waters est avec toi ?

– Tu plaisantes ? Je l'ai laissé à la maison avec ses envies de meurtre. L'amour au parloir, très peu pour moi. En plus, il est trop beau pour la prison. Les autres l'obligeraient sûrement à les sodomiser un par un à cause de sa queue monstre.

– C'est bon, merci pour les détails…

– Non, c'est pas bon. Alex est fou de rage et c'est moi qui paie les conséquences. Je te vois à travers cette foutue porte. Ouvre-la.

Violet est petite. Elle doit mesurer un mètre soixante avec des talons, mais sa très forte personnalité compense largement sa petite taille. À l'évidence, je suis bien parti me faire tabasser verbalement.

– Dis-moi, est-ce qu'il faudra qu'on rase tous tes poils afin d'en faire des perruques pour les personnes âgées ? demande-t-elle dès que la porte s'ouvre.

– Mais de quoi tu parles ?

– Une fois qu'Alex t'aura tué, on pourra faire don de ta fourrure, non ? Et de certains de tes organes les plus sains, peut-être. À part ton foie, je suis sûre que tout fonctionne parfaitement. Ooooh, peut-être que ton micro-pénis pourrait servir lors d'une opération de reconstruction du clitoris.

– Ce n'est pas drôle, Vi.

– Je pense que certains neurochirurgiens seront ravis de pouvoir jeter un coup d'œil à l'intérieur de ton crâne – pour faire progresser la science, tu vois, en apprendre plus sur ce qui se produit quand les yetis et les humains s'accouplent.

Je suis à deux doigts de lui fermer la porte au nez, mais elle laisse enfin tomber les sarcasmes.

– Non mais à quoi tu pensais ?

Je sors de la maison et ferme la porte derrière moi.

– Je n'ai rien fait de mal.

– Hein ? Tu plaisantes ? Est-ce que, par hasard, tu as regardé les photos que je t'ai envoyées aujourd'hui ? Ce ne sont même pas les pires. Qu'est-ce qui te prend ? Et pourquoi tu ne réponds pas quand on t'appelle ? Tu sais à quel point ça te rend suspect ? Et pourquoi tu n'es pas encore parti à l'aéroport pour prendre ton foutu avion ?

– Il ne décolle pas avant vingt et une heures. Il est seulement dans les quatorze heures. J'ai encore plein de temps devant moi.

– Il est dix-sept heures, pas quatorze. Et ton avion décolle dans une heure. Tu l'as raté.

– Mais j'ai vérifié…

– Apparemment non. Bon sang, Buck. C'est pas pour ça que tu as une fichue assistante, justement ? Ton agent lui-même m'a appelée ce matin parce que personne n'arrivait à te joindre.

– Amber est en vacances.

– Et elle connaît aussi ton problème avec les dates. Je suis sûre qu'elle a programmé une alarme sur ton portable ou qu'elle a essayé de t'appeler.

– J'ai eu des problèmes avec mon téléphone. Je pensais avoir tout mémorisé correctement. J'imagine que je me suis trompé d'heure.

Violet se frotte le front. Le diamant aussi énorme qu'une bille à son annulaire étincelle au soleil. Sa taille est carrément indécente. Elle pousse un soupir et laisse tomber sa tête en arrière. Comme elle porte des lunettes de soleil, je ne vois pas ses yeux. Elle déglutit plusieurs fois.

Lorsqu'elle se remet à parler, elle s'exprime à voix basse et d'un ton trop calme.

– Je sais que tu as des problèmes avec les chiffres, mais il s'agit de Sunny, nom d'un chien. Tu aurais dû être au taquet.

Elle enlève ses lunettes de soleil.

Ses yeux sont tout humides. Ça me rend nerveux. Je peux supporter les sarcasmes et la colère de Violet, mais quand elle devient émotive, je ne sais pas comment la calmer autrement qu'en lui offrant de la glace.

– Tu sais, si cette relation ne t'intéresse pas, tu ferais mieux de te comporter en homme et de régler le problème plutôt que de faire comme si elle n'existait pas. Je ne te laisserai pas foutre en l'air ma vie sexuelle sous prétexte que ta minuscule bite ne lui plaît pas.

– Ma bite n'est pas minuscule.

Par chance, sa colère reprend le dessus.

– On s'en fout, putain. Ce n'est pas le problème. Pourquoi tu es là au fait ? Lance est vraiment un connard.

– Il n'est pas…

Une chanson qui parle de paons retentit brusquement dans sa poche arrière.

– Une minute.

Elle répond.

– Oui, il est encore là.

Elle me regarde, lève un doigt et le fait tourner.

– Retourne-toi.

J'obéis sans protester.

– Il est torse nu et je ne vois aucune trace d'ongle ni de suçon à travers sa fourrure.

Elle se tait et j'entends la voix étouffée de Waters. À en juger par son ton, il n'est pas très content.

– Non. Absolument pas. Tu dépasses les bornes, Alex. Je n'exigerai pas de lui qu'il voie un psy.

Elle fait la moue et me fusille du regard.

– Est-ce que tu vas encore péter un câble ?... Tu es sûr ?... D'accord.

Elle me passe son portable.

– Alex veut te parler.

Mon portable sonne lorsqu'arrivent de nouveaux SMS et messages. Il faut que j'appelle Sunny. Mais surtout, il faut que je reporte mon vol et que je file à l'aéroport. Malheureusement, j'ai le portable de Vi collé à l'oreille pour l'instant.

– Si tu me sors encore une de tes excuses à la con, je te pète les genoux, Butterson.

Violet fait des gestes avec les mains. Waters me souffle

bruyamment dans l'oreille, mon portable n'arrête pas de sonner, et en plus, il faut que j'essaie de comprendre ce qu'elle veut me dire !

– Si tu me casses les genoux, tu seras exclu pour toute la saison, réponds-je.

– Je convaincrai Violet de le faire à ma place.

Ce n'est pas une menace très effrayante car Violet n'est pas franchement costaude. Mais je ne le dis pas à Waters. Il est déjà assez énervé comme ça. Je laisse échapper une exclamation incrédule à la place. Apparemment, ça l'agace encore plus.

– Tu trouves ça marrant, Butterson ? Ma sœur n'arrête pas de brailler à cause de photos à la con avec tes foutues putes…

– Je dormais. J'ai su ce matin seulement qu'ils avaient dessiné une bite sur mon front. Et cette fille s'est laissée tomber sur mes genoux et a commencé à prendre des photos. Je n'ai rien fait de mal.

Il souffle comme Dark Vador. Lorsqu'il se remet à parler, sa voix est beaucoup plus calme.

– C'est ta dernière chance, Butterson. Si tu ne répares pas tes conneries, je prendrai rendez-vous avec le directeur sportif et lui dirai que tu es un boulet pour l'équipe et que tu dois être transféré.

Ça me fout en rogne que Waters – Waters ! – me menace de cette façon. Il sait mieux que personne que les médias déforment tout.

– Ce n'est pas juste.

– Ce qui n'est pas juste, c'est que tu joues avec ma sœur et que tu penses pouvoir t'en tirer comme ça.

– T'as un peu joué avec la mienne aussi.

– Ne joue pas à ce petit jeu-là avec moi. Tu ignores totalement ce que signifie faire des sacrifices pour quelqu'un d'autre. Repasse-moi Violet.

Avant de lui rendre l'appareil, je marmonne :

– Ton copain est un connard.

– Fiancé, corrige-t-elle en levant le majeur.

Elle me tourne le dos pour pouvoir discuter avec Waters.

J'ouvre ma boîte de réception et cherche les e-mails d'Amber. Elle m'en a transféré un hier soir avec les informations sur mon vol. Je l'ouvre, puis tente de lire les chiffres et les lettres qui n'arrêtent pas de se mélanger sur le petit écran. Sous l'horaire de mon vol, elle a ajouté mon planning mensuel. Amber utilise un code couleur pour que je comprenne chaque information sans avoir besoin de les lire. Les entraînements sont surlignés en rouge (il n'y en a aucun ce mois-ci parce que c'est l'intersaison), la muscu en bleu, les jours libres en rose, les déplacements en violet et les moments avec Sunny portent un cœur rouge. J'ai essayé de lui faire changer ça, mais Amber trouvait ces petits cœurs mignons et a refusé.

Au début, je suis persuadé que j'ai raison et que mon avion décolle bien à vingt et une heures ce soir… jusqu'à ce que je lise le message en dessous. J'ai mal lu les chiffres et j'ai trois heures de retard. Je retourne voir mes e-mails et fais défiler les plus récents. Amber m'en a envoyé un ce matin. Par chance, c'est un mémo vocal.

J'appuie sur *Play*. *« Juste un petit rappel : tu t'envoles pour Toronto ce soir à dix-huit heures. Ton billet est joint à cet e-mail. J'ai aussi acheté quelques-uns des articles qui, selon toi, feraient des cadeaux sympas pour Sunny. Ils sont rangés dans ton sac de cabine. Tes bagages pour le camp ont été envoyés là-bas directement afin de réduire le nombre de sacs que tu dois emporter. »*

Bon sang, elle est douée. Et elle n'a même pas terminé.

« On t'a loué un SUV, poursuit-elle. Il ne te reste qu'à passer le prendre à l'aéroport de Toronto une fois arrivé. L'adresse de Sunny et le trajet jusqu'au camp ont déjà été enregistrés dans le GPS. J'espère que tu t'en sors sans moi. Appelle-moi si nécessaire, je devrais avoir du réseau entre aujourd'hui et demain, mais après, je n'en suis pas sûre. Tu peux toujours appeler Violet ; elle a toutes les informations. Ton père aussi, mais rappelle-toi que Skye et lui sont partis en croisière pour deux semaines.

Ce message s'autodétruira dans trente secondes. Je plaisante ! Tout va bien se passer, Miller. Bonne chance avec Sunny. »

J'aurais dû me douter que je ferais tout foirer. Décidément, j'aurai toujours du mal avec les dates et les horaires.

Je vérifie l'heure sur mon portable. Vi a raison ; il est plus de dix-sept heures.

Mes bagages sont déjà faits, mais je n'ai aucune chance d'arriver à temps à l'aéroport pour prendre cet avion.

– Allez, on y va.

Violet m'attrape par le poignet et m'entraîne vers une vieille Torino. C'est la voiture de Waters. Je ne l'ai vu la conduire que deux ou trois fois.

– J'ai ma voiture et j'ai besoin de mon portefeuille.

– Laisse ta voiture ici. Il faut que tu t'achètes un nouveau billet et mieux vaut que tu ne sois pas distrait au volant. Ça fait trop de choses à gérer pour ton cerveau de yeti.

– Tu pourrais arrêter de me traiter de yeti, s'il te plaît ? Je me sens assez nul comme ça aujourd'hui, merci bien.

Au moment où je me retourne pour rentrer dans la maison, la porte s'ouvre.

– Hé, mec ! Tu es là ? Je pensais que tu étais déjà parti.

Randy aperçoit Violet derrière moi.

– Hé, comment ça va, Vi ?

– Salut Randy.

Elle a dit ça avec une drôle de voix, comme si elle s'étouffait avec quelque chose. Et voilà. C'est ce qui lui arrive chaque fois qu'elle le voit. Elle ne peut pas prononcer son prénom. Et dire qu'elle *me* traite d'immature !

Je regarde par-dessus mon épaule ; Vi tremble de la tête aux pieds. Elle ferme les poings et les lève comme si elle se préparait pour un match de boxe. Ensuite, elle agite les hanches, pas une, pas deux, mais trois fois. Quand elle a terminé, son visage est couvert de taches et elle fait semblant d'être mortifiée.

– Va chercher ton portefeuille. Je t'attends dans la voiture.

Elle pivote sur ses talons et descend les marches du perron en trébuchant.

– Salut Violet, lui crie Randy.

Elle agite la main par-dessus son épaule.

– Salut Ran…

Elle s'arrête, se retourne et se plie en deux. Son visage est tout crispé et bizarre. Elle creuse les paumes comme si elle tenait deux melons.

– Couilles ! Randy Couilles ! hurle-t-elle.

– Tu sais que mon nom est Ballistic, non ?

Il sourit.

– Tu seras toujours un gros queutard à mes yeux !

Vi court ensuite jusqu'à la voiture et se glisse derrière le volant comme si elle essayait de se cacher. Ce serait beaucoup plus drôle si je n'étais pas dans la merde jusqu'au cou.

– Elle est un peu folle, non ?

– Euh, ouais. Mais on s'y fait. Au bout d'un moment. Il faut que j'y aille, j'ai raté mon avion, dis-je à Randy en retournant vers la maison.

– Je croyais qu'il ne décollait pas avant vingt et une heures.

– Je me suis trompé.

– Je suis désolé, Miller.

– Ouais. Moi aussi. Je t'appellerai quand je serai arrivé à Toronto. Il faudra que tu m'envoies l'horaire de ton vol pour que je sache quand passer te prendre à l'aéroport.

– Pas de problème. Te préoccupe pas de ça maintenant. On se débrouillera.

Il me tapote l'épaule.

– Je dirai à Lance que tu as dû filer.

– Merci.

Randy est un type bien, même si c'est un vrai queutard.

Je monte les escaliers en courant jusqu'à la chambre d'amis et attrape mes vêtements de la veille, ainsi que mon portefeuille. Si j'ai oublié des trucs, je passerai les chercher à mon retour. Lance se fiche bien de ces choses-là.

Une fois que je suis assis dans la voiture, Violet fait ronfler le moteur et file vers chez moi. Si Waters savait comment elle conduit sa caisse, je parie qu'il nous ferait une attaque. Mais je ne risque pas de le lui dire, puisque je n'ai aucune envie de lui parler.

Tandis que Violet conduit comme une folle shootée au crack, j'appelle la compagnie aérienne et réserve un nouveau billet pour la modique somme de deux mille dollars. L'avion ne décolle pas avant 21 h 38. Afin de simplifier les choses, je prends un siège en première classe histoire d'avoir la priorité partout, y compris à l'enregistrement et à l'embarquement. De cette façon, je devrais avoir plein de temps pour vérifier que tout le reste est en ordre.

J'appelle Sunny, mais je tombe directement sur sa boîte vocale. Je lui explique dans mon message qu'Amber est en vacances et que j'ai mal mémorisé l'horaire de mon vol, mais que je serai à Toronto vers vingt-trois heures, et chez elle vers minuit. Avec un peu de chance, elle me laissera entrer.

– Je monte avec toi.

Violet passe la lanière de son sac à main sur son épaule et sort de la voiture.

– Je n'en ai que pour une minute.

– Mais oui, bien sûr. En plus, on étouffe dans cette stupide voiture. Il y fait plus chaud que sous la peau de tes valseuses.

– C'est dégoûtant.

– Je sais. De rien.

Nous laissons la voiture garée devant mon immeuble. Violet s'arrête à la réception pour demander où se trouve le sac qu'Amber m'a apparemment préparé. Celui-ci m'attend depuis hier matin. Vi demande à Travis, le réceptionniste, de le poser sur la banquette arrière de la Torino. Je le remercie et suis ma sœur vers les ascenseurs. Elle vérifie ses messages pendant que nous montons vers mon appartement-terrasse.

– Super. Maintenant, Sunny ne répond plus à mes SMS. J'espère que tu n'as pas tout foutu en l'air pour de bon.

Elle croise les bras sur sa poitrine. Elle est fâchée. Très fâchée. Sans doute plus qu'elle ne l'a jamais été contre moi. J'envoie un message à Sunny, mais ne reçois aucune réponse.

Mon appartement est impeccable. Ce n'est pas grâce à moi ; je paie quelqu'un pour faire le ménage à ma place. Je me dirige tout droit vers ma chambre. Le sac que j'ai préparé il y a deux jours devant l'insistance d'Amber se trouve dans mon placard. À l'intérieur de la poche avant, sont rangés mon passeport et mon billet d'avion, ainsi que l'itinéraire pour me rendre de l'aéroport à la maison des parents de Sunny à Guelph. J'ai aussi imprimé celui qui me mènera au camp, situé un peu plus au nord.

Comme il s'agit d'un vol international, je ne peux pas traîner. Il est déjà dix-huit heures, alors autant ne prendre aucun risque. Avec ma chance, il y aura un embouteillage de dix kilomètres sur l'autoroute.

Quand je sors de ma chambre, Violet est plantée au milieu du salon et regarde son portable en fronçant les sourcils.

– Je suis prêt.

Elle lève les yeux et hausse un sourcil.

– Ah bon ?

– Je t'avais bien dit que ça ne prendrait qu'une minute.

– Tu ne penses pas que tu devrais te laver ? Prendre une douche rapide, peut-être ? Enfiler un T-shirt ? Ou bien est-ce que tu considères cette fourrure comme un vêtement ?

Je laisse tomber mon sac sur le sol.

– Écoute, j'ai bien compris que tu m'en voulais à mort. Personne n'est plus énervé que moi et je sais déjà que je suis un gros abruti, pigé ?

Je repars vers ma chambre d'un pas lourd.

– Buck.

– Quoi ?

– Je suis désolée. Tu n'es pas un abruti. Je ne te dirais pas des choses pareilles si c'était le cas.

Je me passe une main dans les cheveux. Ils ont l'air dégueulasses.

– Je sais que j'ai merdé. C'est apparemment ce que je fais le mieux. Mais j'ai besoin que tu m'aides, pas que tu m'enfonces encore plus, d'accord ?

– Bien sûr. Compris. Fais ce que tu as à faire.

Un quart d'heure plus tard, je suis propre. S'il me restait un peu de temps, je me taillerais tous les poils, mais ce n'est pas le moment. Je jette ma tondeuse et quelques rasoirs dans un sac, afin de pouvoir m'occuper de ça plus tard – quand je n'aurai pas d'avion à prendre.

Je vérifie le contenu du sac de cadeaux pour Sunny, alors que nous roulons vers l'aéroport. On y est en une demi-heure depuis mon appartement quand la circulation est fluide. Comme les routes sont désertes, nous arrivons à temps. Amber a fait du super boulot en choisissant des choses sur la liste que je lui avais donnée. Tout est écolo, en coton bio et aucun animal n'a été blessé pendant la fabrication de ses cadeaux. Violet s'arrête au bord du trottoir et sort pour me serrer dans ses bras.

– Je suis toujours de ton côté, Buck. Tu le sais, hein ?

– Oui.

– Mais n'oublie pas qu'Alex sera toujours de celui de Sunny. Alors, si tu n'arrives pas à te décider, il vaut mieux que tu arrêtes de lui courir après comme si c'était la prochaine groupie que tu avais envie de te faire.

– Sunny n'est pas une groupie.

– Exactement.

Je dois avoir une expression idiote, parce qu'elle soupire et lève les yeux au ciel. Ou plutôt vers l'espèce d'avant-toit au-dessus de nos têtes.

– Si tu veux vivre une relation durable avec elle, il faut que tu fasses des compromis.

– Compris.

Ce n'est qu'à moitié vrai, mais il est dix-neuf heures et je ne veux pas rater mon vol.

– Envoie-moi un message quand tu seras arrivé.

– OK.

Je la regarde s'éloigner dans la voiture de Waters, puis je me demande quels compromis elle fait pour lui, et ce que Sunny devra abandonner pour sortir avec moi. Si elle en a toujours envie.

5

Comme dans un fauteuil

Bien que j'aie finalement réussi à ne pas rater ce deuxième avion, il est deux heures et demie du matin lorsque j'arrive enfin chez Sunny. Ça fait plus de deux heures que je devrais être là. Il y avait des travaux sur l'autoroute et le GPS a planté quand j'ai pris une déviation. Ensuite, j'ai accidentellement enregistré la mauvaise adresse et roulé quarante kilomètres dans la mauvaise direction avant de m'apercevoir du problème. C'est en voyant un vaste champ de vaches que j'ai fini par comprendre que j'avais oublié de tourner quelque part.

Épuisé, j'attrape mon sac marin sur le siège avant. Avant de pouvoir dormir, je vais devoir réparer les dégâts d'aujourd'hui. Plus j'y pense, mieux je comprends pour quel salaud les photos d'hier soir et d'aujourd'hui me font passer, surtout sorties de leur contexte. Celle de moi nu avec Chatte Éclair est la pire de toutes. Tout le monde pense que je ne suis pas du genre à sortir avec une seule fille. Ça craint que personne ne me croie capable de vivre une vraie relation.

Le détecteur de mouvements se déclenche dès que je sors de la voiture. Une lumière vive inonde aussitôt l'allée, m'aveuglant à moitié. La voiture écolo, laide et minuscule de Sunny est garée devant mon SUV de location. Elle s'est garée n'importe comment, le pneu avant dans le jardin écrasant les fleurs de sa mère.

J'accroche la bandoulière de mon sac à mon épaule, verrouille les portières de ma voiture de location et appuie sur la sonnette. J'entends aussitôt un aboiement angoissé et le cliquetis de quelques griffes sur les marches de l'escalier. Titus, un épagneul nain, et Andromède – Andy pour les intimes – sont les chiens de Sunny. Ils ont tous deux été abandonnés et ont de gros problèmes d'angoisse. Titus aime lécher les orteils des gens, mais Sunny ne semble pas y voir d'inconvénient. C'est trop bizarre.

Andy est un dogue allemand. Je le vois à travers les rideaux qui couvrent la fenêtre de devant. Il fait les cent pas en gémissant. J'ai des friandises pour lui dans la voiture. Je retourne en courant vers le SUV et attrape le sac contenant tous les cadeaux. Je sors les biscuits gourmets pour chiens et en glisse un dans la fente de la boîte aux lettres. Andy le dévore, puis sort son museau par la fente pour en avoir un autre.

Comme Sunny ne descend toujours pas, j'ouvre la liste de mes contacts et appuie sur le micro.

– Je suis devant chez toi.

J'ai dû mal prononcer ces mots, car « devant chez toi » est remplacé par « dans toi » par le correcteur automatique. J'appuie une deuxième fois sur la sonnette, efface le message, attends qu'Andy arrête d'aboyer et fais une nouvelle tentative en parlant plus lentement. J'ai beaucoup de mal à dicter quand je suis fatigué. Cette fois, « devant chez toi » est écrit à peu près correctement. Comme rien n'est souligné en rouge, j'appuie sur *Envoi*.

Je reçois une réponse presque instantanément.

Dvt chez Tara ?!!

Je lis son message en fronçant les sourcils, puis j'appuie sur la fonction synthèse vocale pour pouvoir l'écouter, parce que je ne comprends rien aux abréviations. Je sais qu'elle est en colère, mais je dois bien être capable d'arranger les choses. Je suis assez doué pour réparer mes conneries. Enfin, ça n'a pas marché la fois où j'ai été transféré à Chicago. Il n'y avait pas moyen de me rattraper sur ce coup-là. Les photos de moi avec la nièce du coach dans une cabine des toilettes se sont répandues sur les réseaux sociaux en un rien de temps.

La voix anglaise sexy de mon portable prononce les mots « devant chez Tara » au lieu de « devant chez toi ». Bordel. Voilà ce qui arrive quand je n'écoute pas mes messages avant de les envoyer.

Désollé. Probléme de corexion atomatique. Devant chez toi. Lésse-moi entrer, s'il te plai.

Un message bref et direct fonctionnera sans doute mieux.

Je m'accroupis et ouvre la fente de la boîte aux lettres. Andy cesse de faire les cent pas et glisse son museau dans le trou.

– Salut mon pote. Tu veux bien aller chercher Sunny pour moi et la ramener ici ? Va chercher Sunny. Va la chercher. Allez.

Andy court vers les escaliers et se retourne pour me regarder.

– Ouais, bon chien. Va la chercher pour moi. Je te donnerai d'autres friandises si tu ramènes Sunny.

Il se tourne vers les marches, aboie plusieurs fois, puis il revient en courant vers la porte et glisse son museau dans la fente.

– Il faut que tu ailles la chercher.

Il suffit que je le cajole encore un peu pour qu'il grimpe enfin l'escalier en courant. Mais il monte et redescend deux fois sans elle, alors j'appuie une fois encore sur la sonnette et frappe à la porte.

Sunny ne fait aucun bruit en marchant. Je comprends finalement qu'elle descend lorsqu'elle hurle :

– J'arrive, nom d'une pipe ! Arrête, Andy ! Je vais ouvrir.

Je souris. Sunny ne jure jamais. C'est tellement adorable.

La lumière du vestibule s'allume et la porte s'ouvre brusquement. Andy se précipite vers moi et bondit. Ses pattes sont posées sur mes épaules et son museau au même niveau que mon nez. Je prends soin de ne pas tourner la tête quand il me lèche le visage.

– Comment ça va, mon pote ?

Je le gratte derrière les oreilles.

– Bon chien. Bon chien.

Je glisse la main dans ma poche arrière et en sors une friandise. Andy se met en position, assis le museau en l'air. Je pose la friandise sur le bout de son museau. Il rectifie sa position, mais attend mon feu vert. À mon signal, il la lance en l'air et la rattrape avec sa gueule.

Sunny se tient toujours sur le seuil, l'air blasé, une main sur la hanche. Titus se cache derrière ses chevilles. Il y a de fortes chances pour qu'il se mette à pisser sur le sol s'il devient trop anxieux.

Les cheveux blond sable de Sunny sont plus clairs que la dernière fois que je l'ai vue. Certaines mèches sont si claires qu'elles paraissent presque blanches. Ses cheveux sont négligemment attachés en queue-de-cheval. Elle porte un short ample et un T-shirt orné d'une licorne dans une forêt. Je suis sûr à dix mille pour cent qu'elle ne porte pas de soutien-gorge, mais je suis suffisamment malin pour ne pas regarder fixement sa poitrine.

Ses lèvres douces, habituellement boudeuses, sont serrées et les coins de sa bouche tombent tristement. Elle a les yeux bouffis. Ses joues couvertes de petites taches dues au soleil sont marbrées de rouge. Et elle est toujours aussi magnifique.

Elle a pleuré. Par ma faute.

– Andy ne doit pas manger de friandises le soir.

– Je suis désolé.

Je me balance d'un pied sur l'autre.

Elle croise les bras sur sa poitrine.

– Tu n'es pas pardonné pour autant.

– C'était juste deux ou trois cookies.

Andy s'assied sur mon pied et donne des coups de museau à ma poche. Il me reste un biscuit et il le sait.

– Je me fiche de ces biscuits pour chiens !

– D'accord. Bien sûr. Je suis désolé d'avoir raté mon avion. Je me suis trompé d'heure. Je pensais qu'il décollait à vingt et une heures, au lieu de dix-huit heures. Mon portable est tombé dans les toilettes, alors je n'ai pas pu vérifier. On a dû le laisser dans un sachet de riz presque toute une journée pour qu'il sèche. Mais cette méthode a fonctionné. C'est bien, non ?

Comme elle reste silencieuse, je poursuis.

– Amber est en vacances, et tu sais bien comment je suis avec les dates et tout le reste.

Un tic agite sa mâchoire. Rien de ce que j'ai dit ne semble arranger les choses. En fait, elle semble encore plus en colère depuis que j'ai commencé à parler.

– Maison, Andy.

Elle doit répéter deux fois son ordre et claquer des doigts pour que le chien obéisse. L'espace d'un instant, je crois qu'elle va me laisser entrer, mais elle me bloque soudain le passage en posant la main sur l'encadrement de la porte.

Il va falloir beaucoup plus que des mots doux pour l'amadouer. J'aurais dû lui apporter directement un des cadeaux qu'Amber a achetés. Comme le panier de friandises bio – ça aurait été malin. Des fleurs et du chocolat, ou ce substitut de chocolat que mange Sunny, m'auraient été bien utiles. Malheureusement, je n'ai que ma bouche et mon cerveau pour régler le problème.

– Tu penses que je suis contrariée parce que tu as quelques heures de retard ? Ce n'est pas une surprise, tu es toujours en retard. Je ne pense pas que l'expression « être à l'heure » existe dans ton vocabulaire.

– Eh bien, je… ce n'est pas… J'essaie d'être à l'heure. Mais Amber est absente.

Elle lève les mains en l'air.

– Que ton assistante soit absente n'est pas une excuse,

Miller, et ça n'explique pas pourquoi tu t'es laissé tripoter par des grognasses et photographier avec elles aujourd'hui !

D'habitude, quand j'ai affaire à une fille jalouse, je lui dis des trucs gentils pour arranger les choses. L'orgasme fonctionne bien aussi. Surtout si je lui en offre plein. Mais il me faut une autre stratégie cette fois. Sunny n'est pas avec moi juste pour le sexe. Au lieu de me sortir de cette merde, je dis quelque chose de stupide, prouvant ainsi que les mots ne sont définitivement pas mon fort.

– Tu sais comment sont les fans.

– Les fans ? C'est une *fan* qui t'a dessiné un pénis sur le front, peut-être ? Tu étais nu ! Et il y avait une grognasse dans ce lit avec toi ! La photo est partout sur Instagram. Elle est même sur ma page Facebook maintenant ! Qui est cette fille ? Est-ce que tu as fait quelque chose avec elle ?

– Je dormais comme une souche. Je ne savais même pas qu'elle était dans ma chambre.

– Qui a pris la photo ? Imagine qu'on t'ait tatoué ce truc ! Tu n'aurais jamais pu l'enlever.

– Je crois que je me serais réveillé si on m'avait tatoué. Surtout sur le visage.

– Raaah !

Elle s'apprête à fermer la porte, mais je glisse mon bras dans l'entrebâillement pour l'en empêcher.

Sunny est prof de yoga ; elle est plus forte qu'elle en a l'air. Ça fait une sacrée pression sur mon avant-bras.

– Poussin, arrête. Les choses ont été sorties de leur contexte. Je glandais avec Lance et Randy, et il a invité quelques copines à passer.

Elle laisse échapper un bruit de dégoût.

– Ce ne sont pas des mauvais gars ; Lance aime simplement faire la fête. Il a invité quelques personnes à passer et tu sais comment ça se passe dans ces cas-là. Tu invites quelques personnes qui en invitent d'autres… Je n'ai aucun contrôle sur ce qu'il fait.

– Oh, mais bien sûr ! Ça explique comment une grognasse nue a atterri sur tes genoux.

– Personne n'était nu, Sunny.

– Je ne vois pas beaucoup de tissu !

Elle lève son portable devant mon visage. C'est la photo de la fille assise sur mes genoux. En effet, elle ne porte pas grand-chose : un minuscule haut de bikini et un petit short. Le fait que je sois torse nu n'arrange rien.

Sunny tourne son portable vers elle et fait rageusement glisser un doigt sur l'écran, puis elle l'oriente de nouveau vers moi.

– La dernière fois que j'ai vérifié, ça voulait dire nu.

C'est la photo de moi endormi avec cette stupide bite sur le front. En effet, je suis incontestablement nu là-dessus.

– Je ne me suis rendu compte de rien.

– Parce que tu étais ivre mort. Tu veux savoir comment je le sais ?

Elle n'attend pas ma réponse.

– Tu m'as appelée hier soir. Est-ce que tu t'en souviens au moins ? Je parie que non.

– Si, je me rappelle t'avoir téléphoné.

– Même pas vrai.

– Bien sûr que si. Je t'ai dit que j'avais envie d'entendre ta voix.

Ce n'est qu'une supposition, mais il y a des chances pour que ce soit vrai. J'ai tout le temps envie d'entendre sa voix. Du moins, j'en ai envie quand elle n'est pas énervée contre moi.

– La conversation ne s'est pas résumée à ça.

– J'ai passé ma journée sur la route. Est-ce que je peux entrer pour qu'on en parle tranquillement ? J'ai acheté un deuxième billet pour pouvoir être ici ce soir. Tu n'as répondu à aucun de mes appels. N'oublie pas qu'il y a deux versions à chaque histoire. Tu n'as pas encore entendu la mienne. S'il te plaît.

Elle inspire profondément plusieurs fois.

– En réalité, il y en a trois.

– Qu'est-ce que tu veux dire ?

– Il y a ta version, celle de l'autre personne, et puis il y a la vérité, qui se situe quelque part entre les deux.

Je réfléchis un instant. Elle a raison d'une certaine façon. Mais en ce qui concerne la photo de la bite, ma version comporte beaucoup de lacunes puisque j'étais dans le coaltar. Dans le cas de la fille sur mes genoux, c'est sa parole contre la mienne.

– Est-ce que tu veux bien écouter ma version ?

Je prends l'expression la plus contrite possible.

Finalement, Sunny s'écarte de la porte, me laisse entrer, puis la ferme à clé.

Sunny habite encore chez ses parents. Elle n'a que vingt ans et est toujours étudiante. Elle a déjà obtenu un diplôme d'arts et de science, et puis un autre pour enseigner le yoga. L'an dernier, elle a commencé à suivre une formation en relations publiques. Elle est très douée avec les gens, les animaux et pour toutes sortes de trucs, alors quoi qu'elle décide de faire, je suis sûr qu'elle va assurer.

Cet été, Sunny enseigne le yoga à temps partiel et fait du bénévolat dans un refuge pour animaux. Par bonheur, ses parents, Robbie et Daisy, sont absents pour le week-end, alors je n'aurai pas à les affronter. Ce n'est pas que j'aie du mal à les supporter. Au contraire, je les aime beaucoup. Je les trouve cool pour des parents, mais ce sont les seuls que j'ai rencontrés volontairement, alors c'est difficile de les comparer avec d'autres. Daisy, la mère de Sunny, adore se mêler de tout. Le fait qu'elle soit absente signifie donc que je vais pouvoir tenter d'arranger les choses avec Sunny sans craindre la moindre intrusion.

Je balaie le vestibule du regard. L'intérieur des Waters est démodé. La plupart des meubles sont neufs, mais les rideaux sont très volumineux et il y a un tas de bibelots. Aucune des couleurs ne semble assortie aux autres. Vi dit que la déco des Waters lui évoque un match de boxe entre une baba cool et Scarlett O'Hara. Je ne sais pas très bien ce que ça veut dire, mais une chose est sûre, c'est difficile à regarder.

Je pose mon sac près de la porte d'entrée. Sunny me laissera passer la nuit ici. Je le sais déjà. Elle est trop gentille pour me chasser après m'avoir laissé entrer. Je crois que c'est son côté canadien. Mais la question est : où vais-je dormir ? Si je parviens à prononcer les bons mots, j'aurai peut-être une place dans son lit. Dans le cas contraire, j'aurai droit à la chambre d'amis.

– Je peux aller aux toilettes ?

Ça fait une heure que j'ai envie de pisser.

– Tu connais le chemin.

Comme elle ne fait pas un geste pour me toucher, ni me serrer dans ses bras, j'enlève mes chaussures – chose à laquelle semblent tenir les Canadiens – et longe le couloir.

La salle de bains du rez-de-chaussée est petite, alors je ne trouve pas grand-chose qui me permette de faire un brin de toilette. J'utilise le flacon de bain de bouche que j'ai déniché sous le lavabo pour me rafraîchir l'haleine. Étant donné que je porte un bonnet depuis que je suis sorti de la douche, je dois me mouiller les cheveux pour donner un peu de volume à ma coiffure raplapla. Mes aisselles auraient bien besoin d'une dose d'Axe, mais ça pourrait être pire. Il faudrait que je prenne une autre douche, en fait. Je trouve un stick de déodorant et le frotte sous mes bras, mais je sens aussitôt les fleurs et le concombre. Enfin, c'est toujours mieux que de puer la transpiration.

Au moment où je sors, Sunny n'est pas dans le salon. Je fais un détour par la cuisine ; elle ne s'y trouve pas non plus. Toujours bredouille après avoir fait le tour du rez-de-chaussée, je monte les escaliers. J'espère qu'elle n'est pas partie se coucher, ce serait naze. J'aime que tous les problèmes soient résolus, surtout avant d'aller dormir – sinon j'ai le sommeil agité. Sa porte est entrouverte.

Jetant un œil à l'intérieur de sa chambre juste au moment où elle enfile un soutien-gorge de sport, j'aperçois un bout de sein. Ensuite, elle se remet à fouiller dans son tiroir pour mettre la main sur un T-shirt.

Sunny ne fait pas partie de ces filles super maigres qu'on voit dans les magazines. Elle a des formes et est plus grande que la moyenne. Je fais quand même une bonne tête de plus qu'elle, mais elle m'arrive au menton. C'est une fille active, toujours dehors en train de faire du vélo, de la randonnée ou d'enseigner le yoga. Elle est donc en très bonne forme physique et super souple. Je n'ai pas encore eu l'occasion de découvrir l'étendue de sa souplesse, mais j'en ai bien l'intention. Avec un peu de chance, ce moment arrivera bientôt. Peut-être ce week-end. Merde. Je commence à bander. Le sang dans ma tête doit absolument rester là où il est, si je veux avoir une conversation avec elle. Je sors de son champ de vision et frappe à sa porte en l'appelant.

– Une seconde.

Le bruissement du vêtement qu'elle enfile me rend triste. Quelques secondes plus tard, elle ouvre la porte.

Elle a enfilé une espèce de débardeur de sport ample et extrafin. En principe, elle devrait porter quelque chose en dessous. À cause de son soutien-gorge de sport, sa poitrine est sensiblement plus plate que d'habitude. Je ne suis pas un homme à seins. Enfin, j'imagine que si, puisque tous les hommes hétéros adorent les seins. Mais je me fiche de leur taille. Tant qu'il y a un téton et de la matière à tripoter, je suis content.

La partie que je préfère dans le corps d'une femme, ce sont ses jambes. Sunny porte encore un short ample long jusqu'aux genoux. Mon regard descend ensuite jusqu'au sol. Les ongles de ses orteils sont couverts d'un vernis orange vif, sauf ceux des gros qui sont bleus et ornés d'une plage et d'un palmier.

Je m'apprête à entrer dans sa chambre, pour la deuxième fois de ma vie seulement, lorsque Sunny pose une main sur mon torse. Elle ne semble plus aussi en colère qu'avant, mais plutôt triste et sur ses gardes.

– Je préfère qu'on discute en bas.

– D'accord. Bien sûr. Pas de problème. Comme je ne te trouvais pas, j'ai voulu vérifier si tu étais retournée te coucher.

– J’avais envie d’enfiler des vêtements plus confortables.

C’est ce que Sunny préfère porter. Je ne l’ai vue en jean qu’une seule fois. C’était le jour où je l’ai rencontrée. La plupart du temps, elle porte des jupes et des robes à fleurs quand elle sort. Autrement, elle se promène en tenue de sport, comme si elle était prête à se lancer dans une séance de muscu improvisée. Je trouve ça super sexy.

Elle ferme la porte de sa chambre et me contourne. Faute de mieux, je descends les escaliers derrière elle pour retourner au salon. L’avantage, c’est que je peux regarder ses jambes. Sunny a de jolis mollets. J’ai envie de les mordre. Elle s’assied dans un des fauteuils à fleurs roses que je trouve très inconfortables.

Je m’installe au milieu du canapé et tapote le coussin à côté de moi.

– Allez viens, Sunny Sunshine. Parle-moi.

Elle lève les jambes et ramène ses pieds sous elle.

– Je peux très bien le faire d’ici.

Je continue à tapoter le coussin, mais elle continue à me fusiller du regard. Finalement, j’abandonne le canapé, me dirige vers elle et m’agenouille pour qu’on puisse se regarder dans les yeux.

– Je sais que tu es en colère et je te comprends, Sunny, mais tu sais comment ça se passe sur les réseaux sociaux. Pense à toutes les photos de ton frère qui s’y promènent.

Elle se tord les mains et soupire.

– Ce n’est pas pareil et tu le sais très bien. Tous ces trucs qui circulent sur Alex sont des conneries, alors que toutes les rumeurs qui te concernent sont vraies.

– Avant, oui. Mais elles ne le sont plus, maintenant.

Il y a quelques mois, les photos qui apparaissaient sur les sites de fans de hockey et dans les rubriques de potins reflétaient parfaitement la réalité. J’ai couché avec un tas de groupies. J’ai essayé d’empêcher Sunny de découvrir le nombre exact – non pas que je puisse le lui donner –, mais elle s’est renseignée sur moi après que sa copine Lily, qui me déteste, lui a déconseillé de sortir avec moi.

Ces choses n'inquiétaient pas du tout Sunny au début. C'est une anticonformiste. Mon aura lui plaisait et ça lui suffisait. Ensuite, elle s'est pris la réalité en pleine poire comme une bite toute collante de jus. Et puis des photos de moi ont continué à apparaître dans les médias, mais pas parce que je ramenais des filles chez moi – j'ai arrêté. C'est juste que je ne veux pas me montrer impoli envers mes fans.

Malheureusement, il s'avère que beaucoup de mes fans sont des femmes qui s'habillent comme des traînées.

Il faut que je trouve un moyen de convaincre Sunny que je ne suis pas un abruti. Ça va être dur.

Sunny soupire.

– Comment je peux être sûre que tu ne t'es pas tapé une groupie dans les toilettes de l'avion ?

– Je ne vais jamais aux toilettes dans l'avion. Elles sont dégoûtantes. J'essaie d'aller pisser avant d'embarquer.

– Alors, peut-être que tu as attendu d'être descendu. Peut-être que tu t'es envoyé en l'air dans ta voiture de location. Peut-être que tu t'es arrêté chez une fille en chemin. Et ensuite, peut-être que tu as pris une douche pour que je n'aie pas de soupçons, et puis tu as encore fait l'amour avec elle sous la douche, et je parie qu'elle t'a donné son numéro et…

– Mais de qui tu parles ? Est-ce qu'il y a une rumeur, un truc que j'ignore ? Je n'ai rencontré aucune groupie dans l'avion. Il n'y avait même personne à côté de moi, et l'hôtesse était un mec.

Sunny lève les mains en l'air.

– Ce n'était que des hypothèques !

– Des hypothèses, tu veux dire ?

– Ne me fais pas dire ce que je n'ai pas dit ! Dis-moi, tu ne devais pas atterrir vers vingt-trois heures ? Tu étais censé arriver il y a des heures avec ton deuxième avion. Comment je peux être sûre que tu as raté le premier, d'ailleurs ?

Demande à Violet. C'est elle qui m'a déposé à l'aéroport.

Sunny croise les bras sur sa poitrine.

– Pff. Comment je peux être sûre qu'elle ne mentira pas pour te couvrir ?

– Jamais Vi ne ferait ça, surtout si j'avais déconné avec toi.

Elle me lance un regard incrédule.

– Tu as oublié que tu venais me voir !

– Je n'ai pas oublié. Je me suis trompé d'heure.

Son mignon petit menton se met à trembler. J'ai déjà vu ce genre de chose. Pas avec Sunny, mais avec Vi. À mon avis, ça veut dire qu'elle va se mettre à pleurer. Jusqu'à maintenant, je n'ai jamais eu droit à des larmes et je ne sais pas très bien comment les affronter. Quand Vi a le moral à plat, je vais généralement lui chercher un truc sucré au lait et on joue à des jeux vidéo violents, jusqu'à ce que le lactose lui donne des crampes d'estomac et qu'elle me chasse de chez elle pour pouvoir aller se vider aux toilettes. Sunny ne joue pas aux jeux vidéo et elle ne mange pas de produits laitiers. Il va donc falloir que je trouve autre chose.

– Comment je peux être sûre que tu ne t'es pas arrêté chez une certaine Tara ce soir et que tu ne te sers pas de ces erreurs de correcteur automatique comme excuse ? Ça t'arrive très souvent, tu sais.

– Tu sais bien que je suis nul en orthographe.

– Ce n'est pas le problème.

Je soupire et pose la tête sur son genou. Sa peau est douce, chaude et elle a l'odeur de son prénom. Du moins, je crois que c'est comme ça que sentirait le soleil, s'il avait une odeur. Son corps tout entier se tend. Au bout de quelques secondes, elle passe les doigts dans mes cheveux. Je comprends tout à fait pourquoi les chiens adorent être grattés derrière les oreilles. J'oublie qu'elle m'a posé une question et frotte ma joue contre sa jambe.

Ses doigts se referment sur le sommet de ma tête et Sunny me tire par les cheveux. L'expression habituellement douce de ses yeux verts est sévère.

– Qu'est-ce que je suis censée penser de tout ça, Miller ?

– Je suis désolé pour les photos. Je n'étais même pas

réveillé pour celles de la bite sur mon front, alors tu ne peux pas trop m'en vouloir.

– Mais tu étais nu.

– Je n'arrive pas à dormir avec des vêtements.

– Tu étais chez Lance. Et il y avait des grognasses avec vous !

– Je mettrai un boxer chaque fois que je dormirai chez Lance à partir de maintenant.

– Ce n'est pas un boxer qui résoudra le problème. Je ne comprends pas pourquoi tu dois dormir chez lui, en fait. Tu habites à quoi, vingt minutes de chez lui en voiture, non ?

Je me demande comment elle sait ça. Sunny n'est jamais venue chez moi, ni chez Lance. Parfois, on se parle au téléphone pendant que je vais chez lui, alors ceci explique peut-être cela. Ce n'est pas le plus important maintenant, de toute façon.

– On avait bu et Lance avait programmé une séance d'entraînement chez lui le lendemain matin. Je me suis montré responsable en restant là-bas. Je fais des efforts, Sunny. Ça fait longtemps que je n'ai pas eu de relation sérieuse et c'est très différent de ce que j'ai vécu au lycée, tu vois ?

– Ce n'est que maintenant que tu t'en rends compte ?

Quand elle est nerveuse ou contrariée, Sunny enroule machinalement ses cheveux autour de son doigt.

– Ben oui. J'ai vécu comme j'en avais envie ces cinq dernières années…

– Tu veux dire que tu sortais avec plusieurs filles à la fois.

– Ouais, on peut dire ça comme ça.

C'est toujours mieux que « se taper des groupies à la chaîne ».

– Je suis en train d'apprendre à mieux me comporter. Tu me plais vraiment et j'ai envie de voir si les choses peuvent fonctionner entre nous. Je te demande juste d'être patiente.

– Mais j'ai été patiente. Et tolérante. Mets-toi un peu à ma place, Miller.

– Je suis loin de ressembler à une fille de vingt ans.

– Je suis sérieuse. Comment je pourrais te croire avec toutes ces photos qui me prouvent exactement le contraire ?

Elle lève son portable et fait défiler des photos de filles en train de me serrer dans leurs bras. Il y en a quelques nouvelles, prises au bar hier soir, dont je ne me souviens pas. Sur l'une d'elles, je bois des shots avec Crieuse de Bite et Chatte Éclair. Je ne fais rien de mal, mais les commentaires sous la photo sous-entendent qu'il s'est passé quelque chose. Alors que ce n'est pas vrai.

– D'accord. Mais ça paraît bien pire que ça ne l'était en réalité. Je ne suis sorti avec aucune de ces filles, Sunny. Je ne suis sorti avec personne depuis qu'on a fait connaissance. Je te promets que je ne me sers que de ma main quand je suis excité.

Elle me dévisage, l'air perplexe, voire perturbée, alors je poursuis dans l'espoir de clarifier les choses.

– La semaine dernière, j'ai envisagé d'enfoncer ma bite dans un paquet de chamallows que j'avais laissé au soleil, parce qu'ils étaient mous et chauds, mais je me suis dit que ce serait le bordel à nettoyer et un peu bizarre, alors j'ai opté pour du lubrifiant à la place. Mais j'ai eu envie d'essayer. Techniquement, ça veut dire que je n'utilise pas que ma main, mais si je me passe de lubrifiant, ma peau est irritée, surtout pendant la saison, parce que je porte tout le temps une coque. Est-ce que j'aurais dû faire l'impasse sur les détails ?

Sunny pose une main sur sa bouche. J'espère qu'elle ne va pas gerber.

– Désolé pour les détails. À force de passer du temps avec Vi, j'oublie de m'autocensurer.

Un rire monte dans sa gorge et secoue ses épaules.

– Ça explique beaucoup de choses, tu sais.

– Vi a une mauvaise influence sur moi.

– Non, pas du tout. Je ne parlais pas de ça. Quand Alex était ado, je me demandais souvent pourquoi il utilisait autant de lubrifiant et de paires de chaussettes.

Je me demande pourquoi elle parle de son frère et de ses problèmes de chaussettes alors que nous discutions branlette.

– Que viennent faire ses chaussettes là-dedans ?

– Il s'en servait pour…

Elle fait un geste sous ma ceinture et agite la main de haut en bas.

– Tu sais, pour contenir l'explosion.

Ses joues rosissent et elle détourne les yeux. Ensuite, elle pointe la langue dans sa joue, comme si elle mimait une pipe. Je ne pense pas que ce soit intentionnel, puisque la seule chose qu'elle a faite jusqu'à maintenant, c'est mettre sa main dans mon pantalon. Et merde. Je bande. Et ça me distrait.

– Il balançait la purée dans une chaussette ?

Elle fronce le nez d'une façon très mignonne, comme la fois où j'ai suggéré qu'on commande des ailes de poulet et des bières, avant d'apprendre qu'elle ne mangeait pas de viande.

– La vache, il a dû en user des paires !

Quand j'étais ado, je m'astiquais le manche trois fois par jour, sinon plus. Parfois, au lycée, quand Barbie Claremont enfreignait le code vestimentaire et portait sa petite robe blanche dos nu, il fallait que je sorte dès la deuxième heure de cours pour pouvoir me branler. Et je m'étais déjà occupé de ma gaule matinale sous la douche le matin.

– Il portait rarement des chaussettes. Ses baskets puaient à mort.

– Je veux bien te croire. Quel génie, hein ?

Bonne idée pour utiliser moins de mouchoirs.

– Attends. Comment tu es au courant de tout ça, au fait ?

– Je m'occupais de sa lessive parce qu'il m'aidait toujours à faire mes devoirs. Mais j'ai arrêté après avoir découvert sa montagne de chaussettes raides.

– Je peux comprendre. Moi, je me contente généralement de mouchoirs en papier ou de me branler sous la douche. J'ai essayé de viser le lavabo ou les toilettes, mais la trajectoire de mon jus n'est pas toujours prévisible et ma bite n'est pas souple quand je bande.

Comme je suis toujours agenouillé devant elle, elle ne peut heureusement pas voir ma trique.

– On devrait peut-être parler d'autre chose, non ? Il y a plus intéressant que ma façon de me branler.

Je ne sais même pas comment on en est arrivé à ce sujet.

– Peut-être.

Sunny passe sur ses lèvres la mèche de cheveux qu'elle a entortillée entre ses doigts. Comme elle ne porte jamais de rouge à lèvres, ses cheveux doux glissent sur sa peau sans rester collés à un truc poisseux et brillant. J'aime bien embrasser Sunny. Je ne finis jamais avec le maquillage d'un clown et elle n'a pas le goût artificiel d'un bonbon.

Je me rapproche d'elle jusqu'à ce que mon torse soit pressé contre ses genoux et nos visages à seulement quelques centimètres l'un de l'autre. Je devine qu'elle pense que je vais l'embrasser. C'est bien ce que j'ai envie de faire. Mais elle a toujours l'air d'hésiter, et je ne voudrais pas commettre une erreur de plus.

Finalement, j'entortille une mèche de cheveux soyeuse et dorée autour de mon doigt et la regarde glisser sur ma peau. Je continue jusqu'à ce que le bout de sa mèche ressemble à l'extrémité d'un pinceau et le passe sur ma lèvre pour voir l'effet que ça fait.

Sunny rit d'une voix douce, essoufflée. C'est mignon. Adorable. Elle a même l'air un peu mal à l'aise.

– Qu'est-ce que tu fais ?

– J'en sais rien. Et toi, qu'est-ce que tu fais ?

Elle regarde ailleurs.

– Je réfléchis.

– À quoi ?

Je laisse tomber ses cheveux et passe le bout d'un doigt sur le contour de sa lèvre inférieure. Elle a des lèvres fantastiques. Ça fait plus de deux semaines que je ne les ai pas senties sur les miennes. J'ai envie d'y remédier tout de suite.

– Je me dis que je ne sais pas très bien ce que tu attends de moi.

Je baisse la main et m'accroche à un accoudoir.

– Tu crois toujours que je joue avec toi ?

– Tu me baratines tout le temps.

– Ah, tu crois ça, hein ? Eh bien, et si on examinait un peu les faits ?

Je prends l'accent canadien pour la faire sourire. Ma tactique fonctionne, mais son sourire disparaît aussi vite qu'il est apparu.

– Et voilà, tu recommences ! C'est ce que tu fais en ce moment même.

– Je fais quoi ?

– Tu prends l'accent canadien pour avoir l'air mignon.

– Tu me trouves mignon ?

Agacée, elle pousse mon torse de son orteil.

– Tu as l'ego le plus énorme du monde.

J'attrape sa cheville et caresse son mollet. Ses jambes sont magnifiques – longues, musclées, dorées par le soleil. J'ai envie de poser mes mains et ma bouche sur chaque centimètre de sa peau, en commençant par sa cheville et en terminant par sa bouche.

– C'est ton frère qui a le plus gros, réponds-je. Il fait au moins dix fois la taille du mien.

– C'est faux.

– D'accord. Mon ego est encore plus énorme que le sien. Mais revenons à nos moutons. Depuis quand est-ce que je te téléphone ?

– Depuis que tu es venu à Toronto.

– Combien de fois je suis venu à Guelph pour te voir ?

– C'est la troisième.

– Combien de fois j'ai essayé de te déshabiller ?

Sunny se tapote la lèvre du doigt.

– Pour coucher avec moi, tu veux dire ?

Je lâche sa jambe et agrippe de nouveau les accoudoirs du fauteuil. J'ai mal aux genoux à force d'être dans cette position, mais j'essaie de lui faire comprendre que je tiens à elle. Avec un peu de chance, elle me remerciera plus tard.

– Oui, c'est ce que je veux dire.

Elle baisse les yeux vers mon menton pour ne pas être obligée de me regarder dans les yeux.

– Jamais.

– C'est exact. Jamais. Alors dis-moi, Sunny, pourquoi je suis là, d'après toi ?

Elle me regarde subrepticement, d'un air aussi délicieux que ces bonbons au sucre d'érable que je pique tout le temps à ma sœur.

– Pour me voir ?

– Pas juste pour te voir. Je suis venu pour toi, parce que j'ai envie d'être avec toi, c'est tout.

Décidément, c'est beaucoup plus dur que de tranquilliser une groupie. Je n'ai vécu cette situation qu'une seule fois dans ma vie et c'était il y a longtemps, au début de la fac, à l'âge où un béguin peut vous réduire un gamin en miettes. Les choses sont différentes aujourd'hui ; mes sentiments me paraissent beaucoup plus réels. Il ne s'agit pas juste d'une fille qui me fait bander à mort.

– Allez, Sunny Sunshine. Tu sais combien tu me plais. Je fais de mon mieux pour ne pas tout faire foirer.

Baissant enfin sa garde, elle expire lentement. Elle écarte les jambes et chacune glisse le long de mes flancs. J'attends ce moment depuis que j'ai franchi le seuil de sa maison. Je ne suis pas idiot, cependant : je reste sagement immobile, sans tenter de me rapprocher d'elle.

De nouveau, je remonte la main le long de son mollet nu. M'arrêtant derrière son genou, je la caresse avec le pouce puis redescends vers sa cheville sans cesser de la masser. Sunny adore les massages des jambes, et il faut bien dire que je suis carrément doué pour ça. Je remonte la main le long de sa jambe en suivant l'os de son tibia avec mes pouces. Tous ses muscles sont contractés. En m'asseyant sur les talons, j'aperçois un morceau de coton bleu pâle entre le tissu de son short et l'intérieur de sa cuisse.

Une petite culotte est une petite culotte, qu'elle ait des froufrous ou non, qu'elle soit ordinaire, chic, à dentelle, en coton, en satin. Lorsque j'ai l'occasion d'en voir une, il est généralement l'heure pour elle de disparaître. Mais curieusement, j'ai bien envie de savoir à quoi ressemble celle de Sunny. Porte-t-elle un ordinaire slip brésilien ? Un shorty ? Un tanga ? J'ai envie qu'elle se promène devant moi en petite culotte. Ensuite, je la déshabillerai et elle n'aura pas l'occasion de se rhabiller avant des heures. Mais d'abord, il faut que je l'excite suffisamment pour qu'elle ait envie de réaliser mon fantasme. Et il faut que je lui fasse oublier la fréquence à laquelle je fais tout foirer.

Je continue à masser son mollet de haut en bas jusqu'à ce qu'elle commence à soupirer et à remuer. Sa tête tombe contre le dossier du fauteuil, puis Sunny bat des paupières et ferme les yeux. Lorsque ses orteils se recourbent sur mon avant-bras et que ses lèvres s'écartent, j'en conclus qu'elle aime bien ce que je lui fais.

– Tu es très tendue. Est-ce que ça fait du bien ?

Je monte un peu plus haut en évitant l'endroit chatouilleux derrière son genou, puis continue à la caresser sur l'extérieur de la cuisse.

– J'ai donné trois cours aujourd'hui et couru huit kilomètres avec le nouveau lévrier qui est arrivé au refuge.

– Tu dois être fatiguée.

Elle soulève une paupière.

– Pas autant que toi, j'imagine. C'est toi qui as pris l'avion et conduit jusqu'ici.

– Mais c'est moi qui t'ai fait subir tout ce stress aujourd'hui.

Autant que je le reconnaisse.

– C'est oublié.

– Tu en es sûre ?

Du bout d'un doigt, elle suit le contour d'une fleur hideuse sur l'accoudoir du fauteuil.

– Disons que c'est presque oublié.

– Je peux faire quelque chose pour t'aider à supprimer ce « presque » ?

– Je ne sais pas.

– Tu ne sais pas ou tu n'as pas envie de me le dire ?

J'écarte largement les doigts sur le haut de ses cuisses. Lorsque je suis à quelques centimètres du bord de son short, j'effleure l'intérieur de ses cuisses avec mes pouces. C'est un point sensible qui m'évoque un tas de choses agréables, telles que des doigts humides et les petits gémissements excités de Sunny.

J'ai pu glisser la main dans la culotte de Sunny quatre fois en tout. Un putain de record du monde pour moi. D'habitude, je saute une groupie dans toutes les positions imaginables en moins de temps qu'il faut pour le dire.

La première fois que je me suis aventuré entre les jambes de Sunny, j'étais nerveux. Pas parce que je craignais de ne pas réussir à la faire jouir – c'est une chose que je maîtrise presque aussi bien que le hockey –, mais parce que je n'étais pas sûr de ce que j'allais découvrir. Je sais que ça peut paraître dégueulasse de ma part, mais c'est simplement la vérité.

Sunny est comme le muesli. Elle met moins de temps à se préparer que moi. Elle ne se maquille pas et je crois qu'elle ignore totalement à quoi sert la laque, ce qui est dingue quand on pense que sa mère utilise probablement un flacon entier par jour pour parfaire son look de star du rock des années 1980.

Enfin bref, si j'étais inquiet, c'était parce que je redoutais un peu « son goût naturel pour les poils », une expression que m'a gentiment proposée Vi. D'après elle, je suis trop habitué aux groupies. Ces filles portent peut-être trop de maquillage, mais elles entretiennent toujours parfaitement leur corps. Et par entretenir, je veux dire que les seuls poils qu'il leur reste se trouvent sur leur tête.

La première fois que j'ai mis la main dans la culotte de Sunny, j'étais sûr que ça allait être le début de la fin. À l'endroit précis où je découvre habituellement de la peau lisse se trouvait un carré de duvet. Il ne faisait que deux doigts de largeur et ce n'était pas une sorte de buisson épais, ni quoi que ce soit de ce genre. Comme elle me plaisait vraiment, j'ai poursuivi mon chemin en me disant que je fermerais les yeux sur cette légère fourrure si nécessaire. Je pourrais toujours la convaincre de s'en débarrasser un jour. Je lui promettrais de la faire jouir avec ma bouche en échange.

En réalité, je n'avais aucune raison de m'inquiéter. Après avoir franchi la montagne et plongé dans la vallée, je n'ai rien trouvé d'autre qu'une peau lisse, douce et une chatte chaude, humide. Ces quelques poils étaient une sorte de piste d'atterrissage destinée à m'indiquer la bonne direction.

Inutile de mentir, c'était un sacré soulagement. Je l'ai fait jouir deux fois avec les doigts. Ensuite, elle a pris ma bite dans sa main. C'était comme au lycée, mais en vachement mieux. Sunny a de grandes mains et des avant-bras super forts.

C'était il y a trois mois et je n'ai toujours pas mis le palet dans le filet. Je n'ai même pas mis le visage dans le filet. Ce n'est pas faute d'avoir essayé pourtant, mais les circonstances n'ont jamais été très favorables. Plus d'une fois, Vi m'a laissé entendre que je courais peut-être après Sunny parce qu'elle ne me cédait pas et que j'aimais les défis. Ces cinq dernières années, toutes les filles que j'ai croisées se sont dépêchées de baisser leur culotte et d'écarter les jambes – à part Sunny.

C'est agréable. Peut-être en effet que j'aime le défi qu'elle représente. Mais quand je la vois, je suis certain que les picotements d'excitation dans ma bite sont liés à la sensation bizarre que je ressens dans la poitrine.

Le fait que je sois prêt à faire tout ce chemin pour la voir, en sachant très bien que les choses avec elle ne sont pas gagnées, doit bien signifier quelque chose.

Je fais glisser mes mains jusqu'à ses genoux et recommence ma lente ascension. Sunny se mord la lèvre et s'affaisse dans son fauteuil, comme si elle essayait de se rapprocher de moi ou de faire monter mes mains plus haut. Mais je ne passerai pas toute de suite à l'étape suivante. J'ai tenu bon jusque-là ; je suis sûr que je peux y arriver encore un peu.

Je me penche et embrasse l'intérieur de son genou.

– Je suis désolé de t'avoir gâché la journée.

– Je sais.

Ses cuisses se contractent. Comme je suis placé entre elles, elles se serrent contre mes côtes. Je garde les mains au même endroit et dessine des cercles avec les pouces près de son artère fémorale. Sa peau est rouge, chaude ; son pouls bat à toute allure. Elle est exactement dans l'état que je voulais, excitée et rêveuse. Je recule, pose les mains sur ses genoux et me mords l'intérieur des joues pour m'empêcher de sourire, car elle fronce aussitôt les sourcils.

– Je ne veux plus que tu sois en colère contre moi, d'accord, Sunny Sunshine ? Je fais de mon mieux. Je sais que ce n'est pas encore assez, mais tu peux peut-être me dire ce que je dois faire pour m'améliorer.

Je suis très doué pour sortir ce genre de phrase cliché, mais cette fois, c'est totalement sincère.

Les genoux de Sunny me serrent les flancs un long moment. Ses doigts papillonnent près de ses cheveux, comme si elle s'apprêtait à les entortiller autour de son index. Je devine qu'elle essaie de garder les mains immobiles, qu'elle aimerait être en colère un peu plus longtemps, mais qu'elle n'y arrive pas. Je ne sais pas très bien ce qui la fait plier – regardons les choses en face, je ne suis pas le petit ami idéal –, mais une chose est sûre, tout est bon à prendre.

Elle tend la main et glisse les doigts dans mes cheveux. Ses ongles me griffent le cuir chevelu. J'adore quand elle fait ça. Ensuite, ses doigts m'agrippent les cheveux puis les relâchent, encore et encore. J'adore aussi quand elle fait ça. Si j'étais un chien, ma queue frétillerait de plaisir.

– Arrête de laisser ces grognasses te prendre en photo.

– Ce sont des fans.

– Ce sont des salopes.

– Ce sont aussi des fans.

– Qui passent leur temps à te tripoter.

Lorsque ses doigts se plient encore, je fais remonter mes mains le long de ses jambes et serre ses cuisses au moment où j'atteins le bord de son short. Je la distrais de nouveau. Ce n'est pas juste. Elle a raison. Je détesterais être à sa place. Je ne peux pas interdire aux gens de poser les mains sur moi, mais je peux quand même éviter de foutre les miennes n'importe où.

– Tu es la seule qui compte, en tout cas.

À en juger par la crispation de sa mâchoire et les mouvements de ses doigts dans mes cheveux, il est clair que Sunny hésite encore. Certaines personnes évitent la confrontation. Pas moi. Cette situation est le catalyseur parfait : la réconciliation n'en sera que plus douce. Le meilleur moyen d'obtenir ce que j'attends depuis des semaines est de faire fusionner le reste de colère qui bouillonne toujours en elle et le désir.

Je sens sa colère frémir comme de l'eau à deux doigts de bouillir. Sunny pose la main sur ma nuque, m'attire vers elle et nos lèvres entrent en contact. L'effet est incroyable après deux longues semaines de néant.

Embrasser est tout un art. C'est la partie la plus importante des préliminaires. Tout ce que je ferai au reste de son corps avec mes doigts et – bon sang, faites que ce soit pour cette nuit – ma bite est stimulé par ces baisers.

Elle essaie d'être agressive, d'enfoncer sa langue dans ma bouche, mais je la mordille. Elle laisse échapper un son affligé, à la fois frustré et désespéré.

Dès que ses lèvres s'écartent, je glisse la langue à l'intérieur de sa bouche et l'agite lentement. Je reconnais le goût de son dentifrice à la cannelle et au clou de girofle. Ça me rappelle celui des bonhommes en pain d'épices. Intéressant. Ainsi, elle est allée se brosser les dents avant de m'ouvrir la porte. Elle était en colère contre moi, et l'est peut-être encore, mais elle pensait qu'on finirait par s'embrasser.

Je passe une main sur son bras, puis sur son épaule et la pose sur sa joue. Ensuite, je lui suce la langue. Je sais que ce truc la rend complètement dingue.

Sunny gémit et s'entortille autour de moi en accrochant ses pieds derrière mon dos, puis ses doigts m'agrippent les cheveux pour m'empêcher de reculer encore une fois. Ce n'était pas ce que je prévoyais dans l'immédiat. J'ai eu si peu l'occasion de lui rouler des pelles que je ne vais pas m'arrêter juste après avoir commencé.

Je remonte un peu ma paume sur sa cuisse jusqu'à ce que le bout de mon majeur se glisse sous le bord de son short. Sunny écrase sa poitrine contre mon torse afin de se rapprocher de moi le plus possible. De nouveau, je fais descendre ma main jusqu'à son genou, histoire de rester éloigné de tous les endroits les plus excitants.

Je joue avec elle. Ça peut paraître méchant, mais elle aime ce que je lui fais et je m'amuse bien à l'exciter de cette façon. Si je veux réussir à la déshabiller, je dois d'abord m'assurer qu'elle ne pense qu'à une chose : les orgasmes qu'elle atteindra si elle me laisse faire.

– Je déteste voir ces grognasses te tripoter comme ça et je déteste être jalouse, marmonne Sunny autour de ma langue.

Je recule jusqu'à ce que je voie son visage.

– Tu ne devrais pas être jalouse. Je ne veux être tripoté que par toi.

Les mains de Sunny abandonnent mes cheveux et descendent le long de mon dos. Ses paumes se posent sur mes fesses et Sunny s'avance un peu. Un mouvement magique pour ma queue. C'est si bon de sentir autre chose que celui de ma propre main. Sunny glisse les doigts sous ma ceinture. Je ne porte pas de sous-vêtement, ça ne sert pratiquement à rien. Mes couilles préfèrent être libres qu'enfermées dans du tissu. Cette fois, je sens la griffure brutale de ses ongles quand elle m'agrippe les fesses.

Ce genre d'agression ne me pose aucun problème. J'ai couché avec toutes sortes de femmes, des plus tranquilles, qui aiment la position du missionnaire, à celles qui trouvent très drôle de m'attacher et de prendre le contrôle – je ne les ai jamais laissées aller jusque-là, cela dit.

Je déplace la main qui était sur le haut de sa cuisse jusqu'à sa taille. Je n'essaie même pas de passer sous son débardeur. Je m'arrête sur sa cage thoracique, mon pouce à quelques centimètres de son sein. Sunny a de petits seins ; ils tiennent dans mes paumes. Et ses tétons sont petits et roses. Elle peut se promener sans soutien-gorge sans que ça se voie. Ils sont carrément magnifiques. J'ai hâte de les prendre dans ma bouche.

Moins je la touche là où elle veut, plus elle s'affole. La main de Sunny sort de l'arrière de mon pantalon. Elle attrape le bord de mon T-shirt et le relève. Je n'interromps pas tout de suite notre baiser. Je recommence même à sucer sa lèvre inférieure et à mordiller son menton. Lorsqu'elle laisse échapper un grognement de frustration, je recule. Elle tire mon T-shirt par-dessus ma tête, le jette sur le sol, puis soupire.

Je pourrais affirmer que ça ne flatte pas un instant mon ego, mais ce serait un mensonge absolu. Sunny sait combien je dois travailler dur pour rester en forme. Elle est sensible au temps et à l'énergie que je dépense pour entretenir mon corps. Alors, c'est sûr qu'elle me mate, mais ce n'est pas parce qu'elle a hâte de raconter à ses copines qu'elle a réussi à se faire un joueur de NHL.

Elle passe les doigts dans mes cheveux et ses ongles griffent légèrement les côtés de mon cou. Lorsqu'elle atteint mes épaules, elle s'arrête, puis ses yeux se promènent le long de mon torse jusqu'à mes abdos.

– Tu es tellement beau torse nu. J'aimerais que ce soit tout le temps l'été.

– Je n'en porterai plus tant qu'on sera à l'intérieur de la maison.

– Ou au bord de la piscine.

Le bout de ses doigts glisse le long de mes bras.

– Je ne porterai même plus de short, si c'est ce que tu veux. Je me baladerai à poil tout le week-end, juste pour toi.

– Juste pour moi, hein ?

Ah, ce mignon petit accent canadien que j'aime tant.

– Hmm. Juste pour toi.

– J'aimerais beaucoup, mais les voisins voient tout ce qui se passe chez nous.

– Je croyais qu'ils avaient dans les quatre-vingt-dix ans ?

– Ouais, mais le vieux est un pervers. Il me regarde bronzer avec ses jumelles.

– Tu déconnes ?

– Ça lui arrive. Mais il est inoffensif. À mon avis, il n'a pas eu de véritable érection depuis le début des années 1990.

– Je me baignerai à poil demain, histoire de le rendre jaloux.

Sunny rit et me caresse les épaules.

– Je crois surtout que tu as envie de te balader tout nu devant moi.

– Regarde comme tu es excitée dès que je me mets torse nu. Je ne sais pas si tu pourras supporter de me voir entièrement à poil, bébé.

Je souris en voyant son air énervé. Je me penche vers elle, puis dépose un baiser sur le bout de son nez et un autre sur son menton.

– Je te fais marcher, Sunny. Je crois que tu supporteras très bien de me voir nu.

Elle pose la main sur ma nuque et m'attire vers elle pour m'embrasser. Nos langues se rencontrent et s'emmêlent, puis notre baiser se fait plus passionné lorsque Sunny commence à se frotter contre moi. Je prends ses fesses dans mes mains et accélère la friction.

La main de Sunny se promène sur mon épaule, puis descend le long de mon bras jusqu'à mon flanc. Je devine ce qu'elle veut lorsque le bout de ses doigts atteint la ceinture de mon short. En principe, je devrais être super content qu'on en arrive là.

Malheureusement, comme j'ai voulu la rejoindre le plus vite possible, je n'ai pas eu le temps de m'astiquer avant de monter dans l'avion. Il est trois heures du matin. La dernière fois que je me suis branlé, c'était hier. Je le fais au moins deux fois par jour. Généralement, au réveil et avant de m'endormir le soir. Je suis en retard sur le programme, ce qui signifie que si elle pose la main sur moi après ces deux semaines en solo, il est fort probable que je jouisse très vite. Et puis j'ai sans doute bien besoin d'une petite coupe au rasoir. À l'heure actuelle, mon équipement est plutôt horrible à voir.

Par chance, nous sommes serrés l'un contre l'autre et je me frotte partout contre elle, alors elle a du mal à passer une main entre nous. Elle abandonne au bout d'une minute et repose ses paumes sur mes fesses.

– Peut-être qu'on devrait monter, dit-elle quand je libère ses lèvres et dépose une série de baisers jusqu'à son cou.

– Bonne idée.

Sauf que ça risque de faire disparaître la magie des derniers instants. En plus, il y a quelque chose de super excitant dans le fait de nous peloter sur l'un de ces fauteuils hideux au milieu du salon familial. Je balaie la pièce du regard ; tous les rideaux sont tirés, ses pervers de voisins ne peuvent donc rien voir. En fait, j'ai très envie de la faire jouir ici. De cette façon, ce souvenir génial me reviendra chaque fois que je devrai rester assis dans cette pièce à bavarder avec ses parents.

Je rapproche la main du haut de sa cuisse. Sunny gémit et ses jambes se resserrent autour de mes hanches.

– Allons dans ma chambre.

– On peut très bien faire ça ici, non ?

Je mords sa clavicule à travers son débardeur.

Sunny se cambre et propulse la poitrine en avant. Ce foutu soutien-gorge de sport a beau ruiner son décolleté, il n'est pas rembourré ; j'aperçois le contour d'un téton à travers le tissu. J'effleure cet endroit avec l'articulation d'un doigt.

– Miller.

– Oui, bébé ?

Cette fois, je glisse une main sous son débardeur et lui chatouille les côtes. Lorsque j'atteins ce stupide soutien-gorge, je le remonte jusqu'à ce que ses seins soient visibles. Maintenant je devine ses tétons parfaits à travers le fin tissu. C'est presque mieux que de les voir en vrai.

– Il vaut mieux qu'on aille…

Sa phrase reste en suspens lorsque je pose la bouche sur l'un de ses tétons.

– Oh, bon sang.

Elle glisse ses bras autour de ma tête.

Je lui pétris un sein tout en suçant l'autre et glisse ma main libre sous son short jusqu'à ce que j'atteigne le bord de sa petite culotte. Je ne glisse pas mes doigts dessous cependant, parce que c'est exactement ce qu'elle veut que je fasse. Au lieu de ça, je suis l'élastique jusqu'à son aine. Je pourrais la déshabiller. Ce serait super sexy. Mais c'est ça le truc avec les préliminaires : ils sont parfois plus excitants quand on garde ses vêtements. Il y a quelque chose de super sexy chez une femme qui jouit entièrement habillée. Enfin, la tenue de Sunny est plutôt légère, je vous l'accorde.

Je la tripote à travers le coton humide et elle essaie de soulever les hanches. Difficile, vu qu'elle cambre le dos et qu'elle est assise dans un fauteuil.

Je lâche son téton. Le débardeur rose pâle colle à son sein à l'endroit où il est humide.

– Tu veux toujours qu'on aille dans ta chambre ?

Sunny cligne des yeux avec une perplexité adorable.

– Quoi ?

– Ta chambre ? Tu veux qu'on monte ?

Sa petite culotte est bleue à petits pois blancs et bleu foncé. Je glisse le bout de mon doigt sous l'élastique et caresse l'arête de son pubis.

– Maintenant ?

Son expression est hilarante.

– Si tu veux.

– Je suis très bien ici.

– C'est ce que j'ai cru comprendre.

Je fais glisser l'articulation de mon doigt sur sa peau douce et lisse. Sunny est humide et chaude. La vache, je crève d'envie de la pénétrer. Peut-être que j'y parviendrai plus tard ce soir.

Je détache ses jambes de mes hanches et Sunny s'avance sur le siège en s'affaissant. Elle passe une jambe sur l'accoudoir du fauteuil et je pose l'autre sur mon avant-bras. La vue qui s'offre à moi est carrément magnifique.

À l'aide de mon pouce, je pousse sa petite culotte sur le côté et dénude sa fente parfaite et rose.

– Je n'arrête pas de penser à un truc.

– Hmm ?

Elle lève lentement les yeux de l'endroit où sont posés mes doigts.

– J'adore la tête que tu fais quand tu jouis.

Je trace quelques cercles lents autour de son clitoris.

Les yeux de Sunny se ferment et elle se mord la lèvre.

– Et tous tes petits gémissements quand je touche le bon endroit.

Je glisse un doigt en elle et Sunny émet le son que j'espérais.

– Exactement comme ça.

J'ajoute un deuxième doigt et l'enfonce jusqu'à ce que ses joues rougissent et que sa bouche s'ouvre. Elle agrippe mon avant-bras.

– Purée…

Elle retient son souffle.

– Bon sang… oh, mon Dieu. Je… Miller.

Elle prononce mon nom, les yeux écarquillés, le regard fou de désir.

– Est-ce que je touche le bon endroit ?

Elle hoche frénétiquement la tête et resserre sa main sur mon bras.

– Tu le trouves toujours.

– Tu veux que je cherche encore un peu ?

– Non !

Elle enfonce les ongles dans ma peau.

– J'y suis pres…

Ses muscles se contractent autour de mes doigts et confirment ce qu'elle était sur le point de me dire. Les yeux de Sunny se plongent dans les miens, écarquillés par le choc. Je ne sais pas pourquoi elle a toujours l'air surprise quand elle jouit. Comme si c'était inattendu.

Elle lâche mon bras, attrape mes épaules et m'attire vers elle jusqu'à ce que nos lèvres entrent en contact. Sunny enfonce la langue dans ma bouche, puis l'entortille autour de la mienne en gémissant. J'ai l'impression d'être le champion du monde.

Enfin… jusqu'à ce qu'elle interrompe notre baiser, s'effondre contre le dossier du fauteuil et lâche :

– Je n'aime pas beaucoup que tu sois aussi doué pour me faire jouir.

Son ton est mordant. On dirait qu'elle n'a toujours pas oublié les trucs qu'elle a vus sur les réseaux sociaux. Je retire la main de sa culotte, rajuste son sous-vêtement et pose sa jambe sur le sol.

– Tu n'aimes pas que je puisse te faire jouir avec les doigts ? Ouais, je comprends, c'est vraiment pas drôle. Je peux faire semblant de m'y prendre comme un manche, si tu veux.

J'ai l'air de prendre ça à la rigolade, mais en réalité, ça me touche profondément. Je n'aime pas cette situation. Ce n'est pas ma faute si je suis doué au lit, quand même !

– Ne le prends pas comme ça, ce n'est pas ce que je voulais dire.

Elle pose la main sur l'arrière de ma tête pour m'empêcher de m'éloigner.

– C'est juste que tu me fais jouir à chaque fois, et j'ai peur de ne pas réussir à te faire le même effet. Tu me mets vraiment la pression. Je suis loin d'avoir autant d'expérience…

Elle laisse sa phrase en suspens.

– Tu as peur de ne pas réussir à me faire jouir ?

Si j'ai l'air aussi perplexe, c'est que, eh bien, je n'y comprends rien. Caresser une queue n'exige pas d'énormes compétences. Il s'agit essentiellement d'un mouvement de va-et-vient. Les femmes sont bien plus complexes d'un point de vue mécanique.

– Exactement. Parce que ça peut arriver, non ? Parfois, les mecs n'arrivent pas à…

– Faire sauter le bouchon ?

– Ouais.

– J'imagine. Enfin, il faudrait que j'aie bu des litres de

whisky ou que je me sois branlé, disons, vingt fois dans la journée pour qu'il m'arrive un truc pareil, parce qu'en général, une forte brise suffit à me faire bander.

Sunny baisse brusquement les yeux, puis sa main descend de mon torse jusqu'à ma ceinture et tâte mon entrejambe.

– Tu bandes déjà.

– Ça t'étonne ? Je viens de te faire jouir avec mes doigts, alors effectivement, je bande.

– Tu as trouvé ça excitant ?

Je ne saurais dire si elle est surprise ou intriguée.

– Assurément.

Elle serre mon sexe dans sa main.

– C'est le fait de me tripoter qui t'a fait bander comme ça ?

Ces mots associés à la sensation de sa main sur ma queue, malgré la barrière de mon short, provoquent un afflux de sang sous ma ceinture. Difficile de ne pas bander comme un cheval après tout ce qui s'est passé ce soir. La dispute, la séance de pelotage, la vision de ses tétons à travers son débardeur – parce que son soutien-gorge est toujours relevé… Et puis la façon dont elle est assise dans le fauteuil, entièrement habillée, juste après que je l'ai regardée jouir grâce à mes doigts – ce sont toutes ces choses qui font bander. Et il y a aussi le fait que je ne me sois pas branlé depuis hier matin.

Toutefois, je me contente de la réponse la plus simple.

– C'est parce que je viens de te doigter que je bande comme ça.

– Oh. C'est… ouah. Je te fais vraiment bander.

Je me retiens de rire.

– En effet, Sunny Sunshine.

Elle tend la main vers ma braguette, mais je pose ma main sur la sienne.

Mes couilles vont me détester. Cependant, il ne faut pas qu'elle me touche pour le moment. Afin d'éviter de me ridiculiser, je lui sors la seule excuse plausible qui me vienne à l'esprit.

– J'ai voyagé toute la soirée, bébé. Je devrais peut-être faire un peu de toilette avant que tu poses la main à cet endroit.

– Ça ne me dérange pas. J'aime bien ton odeur.

Elle fait une nouvelle tentative.

Je saisis sa main et la porte à mes lèvres.

– Sunny, poussin, j'apprécie ton enthousiasme, et je le partage, mais j'ai vraiment besoin d'une douche.

– Tu pourras te doucher après. On ne devrait pas en avoir pour longtemps, je me trompe ?

Cette fois, je ne peux pas m'empêcher de rire.

– Je préférerais vraiment que tu poses la main sur ma bite une fois qu'elle sera toute propre. Elle a mariné dans son jus toute la journée, tu sais. Et pour être honnête, j'aimerais beaucoup que les choses durent plus de deux minutes, au moins.

– Oh ! D'accord. Bien sûr. Plus c'est long, mieux c'est.

Son immense sourire est aussi lumineux qu'un soleil qui se lève. Tant pis si j'ai un peu l'air d'un abruti, ça valait le coup. Elle rajuste son soutien-gorge afin que ses seins ne pendouillent plus, lance ses jambes par-dessus le bord du fauteuil, puis elle bondit sur ses pieds et me tend la main.

– Viens !

Je range ma bite pour éviter qu'elle se dresse comme un piquet de tente sous mon short et glisse mes doigts entre les siens.

J'attrape mes sacs dans le vestibule et la suis dans les escaliers. Les parents de Sunny sont malins quand ils veulent. Afin de protéger la vertu de leur unique fille, ils ont installé sa chambre dans le même couloir que la leur. Un bureau sépare les deux pièces et la chambre d'amis se trouve à l'autre bout du couloir. C'est aussi là que se trouve l'escalier menant au deuxième. Son frère a pu grandir à son aise dans le vaste espace situé sous les combles.

Les deux autres nuits que j'ai passées ici, j'ai dû dormir dans la chambre d'amis, un terrain miné de plancher grinçant qui m'a totalement empêché de rejoindre Sunny. Parce que j'ai essayé, bien évidemment. En plus, Titus dort devant sa porte ; il est petit, mais aboie aussi fort qu'un roquet. J'ai dû prétendre que j'avais oublié où se trouvait la salle de bains, lorsque sa mère est sortie de sa chambre afin de vérifier pourquoi il faisait autant de bruit.

Par habitude, je me dirige vers la chambre d'amis, mais Sunny m'attrape par la main et m'entraîne dans le couloir.

– Tu peux utiliser ma salle de bains.

La chambre de Sunny ressemble à un studio d'étudiante. Sa housse de couette a été fabriquée avec des T-shirts de concerts. Le bureau installé dans un coin lui sert d'espace de travail. Un rideau de perles tombant du plafond le sépare du reste de la pièce. Titus traverse la pièce en courant et fait tinter les perles lorsqu'il bondit sur son fauteuil de bureau. Le chien s'y installe, la langue pendante, alors que le fauteuil pivote lentement.

Ce que je préfère dans la chambre de Sunny, c'est son lit. Il est immense. D'après ce que je vois, c'est la seule erreur qu'ont commise ses parents – en plus du fait qu'ils n'auraient pas dû la laisser sans surveillance ce week-end. Si j'ai une fille un jour, elle dormira dans un lit une place jusqu'à ce qu'elle ait son propre appartement. J'ai envie de me déshabiller, de me rouler sur sa couette et de baiser comme un fou avec Sunny sur cet immense lit, histoire de tester la souplesse de son corps.

Mais d'abord, il faut que je prenne une douche.

6

Orgasmes et cookies

Je laisse tomber mes sacs sur le sol et suis Sunny dans la salle de bains. Elle ouvre le placard à linge, puis me tend une serviette et désigne la baignoire au rideau transparent.

– Il y a du shampoing, du savon et mon loofa est accroché là-bas, si tu veux l'utiliser.

– Génial. Merci.

– Tu as besoin d'autre chose ?

Elle jette un coup d'œil à mon entrejambe.

Je bande toujours.

– Je crois que ça ira.

– Tu n'as vraiment besoin de rien d'autre ?

Elle attend quelques secondes de plus en promenant son regard sur mon entrejambe puis sur mon visage.

– Je crois que non.

– Tu es sûr ?

Elle fait un pas vers la porte ; on dirait bien qu'elle n'a aucune envie de partir.

– J'en ai pour dix petites minutes.

Lorsque j'ouvre le robinet, Sunny se retire dans sa chambre et ferme la porte derrière elle.

Je laisse échapper un gémissement de soulagement. J'adorerais l'inviter à me rejoindre, mais j'ai déjà super mal aux couilles. Si elle se déshabille, se mouille et pose la main sur moi, je jouirai sur-le-champ. Ensuite, elle ne voudra jamais coucher avec moi parce qu'elle me prendra pour un éjaculateur précoce. Mieux vaut que je règle le problème moi-même. Je n'aurai pas besoin d'un temps de récupération après, c'est certain. Je serai sûrement prêt à remettre ça dès que je serai sorti de la douche.

Je retire mon short et libère ma bite, qui se dresse aussitôt. Mes couilles ne pendent même pas, elles sont très tendues. J'avance sous le jet d'eau chaude, attrape mon manche et lui donne quelques caresses, histoire de le tester. Ce n'est même pas agréable tellement j'ai mal aux couilles. En plus, mes mains sont encore sèches à cause de la dernière saison et cette sensation est franchement pénible.

Avant, je me faisais faire des soins à la paraffine pour qu'elles restent douces, mais la nana qui s'en occupait figurait aussi sur ma liste de chéries. Elle a installé un spa chez elle, et sa maison est commodément située dans la même rue que mon appartement. Après mes mains, elle s'occupait généralement de ma bite – en l'enveloppant avec son vagin. Maintenant que je suis avec Sunny, il va falloir que je me trouve une nouvelle esthéticienne qui n'attendra rien de moi.

J'attrape le flacon le plus proche et fais gicler une dose de gel dans ma main afin d'accélérer les choses – si tant est qu'elles ont besoin d'être accélérées. L'arôme mentholé emplit l'espace humide. Je comprends pourquoi les cheveux de Sunny sentent toujours le mojito. Malheureusement, j'oublie de prendre en compte le fait que la menthe ouvre les pores. Je me caresse et, tout à coup, ma peau commence à se réchauffer. Je me tourne vers le jet pour rincer le shampoing, mais ça ne fait qu'augmenter la brûlure. Ma bite est en feu.

Je dois me mordre le poing pour ne pas jurer. Même avec les couilles tendues et la bite en feu, j'éjacule en moins de deux minutes. Comme je n'ai aucun contrôle sur sa trajectoire, la purée atterrit accidentellement sur l'éponge loofa de Sunny. Je la rince aussitôt, mais il est hors de question que je l'utilise pour me laver ensuite.

Maintenant que le problème numéro un est réglé, je vérifie l'état de mes couilles. Ça pourrait être pire. Je vais me contenter de les rafraîchir. J'utilise le rasoir rose posé sur le bord de la baignoire puisque les miens sont rangés dans mon sac. En me rasant, je songe que mes couilles sont en train de toucher indirectement les jambes de Sunny, et sa chatte, sans doute. Ouaip. Le sang redescend déjà à toute allure sous ma ceinture. Je me dépêche de finir de me laver.

Une fois essuyé, je m'aperçois que j'ai laissé mes vêtements propres dans mon sac marin, qui est posé de l'autre côté de la porte. Je pointe la tête dehors en pensant trouver Sunny allongée sur son lit en train de m'attendre – toute nue, évidemment –, mais je ne la vois nulle part. Elle ne répond pas non plus quand je l'appelle.

Je me dirige vers mon sac et laisse tomber la serviette sur le sol pour que mes couilles puissent sécher à l'air libre, pendant que je cherche un short propre. Juste au moment où j'en trouve un, le parquet craque.

– Je t'apporte un pénis géant.

Sunny s'arrête dans l'entrée de la chambre, une bouteille dans chaque main.

– Une boisson, je voulais dire, puisque tu en as déjà un.

Elle se sert d'une bouteille de bière pour désigner mon entrejambe.

– Tu trouves mon bâton de dynamite si énorme que ça ?

– Ton bâton de dynamite ?

– Tu préfères appeler ça un paratonnerre ?

Elle pose les boissons sur la table de nuit et s'assied sur le bord du lit.

– Tu es ridicule.

J'envisage de faire une croix sur le short et de me promener à poil, comme si j'étais chez moi, mais Sunny a déjà eu un orgasme. Je ne suis pas sûr qu'elle va vouloir remettre le couvert tout de suite. Je me tourne et tente d'enfiler mon short sans exhiber de nouveau ma bite. J'espère qu'elle ne va pas me faire payer cette douche en solo et que je pourrai bientôt l'enlever.

Ses yeux se posent sur ma taille, alors que je range mes affaires dans mon short.

– Tu ne bandes plus.

– C'est comme un ballon, une bite, ça se dégonfle.

Elle hausse un sourcil.

– Tu l'as aidée à se dégonfler ?

Il me paraît inutile de lui mentir.

– Ouais.

Elle croise les bras sur sa poitrine.

– Je voulais m'en occuper moi-même.

Je marche jusqu'à elle et lui caresse la joue.

– Sunny, bébé, tu peux dégonfler ma bite chaque fois que tu en as envie. Tu n'as même pas à me demander la permission.

Elle lève les yeux au ciel, mais frotte sa joue contre ma main.

– Est-ce que cette douche était une excuse pour t'en charger toi-même ?

– Oui, mais aussi parce que je me sens toujours dégueulasse après avoir pris l'avion.

La faute à Violet. C'est elle qui m'a fait remarquer qu'on respirait de l'air recyclé dans un avion et qu'un tas de particules de peau et de saletés flottaient dans cet espace confiné. Parfois, ma sœur est une vraie conne.

– Alors tu…

D'un geste, elle désigne mon entrejambe et exécute un mouvement de branlette. Sa main forme un C si généreux que ma bite imaginaire semble aussi large qu'une canette de bière. Je suis bien membré, mais faut pas exagérer.

– En effet.

– J'espère que tu as nettoyé la baignoire après t'être astiqué le manche.

Elle remonte sur le lit et me laisse une place à côté d'elle.

– Astiqué le… est-ce que tu…

Je la rejoins sur le lit.

– Je crois que tu discutes un peu trop avec Violet.

Hors de question de lui révéler que j'ai envoyé la purée sur son loofa. Il ne faudra pas que j'oublie de le jeter avant qu'elle le réutilise.

– J'ai un grand frère, tu te rappelles ? Ses copains de la patinoire venaient tout le temps chez nous avant, alors j'en connais un rayon là-dessus. Je suis allée à ma première fête avant d'avoir atteint l'âge de voter. Je n'ai peut-être pas ton expérience, mais j'ai à peu près tout entendu. Oh, et je peux te dire que les patineurs artistiques sont bien plus obsédés que les hockeyeurs.

– C'est vrai ?

Je sais que Waters a fait du patinage artistique pendant un bon nombre d'années avant de devenir hockeyeur professionnel. Mes coéquipiers et moi, on a presque tous fait une année de patinage artistique. Cette discipline permet de développer son habileté sur la glace.

– Eh ouais ! Je te rappelle que les filles font aussi du patinage artistique. Les garçons essayaient tout le temps de coucher avec elles. C'était quasiment l'orgie. Tout le monde sortait avec tout le monde. Sauf Alex. Il était trop occupé pour avoir une petite amie.

Elle penche la tête sur le côté.

– Je parie que les filles étaient folles de toi quand tu faisais du patinage artistique. Ces tenues en Lycra sont super moulantes.

– Je n'ai jamais eu à en porter. J'ai juste suivi les cours. Je ne faisais pas de compétition.

– C'est sans doute mieux comme ça. Tu aurais terrifié les dames avec ton épée d'amour.

– Ce terme-là me plaît bien.

Je me place à califourchon sur ses jambes, m'allonge sur elle en m'appuyant sur les avant-bras comme si je faisais la planche et pose la tête sur sa poitrine.

– Qu'est-ce que tu fais ?

– Je me blottis contre toi.

Je ne suis pas une gonzesse, c'est juste que j'aime les câlins. Avec les groupies, j'essaie de me limiter à trois minutes, sinon elles commencent à se faire des idées. Mais je n'ai pas besoin de limiter la durée de mes câlins avec Sunny.

Nous restons allongés ainsi un moment sans rien dire. Quand nous sommes seuls ensemble, sans histoire de groupies pour me mettre des bâtons dans les roues, les choses sont faciles. Nous n'avons pas besoin de combler le silence avec des niaiseries ou des banalités.

Grâce à la position de ma tête sur sa poitrine, je vois parfaitement son téton à travers son soutien-gorge et son débardeur. Comme il a presque l'air de me fixer, je fais ce qui me paraît le plus logique et commence à dessiner des cercles autour du bout du doigt. Ensuite, je passe une articulation dessus comme si son téton était un mini-ralentisseur et mon doigt une voiture miniature. Je fais un bruit de moteur dans ma tête.

– Miller ?

Sa voix est essoufflée.

– Oui, bébé ?

– Est-ce que tu peux soulever la tête une seconde ?

Je n'en ai pas envie, mais je le fais quand même parce qu'elle l'a demandé. Sunny se cambre, puis retire son débardeur et son horrible soutien-gorge de sport. Bam ! D'un seul coup, elle est seins nus. Et je bande de nouveau. De faibles traces de bronzage mettent ses seins en valeur.

– Je me disais qu'on pourrait reprendre là où on s'était arrêtés.

– Je trouve que c'est une super idée.

Je me déplace un peu pour m'allonger sur le flanc à côté d'elle et glisse une jambe entre les siennes. Je décide d'y aller doucement et me mets à sucer ses tétons.

Pour les mecs, tous les préliminaires sont sympas mais inutiles. Un bon va-et-vient du poing et quelques caresses nous suffisent. Mais les femmes sont différentes. Il leur faut plus qu'un simple contact physique. C'est psychologique. Elles préfèrent les chemins détournés. J'ai vu des documentaires très intéressants sur ce sujet. C'est comme de la recherche. Le porno est sans doute la pire chose que puisse regarder un mec pour comprendre ce qui excite une femme. Il ne sert à rien de la pilonner comme un marteau-piqueur. Il doit se produire une connexion. Je suis doué pour ça. Je dis toutes les choses qu'il faut, j'utilise toutes les bonnes techniques. S'il existait un diplôme d'orgasme féminin, je le décrocherais haut la main.

Je l'embrasse dans le cou, pose la main sur sa taille et la rapproche de son flanc jusqu'à ce que je touche presque son sein. Me penchant sur le côté, je me hisse sur un coude et recommence à décrire des cercles autour de son téton du bout du doigt. Je dépose une série de baisers sur sa mâchoire jusqu'à ce que j'atteigne ses lèvres.

Nous nous roulons des pelles pendant un moment, et chaque fois que les choses commencent à s'échauffer, je change d'approche. Lorsque ses petits ronronnements et gémissements prennent un ton désespéré, je la mordille le long de la gorge et de la clavicule jusqu'à ce que j'atteigne son sein. Quand ses mains se glissent dans mes cheveux et qu'elle se cambre, je lèche son téton.

– Miller, grogne-t-elle.

– Je continue ?

Sa paume se pose sur ma nuque et presse mon visage contre son sein.

– Ce serait génial.

– Comme ça ?

Je couvre son téton avec ma bouche et le suce doucement.

– Exactement.

Tandis que je me sers de ma bouche sur la partie supérieure de son corps, je descends une main pour la tripoter à travers son short.

– Qu'est-ce que tu fais ? demande Sunny.

Je cesse de sucer son téton pour pouvoir répondre.

– Euh… je te touche ? Tu veux que j'arrête ?

Je ne vois pas pourquoi elle le voudrait, vu qu'elle se frotte contre ma cuisse depuis que j'ai commencé à sucer son téton, mais il vaut toujours mieux lui demander.

– Oui. Non. Que… Non, mais tu as déjà fait ça.

– Je ne vois aucun inconvénient à recommencer.

– Mais j'ai déjà joui et pas toi.

– On n'a pas besoin de faire donnant-donnant, Sunny, si c'est à ça que tu penses. Je te ferai jouir autant de fois que tu le voudras, à moins que tu aies quelque chose contre les orgasmes à répétition.

C'était censé être une plaisanterie, mais comme elle ne répond pas tout de suite, je me penche en arrière.

– Sunny ?

Son regard se fixe brusquement sur le plafond.

– Je n'en ai jamais eu plus d'un.

– C'est vrai ? Pourtant, tu dois pouvoir en avoir quatre millions de suite.

Si j'étais une meuf, je pense que je me ferais jouir tout le temps, à n'importe quelle heure de la journée. C'est sans doute une bonne chose que les mecs ne puissent pas avoir autant d'orgasmes d'affilée. Autrement, on serait incapables de faire autre chose que de se branler.

Sunny hausse une épaule.

– Je n'ai jamais essayé d'en avoir un deuxième. D'habitude, mon poignet me fait mal après le premier, parce que j'ai mis beaucoup de temps à l'atteindre.

– Il ne m'a pas fallu longtemps pour te faire jouir tout à l'heure.

Elle se mord la lèvre.

– En effet.

– Ça te dérange si je réessaie ?

– Non, vas-y, si tu veux. Mais ne t'inquiète pas si tu n'y arrives pas.

– Oh, mais je vais y arriver.

Je m'agenouille et glisse les doigts sous la ceinture de son short, prêt à me mettre au travail.

– Est-ce que je peux te l'enlever ?

Comme elle hoche la tête, je fais glisser son short sur ses hanches, puis sur ses jambes. J'admire un instant sa petite culotte, chose que je ne fais jamais habituellement. Il n'y a ni satin, ni dentelle, ni petits nœuds, ni rubans, ni strass et il n'y a rien de cochon écrit dessus, mais cette petite culotte cache le seul endroit au monde où j'ai envie d'enfouir mon visage, alors je la trouve magnifique.

– Est-ce que je peux te l'enlever aussi ? dis-je en tripotant l'élastique.

Elle soulève les hanches, baisse sa petite culotte et la jette par-dessus le bord du lit – en même temps que son short.

Je laisse échapper un sifflement grave en contemplant chaque centimètre de peau nue.

– Eh bien, j'ai une imagination pitoyable. Tu es bien plus belle nue que je le pensais.

Sunny rit, puis soupire, lorsque je passe les mains sur l'extérieur de ses cuisses. Toute sa peau nue touche ma peau nue – sauf à l'endroit où mon short fait office de barrière –, au moment où je m'installe entre ses cuisses écartées. Je dépose une série de baisers sur ses lèvres et son cou, puis m'arrête sur ses tétons avant de poursuivre. Lorsque j'arrive au milieu de son ventre, elle m'attrape par les cheveux.

– Qu'est-ce que tu fais ?

– Je vais te faire jouir une deuxième fois, tu te rappelles ?

– Mais… je… tu… avec la bouche ?

Comme elle semble troublée, je lui explique ce que je fais, au cas où mes actes ne seraient pas suffisamment clairs.

– Je ne projetais pas d'utiliser mes doigts, cette fois.

– Oh. Tu veux me…

– Lécher.

– Avec la langue ?

– C'est comme ça qu'on fait généralement, à moins que tu connaisses un autre moyen.

– Euhhhhhh…

– À moins que tu n'en aies pas envie.

– Ce n'est pas ça.

– Génial. Ça va être mortel.

Je suis sur le point de reposer ma bouche sous son nombril, mais ses doigts me tirent par les cheveux.

– Miller.

– Oui, poussin ?

– Il faut que je te dise quelque chose.

– Bien sûr. Je t'écoute.

Je lève les yeux. Ses joues sont rouges, alors que je n'ai même pas commencé. Ses cheveux blonds étalés sur l'oreiller sont tout emmêlés après notre roulage de pelle. C'est carrément sexy. Dommage qu'elle ait l'air aussi gênée.

– C'est gentil de vouloir essayer de me faire jouir avec ta bouche, mais ce sera la première fois pour moi. Ne te fais pas une entorse à la langue pour rien.

Vous entendez ce crissement de pneus ? C'est mon cerveau qui tente de faire marche arrière.

– Holà. Attends. Quoi ?

J'ai dû mal comprendre.

– Tu veux dire que personne ne t'a encore fait jouir avec sa langue ou que personne ne t'a jamais léchée ?

– Eh bien…

Et voilà, Sunny recommence à enrouler ses cheveux autour de son doigt.

– En fait, avant toi, personne ne m'avait jamais fait jouir.

– Tu déconnes ? Tu n'avais jamais eu d'orgasme avant de me rencontrer ?

Dans ma tête, j'entends brusquement un stade tout entier m'acclamer. J'ai l'impression d'être carrément génial.

Sunny évite mon regard.

– J'ai eu des orgasmes.

Il me faut plus de renseignements.

– Qu'est-ce que tu voulais dire, alors ? Personne ne t'a jamais léché le cookie ?

– Non. Enfin, si. Enfin… bon sang, j'aurais mieux fait de me taire.

Je la mets mal à l'aise. J'aimerais bien savoir comment elle a pu vivre une relation durable avec un mec au lycée – renseignement que m'a transmis Violet, après l'avoir appris de la bouche de Waters – sans atteindre une seule fois l'orgasme. Mais je ne lui pose pas la question, car je ne veux pas qu'elle se sente ridicule. Par contre, j'ai bien envie de retrouver le mec et de lui filer une bonne raclée

– et de le remercier, en même temps. Grâce à lui, elle me prend pour un demi-dieu.

Je pose un coude de chaque côté de son buste et me place au-dessus d'elle, afin que nous nous retrouvions face à face.

– Je te pose juste quelques questions auxquelles tu peux répondre par oui ou par non, d'accord ?

– D'accord.

– Tu as eu des orgasmes ?

– Oui.

– Tu t'es fait jouir toute seule ?

Mieux vaut clarifier les choses. En plus, c'est excitant.

– Oui.

J'ai envie de lui dire combien je trouve ça sexy, mais il ne faut pas que je m'éloigne du sujet.

– Avec les doigts ?

– Oui.

– Avec autre chose ?

Ses joues s'enflamment.

– Tu exagères !

C'est incontestablement un oui.

– Nous reviendrons à cette question plus tard. Est-ce que quelqu'un d'autre t'a déjà fait jouir ?

Elle a déjà répondu à celle-ci, mais je veux être sûr à cent pour cent d'avoir bien entendu.

– Non.

– Jamais ?

– Non.

– Vraiment ? Juré craché ?

Je ne comprends pas comment une telle chose a pu arriver. Ou ne pas arriver.

– Miller.

Elle serre ses jambes contre mes flancs.

Je me penche et embrasse le côté de sa mâchoire. Je remue aussi les hanches en me frottant contre elle.

– Mais tu as déjà fait l'amour, non ?

Il vaudrait mieux que ce soit le cas. Je n'ai pas couché avec une vierge depuis le lycée. Je me sentirais coupable si j'étais la personne avec laquelle elle perdait sa virginité, parce que je suis à peu près aussi vierge qu'une prostituée.

Lorsqu'elle baisse la tête, le sommet de son crâne se cale sous mon menton et son nez se colle contre ma gorge. J'aime que ces choses-là la rendent timide. Je n'ai pas l'habitude.

– Sunny ?

Sa tête bouge.

– Est-ce que c'est un oui ?

Sunny me mord la clavicule, alors je presse mes hanches contre elle.

– Tu te rends bien compte que j'ai une mission à accomplir maintenant ?

Ses dents relâchent ma peau.

– Quel genre de mission ?

– Je dois te faire atteindre l'orgasme. Grâce à ma langue, tu vas voir un vrai feu d'artifice.

– Tu peux toujours essayer.

On dirait bien qu'elle n'y croit qu'à moitié.

C'est parti, je me sens gonflé à bloc.

– Ça va marcher, bébé.

Désormais, j'ai un but. Après l'avoir fait jouir avec ma bouche, je devrai le faire avec mon sexe. Je coupe court à la conversation. Tout ce bavardage me détourne de mon objectif. Je l'embrasse tout le long du buste, puis fais un détour par sa hanche droite et me dirige vers son nombril. Ses muscles se contractent lorsque j'atteins l'endroit sensible entre le haut de sa cuisse et son pubis. Ses jambes s'écartent davantage. J'en conclus que, même si elle hésite encore un peu, elle a très envie de vérifier si je peux tenir ma promesse.

Je fais ensuite remonter mes mains sur l'intérieur de ses cuisses puis les fais redescendre. Posant une paume derrière son genou, j'embrasse la peau douce de sa cuisse. Je lève les yeux lorsqu'elle retient son souffle, puis contemple ses longues jambes et ses formes harmonieuses.

L'important n'est pas seulement de la faire jouir ; c'est le tout premier orgasme de Sunny grâce à un cunnilingus.

Ça me rappelle mes quatorze ans et mes dents en vrac. À l'époque, je me demandais si quelqu'un voudrait bien poser la main sur ma bite un jour.

Étant très complexé, je faisais de gros efforts pour retenir ce que les filles aimaient. Et tout cet entraînement s'est révélé payant ; très vite, les filles ont cessé d'être de « simples copines ». J'ai passé mon année de première à baiser et ces nanas m'ont beaucoup appris. Plus précisément, ce qui fonctionnait ou pas. À l'époque où j'ai été sélectionné, je faisais jouir les filles aussi facilement qu'un centre marque des buts. C'est ainsi que je me suis fait une solide réputation auprès des groupies.

Rien n'est plus puissant que la sensation d'une main, d'une bouche, ou d'une chatte me faisant grimper aux rideaux.

Je n'ai pas envie que Sunny soit obligée d'aller dans la salle de bains plus tard et qu'elle s'y cache pendant cinq minutes pour se masturber – enfin, les filles ne font pas ce genre de truc. Ce serait naze que Sunny reste sur sa faim.

J'y vais doucement au début : je commence par embrasser son genou et me déplace vers le haut. Je prête une attention particulière à ses gémissements et à sa façon de bouger les hanches, afin de comprendre ce qui lui plaît. Au bout de quelques minutes de taquinerie, je rapproche ma bouche de sa chatte et mordille son aine. Son clitoris dépasse, tout gonflé et impatient d'être léché. Aussi, je m'exécute.

– Oh, mon Dieu.

Les jambes de Sunny se resserrent autour de ma tête.

– C'est trop ?

Je me relève sur les coudes et pose une main sur l'intérieur de sa cuisse pour la maintenir ouverte.

– Oui. Non. Je ne sais pas.

– Est-ce que je réessaie ?

– D'accord.

Elle hoche vigoureusement la tête.

– S'il te plaît.

– Cool.

Je baisse la tête, mais garde les yeux sur elle tout en embrassant son clitoris. Cette fois, elle n'essaie pas de refermer ses cuisses sur mon crâne comme un étau, alors je pose ma langue à plat sur sa chatte et la lèche, très lentement. Son front se plisse et sa bouche s'ouvre.

– Tu me dis si c'est trop, hein ?

– Ce n'est pas trop. C'est incroyanial.

– C'est-à-dire ?

– Pardon.

Elle retient son souffle.

– Je voulais dire incroyable ou génial, mais les deux sont sortis en même temps.

– Super. Ça me plaît.

Je baisse la tête et me remets au travail : je suce, lèche, mordille et devine que ça lui plaît à sa façon d'essayer de me décapiter avec ses cuisses. J'ai tellement de mal à les maintenir ouvertes que c'est une vraie séance de muscu pour mes avant-bras.

Comme elle m'agrippe les cheveux et recourbe les orteils sur mes côtes, je devine que l'orgasme approche. Je suce son clitoris, glisse deux doigts en elle, puis lève les yeux et vois ses paupières se fermer.

– Tu trouves ça comment, Sunny Sunshine ?

– C'est boooooon.

Je recommence.

– Juste bon ?

– Tellement bon.

– Tu me diras quand ce sera incroyable.

J'observe son visage en remuant les doigts plus vite et en suçant son clitoris plus fort.

– Oh… c'est…

Elle renverse la tête et un gémissement désespéré s'échappe de sa bouche.

– C'est comment maintenant ?

– Incroyable.

– Tu penses pouvoir jouir si je continue comme ça ?

Sunny hoche frénétiquement la tête. Elle garde une main

dans mes cheveux, tandis que l'autre agrippe les draps. Tout à coup, ses yeux et sa bouche s'ouvrent. Elle paraît si stupéfaite lorsque son corps se tend ! C'est la plus belle chose que j'aie jamais vue.

– Savoure, bébé.

Elle m'obéit en gardant les yeux posés sur moi. Par politesse, je replie les doigts encore une fois, au cas où son orgasme repartirait. Elle frissonne, puis se détend de nouveau.

Je m'essuie la bouche du dos de la main avant de déposer une série de baisers vers le haut de son corps. Elle est essoufflée et son corps paraît tout mou. J'écarte quelques mèches de cheveux humides de son visage et attends qu'elle ouvre les yeux.

– Salut.

– Salut, fait-elle en m'adressant un sourire shooté.

– Est-ce que c'était chouette ?

Sunny hoche la tête.

– Très chouette.

– Comment tu te sens ?

– Super détendue. C'est tellement mieux quand quelqu'un d'autre fait tout le travail.

Je ris.

– N'est-ce pas ?

– Ta bouche est fantastique.

– C'est vrai ?

– Absolument.

Elle passe ses bras autour de mon cou et ses jambes autour de ma taille. Ainsi, ma queue se niche juste à l'endroit où se trouvait ma bouche une minute plus tôt. Je bande à mort maintenant. Mes couilles vont de nouveau me faire mal.

Sunny suce ma lèvre inférieure avant de glisser sa langue dans ma bouche.

– C'est donc ça, mon goût ? me demande-t-elle au bout d'un moment.

– Hm-hm.

Cette fois, elle suce ma lèvre supérieure.

– Tu l'aimes, le goût de ma chatte ?

Dans la bouche d'une autre, cette phrase aurait eu l'air carrément obscène, ou elle aurait cherché à provoquer une réaction obscène, mais il s'agit de Sunny. Sa curiosité est sincère.

– J'adore son goût. Je te lécherai chaque fois que tu le voudras.

– C'est vrai ?

– Absolument.

– Si je te demandais de recommencer tout de suite, par exemple, tu le ferais ?

– Sans hésiter.

– Tu le penses vraiment.

Elle a l'air décontenancée.

– Carrément, oui !

Je m'apprête à baisser la tête, mais elle resserre les jambes autour de ma taille.

– Tu me goûteras de nouveau plus tard.

– J'en ai bien l'intention, bébé.

Elle met fin à la conversation en enfonçant sa langue dans ma bouche.

Au bout d'un moment, ses mains commencent à déambuler. Sunny baisse mon short sur mes hanches. Mon gland reste coincé dans l'élastique, mais nous réussissons à le libérer.

Dès que je suis nu, nous alignons nos sexes afin que je puisse faire glisser ma queue le long de sa fente. Elle est humide, chaude et douce. J'ai tellement envie de la pénétrer !

Mais je ne le lui dis pas. Au lieu de ça, je me soulève sur les bras de sorte que ma queue soit installée encore plus confortablement.

– Nous ne sommes pas obligés de faire l'amour.

Je suis sérieux. J'en ai envie, mais on n'est pas obligés de le faire. Je me satisferais d'une pipe. Bon, d'accord, ce sont des conneries. Je préférerais vraiment qu'on baise comme des fous, mais une pipe serait un prix de consolation convenable. Je me contenterais même d'une branlette. Bordel, si je continue à faire glisser ma queue contre sa fente, je vais vraiment finir par jouir.

Pendant un long moment, nous nous dévisageons sans bouger. J'essaie de ne pas me concentrer sur l'absence de friction. Au lieu de ça, j'étudie son visage comme je le fais avec un adversaire lorsque je réfléchis à mon prochain mouvement. Je lis dans son regard une légère incertitude. Il ne m'en faut pas plus. Sunny n'est pas sûre de ce qu'elle veut, alors je recule.

Ses jambes se resserrent autour de ma taille et ses ongles s'enfoncent de nouveau dans ma nuque. Elle doit être en train de me griffer jusqu'au sang, ce qui est assez excitant. Prenant appui sur mon bras gauche, je prends une mèche de ses cheveux, l'enroule autour de mes doigts et lui effleure le cou avec.

– Ne te sens surtout pas obligée de le faire, Sunny. Je sais que je n'arrête pas de tout faire foirer. Je ne veux pas courir le risque que tu regrettes d'avoir couché avec moi plus tard.

C'est ça le truc : je suis toujours réglo avec les filles. Je n'ai jamais eu pour habitude de tricher. Enfin, presque. Comme ma bite est une vraie obsédée, je fais tout pour la satisfaire, mais je ne baratine jamais mes partenaires. J'ai donc dit exactement ce que je pensais à Sunny, même si mes couilles risquent d'exploser si on en reste là.

Sa façon de remuer le pubis n'a rien d'hésitant cependant. Aussi ma bite descend brusquement très bas. Sunny n'hésite pas non plus quand elle tourne la tête et mord la chair de ma paume avant de l'embrasser.

– Est-ce que je suis la seule personne avec qui tu sors en ce moment ?

– Je me satisfais avec ma main depuis qu'on s'est rencontrés – et avec la tienne quand on se voit.

Pas la peine de lui parler des magazines de cul. Ces filles ne comptent pas puisqu'elles ne sont qu'en deux dimensions. En plus, je ferme toujours les yeux à la fin et j'imagine que ce sont les mains douces de Sunny qui me caressent.

– Moi aussi.

Elle sourit, mais devient pensive presque immédiatement.

– Enfin presque.

Je me tends. Qu'est-ce que ça veut dire ?

Ses yeux s'écarquillent. C'est sans doute dû à mon expression.

– Enfin, je suis toute seule, mais parfois, j'ai besoin d'un… coup de main.

– D'un coup de main ?

Je ne vois pas du tout de quoi elle parle. J'imagine de petits elfes se précipitant vers son entrejambe pour lui masser le clitoris.

– Hmm… J'utilise un petit appareil qui vibre, mais je suis quand même obligée de me toucher. Enfin, il vaudrait mieux que j'arrête de parler maintenant pour qu'on puisse faire l'amour.

Elle m'attire vers sa bouche. Nous nous frottons l'un contre l'autre jusqu'à ce que nous gémissions tous les deux. Je risque d'éjaculer partout sur son ventre si je ne la pénètre pas tout de suite. Du regard, je cherche mon pantalon sur le sol en me demandant comment je vais attraper mon portefeuille. Et je me rappelle au même instant qu'il est vide.

7

Capotes en tout genre

– Merde.

J'enfouis mon visage dans son cou et reste confortablement blotti contre sa peau. Je suis venu ici sans munitions.

Depuis un moment, je ne transporte plus de préservatifs puisque je n'ai aucune raison d'en utiliser. Si j'en avais sur moi, ce serait comme laisser un alcoolique se balader avec une bouteille d'alcool sur lui tout en s'attendant à ce qu'il ne boive pas. Je préfère partir les poches vides pour être sûr de ne pas faire quelque chose que je pourrais regretter. Jusqu'à maintenant, cette tactique a super bien marché. Mais là, tout de suite, je me sens très con.

– Qu'est-ce qui ne va pas ?

Sunny fait glisser son pied le long de ma jambe, ce qui réveille davantage ma bite. Je m'écarte un peu, histoire d'échapper à la proximité de son clitoris et du chaud paradis qui se trouve en dessous.

– Je suis venu sans munitions.

Si ma bite était une personne, elle me casserait la gueule. Je lui demanderais bien une pipe, mais je ne la mérite pas vraiment, puisque j'ai oublié d'emporter la chose la plus importante de toutes. Et je suis censé être le parfait boyscout. Un vrai tocard, oui !

– Sans munitions ?

Sunny passe une main dans mes cheveux et renverse la tête en arrière, m'offrant l'accès à son cou. Son autre main va se poser sur mes fesses.

Je l'embrasse le long de la gorge jusqu'à ses lèvres.

– Je n'ai pas apporté de préservatifs.

– Oh.

Elle est si déçue que je suis content et dégoûté à la fois. J'ai presque envie de lui dire qu'on pourrait s'en passer. Elle me dira peut-être qu'elle prend la pilule, qu'elle reçoit régulièrement des injections contraceptives ou qu'elle porte un stérilet et que je peux continuer. Mon absence d'activité sexuelle est devenue très pénible ces derniers temps ; ce n'était pas la peine de compliquer davantage les choses, franchement !

– Attends ! Alex en avait toujours dans sa chambre avant. Je vais vérifier !

Elle écarte les jambes et pousse sur mon torse. Je me relève aussitôt, ravi que tout ne soit pas encore perdu. Sunny roule sur le côté dès qu'elle a suffisamment de place et bondit du lit. Elle s'arrête à la porte.

– Ne bouge pas de là. J'arrive tout de suite.

Je m'allonge sur le flanc, mon sexe en érection dressé à quelques centimètres au-dessus du matelas, suspendu dans les airs.

– Je ne bougerai pas d'un poil en attendant, tu peux me croire.

Elle se mord la lèvre et me regarde, puis elle se retourne et file dans le couloir en agitant ses fesses rebondies. Tandis que j'attends son retour, allongé sur le lit, je me demande comment elle sait que son frère conservait jadis un stock de préservatifs. Elle a peut-être fouillé dans ses affaires. Je n'arrive pas à imaginer Waters lui révélant cette information de son plein gré. Il est beaucoup trop protecteur avec Sunny pour lui apprendre à se protéger des MST. S'il savait qu'elle est sur le point de me donner une de ses capotes pour coucher avec moi, il fabriquerait probablement une corde avec le reste de son stock et me pendrait par la queue à une poutre du grenier. Sunny revient une minute plus tard, un immense sourire aux lèvres. Elle saute sur le lit, ce qui fait rebondir ses seins fermes, dont les tétons roses sont dressés grâce à la climatisation.

– Jackpot ! crie-t-elle en laissant tomber un tas de préservatifs sur la couette.

Au début, je suis ravi parce que ça veut clairement dire que Sunny a envie de baiser avec moi. On pourra peut-être remettre ça plusieurs fois cette nuit. Et puis demain matin – ainsi qu'en début d'après-midi, au milieu de l'après-midi, au début de la soirée et tard le soir. Je pourrai rattraper ces longs mois sans chatte en un seul week-end. Ensuite, je prends un emballage doré et le retourne. Ce n'est pas une capote ordinaire, mais un Magnum XL.

– Ils viennent vraiment de la chambre de ton frère ?

– Ouais !

– Tu as rapporté tout son stock ?

– Non. Il en reste plein d'autres si on en a besoin !

Lorsqu'elle bondit, ses seins s'agitent en même temps. C'est distrayant.

– Avant d'aller vivre à Chicago, il conservait toujours deux ou trois boîtes dans sa chambre. Je me suis dit qu'il lui en restait peut-être quelques-uns et voilà ce que j'ai trouvé. J'imagine qu'il n'en a plus besoin, alors profitons-en !

Je préfère ignorer sa dernière phrase. Hors de question de penser à ce que font ma sœur et lui. J'ai déjà assisté – littéralement – à leurs ébats dans le vestiaire de l'équipe, un soir où Waters avait été exclu du match à cause d'une bagarre. Inutile de me torturer les méninges, je n'oublierai jamais cette vision. Le seul bon souvenir que je garde de cette soirée, c'est ma rencontre avec Sunny.

Je trie les préservatifs en les retournant un par un, dans l'espoir de trouver quelque chose de plus à ma taille. Jusque-là, je ne tombe que sur des XL.

– Tu penses qu'il se servait de ceux-là ?

Sunny hoche la tête.

– Tu es sûre qu'il n'a pas reçu ces trucs gratuitement, pour de la promo ou quelque chose comme ça ?

Je n'ai jamais maté volontairement l'équipement de Waters, mais nous nous promenons tous la bite à l'air dans le vestiaire, histoire de l'aérer après qu'elle a été enfermée dans une coque. Il n'y a que Randy qui cache la sienne. Il est bizarre dès qu'il s'agit de se mettre à poil. Celle de Waters n'a pas l'air si énorme que ça. Ma queue est bien plus grosse que la sienne au repos. Mais bon, la mienne est plus impressionnante au repos qu'en érection.

– Je n'en ai aucune idée. Tout ce que je sais, c'est qu'il les conserve dans son placard.

– Tu m'as dit toi-même que ce n'était pas un queutard. Pourquoi aurait-il tous ces trucs s'il n'avait pas l'intention de les utiliser ?

Sunny hausse les épaules.

– Je pense qu'il n'en a jamais eu autant dans ses affaires. C'est son copain Reid qui les lui a donnés pour plaisanter lors de son vingt-cinquième anniversaire.

– Hm. Eh bien, je suppose qu'on a de la chance. On dirait que tu es tombée sur un sacré filon.

À présent, j'en sais beaucoup trop sur la bite de Waters et je comprends mieux pourquoi Violet marchait aussi bizarrement quand ils ont commencé à sortir ensemble. Je suppose qu'elle est habituée maintenant.

Je trie le reste des capotes et, par bonheur, je tombe finalement sur un emballage vert. C'est ça le truc, avec les capotes : ça craint vraiment quand elles sont trop petites. Aucun mec n'a envie de couper la circulation de son sang dans sa bite. Mais je préfère de loin enfiler un préservatif un peu serré plutôt que porter une chaussette trop grande sur la queue.

J'ai déjà essayé les verts. Ils sont super ajustés et rendent mon équipement plus impressionnant puisque j'ai du mal à les dérouler. Mon paquet a l'air plus gros quand je le rase régulièrement, aussi. Mais bon, je n'ai pas vraiment besoin de ça en réalité.

– Donc… euh… est-ce que tu crois que l'un d'eux conviendra ? J'ai vérifié la date limite d'utilisation. Tous sont encore utilisables au moins deux ans encore.

Elle recommence à faire ce truc avec ses cheveux. Je lève un emballage vert devant ses yeux.

– Celui-ci est parfait. Je remercierai ton frère la prochaine fois que je le verrai.

Les yeux de Sunny s'écarquillent.

– T'as pas intérêt ! Il risque de te castrer.

Je glisse un bras autour de sa taille et entends le froissement des emballages sous nos corps lorsque je roule et me retrouve sur elle.

– Il serait sans doute content qu'on fasse attention ?

– Alex préfère penser qu'il fait du super boulot en se comportant comme mon chien de garde depuis le lycée.

– Tu as raison. Je ne le remercierai pas. Nous garderons ce stock secret pour nous.

Je dépose un baiser sur son menton, puis un autre sur ses lèvres.

Maintenant que je sais avec certitude ce qui va se passer, je vais prendre mon temps et m'assurer que je satisfais Sunny convenablement. C'est que je vais être le premier mec à lui donner un orgasme ! C'est presque plus important que d'être le premier mec avec qui elle a couché – cela dit, je n'ai aucune envie d'entendre parler de ce type. C'est que ça me donnera un sacré pouvoir d'être le premier à la faire crier. Ça élèvera mon statut. Je deviendrai le chevalier blanc du pays d'Orgasmia, muni de son épée magique.

Nous nous roulons des pelles jusqu'à ce que Sunny me griffe jusqu'en bas du dos et commence à enfoncer ses ongles dans mes fesses, afin que ma bite descende plus bas. Je m'agenouille et attrape l'emballage brillant que j'ai mis de côté, mais Sunny me le prend des mains et s'assied.

– J'ai envie de le faire.

– À toi de jouer, poussin.

Il y a quelque chose de super excitant dans le fait de voir une femme vous dérouler une capote sur le sexe. Les yeux de

Sunny sont au niveau de ma queue et lorsqu'elle me caresse lentement, ma queue se tortille. Elle déchire l'emballage, l'examine pour être sûre qu'elle prend la capote dans le bon sens, puis elle la déroule sur mon gland.

Sunny tire la langue et lève les yeux.

– Tu es sûr que ça va aller ? Je pense que les dorés sont plus grands.

– Celui-ci est parfait.

Je pose la main sur la sienne et l'aide à dérouler le reste du préservatif.

Sunny replie les jambes sous elle et se lève sur les genoux. Elle a toujours une main sur ma queue. L'autre me caresse le torse. Je me penche pour la rejoindre.

– On dirait bien que tu es fin prêt, murmure-t-elle contre mes lèvres.

– Ça, tu l'as dit.

J'enroule un bras autour de sa taille et me sers de mon genou pour lui écarter plus largement les jambes tout en l'allongeant sur le matelas. Elle frotte mon gland sur son clitoris, puis l'emmène plus bas. Je me hisse sur mes avant-bras pour pouvoir regarder son visage pendant que je la pénètre.

Je dois lutter pour garder les yeux ouverts. Je ne sais pas si ça vient du fait que je n'ai pas fait l'amour depuis trois mois, ou que j'ai attendu ce moment-là toute la soirée, ou encore du fait qu'il s'agisse de Sunny – peut-être que ce sont les trois à la fois ? Quoi qu'il en soit, l'extase est proche de celle que j'ai ressentie quand on a remporté la Coupe.

Un doux soupir s'échappe de sa bouche. Les ongles enfoncés dans ma fesse gauche se rétractent. Je n'arrive pas à me concentrer sur une sensation sans être distrait par une autre. Les stimulations visuelles et physiques mettent mon cerveau et mon corps en surchauffe.

Le bout des doigts de Sunny me caresse le dos et la légèreté de ce contact fait tressaillir mes muscles. Lorsqu'elle atteint mon épaule, elle dessine un cercle, puis une ligne jusqu'à mon cou et suit le contour de ma mâchoire jusqu'à mon menton.

Bien qu'elle soit allongée sous moi, c'est elle qui est aux commandes. Je ne bougerai pas avant qu'elle ne me le demande. Et je suis parfaitement d'accord pour ne pas bouger. Sentir mon sexe en elle est tout simplement magique.

Les doigts de Sunny glissent sur mes lèvres et ses yeux cherchent les miens. Son sourire est aussi doux que son toucher.

– Embrasse-moi, s'il te plaît, chuchote-t-elle.

J'obéis aussitôt. Je lui effleure les lèvres sans précipitation, puis lui donne des coups de langue chauds et doux. Plus question de l'agresser comme tout à l'heure, quand je voulais l'exciter. Une boule de culpabilité se forme dans mon ventre. L'espace d'un instant, j'ai peur d'avoir triché pour en arriver là, de l'avoir manipulée pour obtenir ce que je voulais. Mais soudain, Sunny se met à bouger en décrivant des cercles avec ses hanches, et je ne pense plus qu'à la sensation de son corps sous le mien.

Nous bougeons ensemble et pour une fois, je n'ai pas l'impression d'effectuer une performance. Il ne s'agit pas d'atteindre un but, de la faire jouir – bien que ce soit évidemment mon objectif : mon but premier est de savourer ce moment avec elle.

Sunny ne tente aucune acrobatie de son côté. Elle n'essaie pas de se contorsionner en bretzel, ne hurle pas mon nom, ne me donne pas de claques sur les fesses et ne répète pas sans arrêt que les rumeurs sont totalement vraies. Nous nous embrassons, bougeons et gémissons dans la bouche de l'autre. Je n'accélère pas le rythme, je change juste un peu de position et lève sa jambe gauche plus haut pour pouvoir toucher l'endroit délicat à chaque lent coup de reins.

Elle halète et ses gémissements se font plus bruyants. Je me hisse sur un bras et prends l'arrière de sa tête dans ma paume. J'aime la sensation de ses cheveux qui glissent entre mes doigts et le poids de son crâne dans ma main.

Le bout des doigts de Sunny se pose sous ma lèvre inférieure et sa paume se referme autour de mon menton. C'est un geste intime et dominateur à la fois, ce que j'apprécie beaucoup. Ses yeux sont de nouveau plongés dans les miens et j'y lis quelque chose comme de la surprise ou de l'émerveillement. Elle se met à trembler, ses jambes se resserrent autour de mes hanches et son genou gauche monte plus haut. Je le maintiens à cet endroit, entre mes côtes et mon biceps, afin de l'aider à garder cette position.

– Oh, bon sang, Miller. Je crois…

Sa phrase est interrompue par une inspiration saccadée. Sa main sur mon menton se resserre, tandis que sa bouche s'ouvre, puis Sunny secoue la tête comme si elle ne croyait pas à ce qui lui arrivait.

– Laisse-toi aller, bébé.

Je ne la quitte pas des yeux, incapable de regarder ailleurs, lorsque chaque muscle de Sunny se contracte et qu'explose son tout premier orgasme. Avec moi.

Soudain, il se passe quelque chose d'inexplicable. Mon corps est envahi au même moment par toutes les sensations auxquelles j'associe l'orgasme : picotements, brûlures, contraction, dilatation et explosion finale – tout se produit en même temps. À cela s'ajoute un étrange cocktail émotionnel qui me déstabilise totalement. J'ai l'impression de planer, mais c'est encore plus extrême que ça. J'ai l'impression de m'immerger en elle. C'est comme si j'étais plus en elle qu'au sens littéral. Je ne me sens plus connecté à mon propre corps.

Lorsque j'ai enfin fini de jouir, je fais de mon mieux pour éviter de m'effondrer sur elle. Je glisse un bras sous son corps et roule sur le flanc en l'entraînant avec moi. Je marmonne dans ses cheveux :

– Je ne comprends rien à ce qui vient de se passer.

Elle émet un petit bruit satisfait. Je sens son nez sur ma joue et ses lèvres qui se déplacent le long de ma mâchoire.

Lorsqu'elles atteignent le coin de ma bouche, je tourne la tête et l'embrasse profondément en la serrant contre moi. Ma queue s'agite comme si elle essayait de se dresser pour remettre ça. Aucune chance que ça se produise, cependant. Dans une demi-heure peut-être. Elle s'agite encore comme si elle cherchait à me prouver le contraire.

– Je sens toujours mon goût sur tes lèvres, chuchote Sunny.

– Tu veux que je me lave la figure ?

– Non. Pas le droit de bouger.

Nous nous roulons des pelles jusqu'à ce que je sois encore sur le point de bander. Je suis toujours en elle. D'habitude, après l'amour, je vais dans la salle de bains pour me laver, histoire de mettre un peu de distance entre celle qui est dans mon lit et moi. Mais c'est différent ce soir. Sunny interrompt elle-même notre baiser. Elle pousse sur mon torse, mais quand elle tente de se dégager de mon emprise, je lance mes jambes sur les siennes.

– Miller.

Elle glousse lorsque j'enfouis mon visage dans ses cheveux doucement parfumés et mordille son épaule.

– Tu en as marre des câlins ?

– Il faut que j'aille aux toilettes.

– Je peux venir avec toi.

– Beurk. Non merci.

– C'est pas ton truc, hein ?

– Je reviens tout de suite.

Je relâche mon étreinte, mais Sunny a encore du mal à s'extirper de mes bras et ne cesse de glousser. Entièrement nue, la peau toujours rouge, elle s'agenouille sur le lit à côté de moi. Elle a l'air heureuse, détendue et fatiguée. Elle entoure la base du préservatif avec son index et son pouce.

– Qu'est-ce que tu fais ?

– Je te débarrasse de ce truc.

– Tu ne veux pas garder un souvenir de ton premier orgasme avec moi ?

Elle mime un haut-le-cœur.

– Je crois que le souvenir de mes sensations me suffira.

Elle fait glisser la capote sur mon sexe et la tient en l'air en bondissant du lit.

Je contemple l'étendue nue de son corps, tandis qu'elle file vers la salle de bains. Sunny se déplace presque tout le temps en dansant. Elle est légère et ses longues jambes lui donnent la rapidité d'une gazelle.

Elle reste quelques minutes à l'intérieur. J'entends la chasse d'eau et le son du robinet qui coule. La porte de la salle de bains s'ouvre et Sunny réapparaît, toujours magnifiquement nue. Elle traverse la chambre en direction de la coiffeuse et commence à se tresser les cheveux de la droite vers la gauche, si bien que sa tresse longe la base de sa tête et passe par-dessus son épaule.

Tour à tour, j'observe son reflet dans le miroir et contemple les formes de son corps. J'ai couché avec beaucoup de femmes. J'ai vu un tas de corps. Je suis sorti avec des mannequins et des maigrichonnes se nourrissant exclusivement de salade verte. Pourtant, je découvre aujourd'hui que Sunny est mon idéal, ou qu'elle l'est devenue. Ses longs membres sont puissants et son corps est charnu partout où il faut. Elle est sûre d'elle et bien dans sa peau ; je trouve ça sexy.

– Tu reviens te coucher pour qu'on puisse se faire des câlins ?

Je lui tends les bras.

Sunny éteint la lumière de la salle de bains et grimpe dans le lit à côté de moi.

– Je te trouve sacrément sentimental pour un grand méchant hockeyeur.

– Ne le dis à personne. Ça ruinerait ma réputation.

Sunny s'esclaffe en se pelotonnant contre mon flanc. Elle suit du doigt la courbe de mon sourcil.

– Si seulement c'était toujours aussi facile d'être ta petite amie.

Je lève son menton pour que nos nez se touchent.

– Je vais tout faire pour te faciliter les choses, d'accord ? Donne-moi juste un peu de temps.

Elle presse ses lèvres contre les miennes.

– D'accord.

8

Obstacles imprévus

Il me faut trente bonnes secondes pour trouver mes repères quand je me réveille. Ce lit m'est inconnu, mais pas l'odeur des draps. Je reconnais le parfum du sexe et celui de Sunny. Je jette un œil à droite, à l'endroit où elle devrait être ; son oreiller est désert. Le réveil sur la table de nuit m'indique qu'il est déjà très tard. Mais bon, nous ne nous sommes pas endormis avant cinq heures du matin. Je m'étire, bâille et hésite à fermer les yeux de peur de me rendormir. Le temps qu'il me reste avec Sunny est limité. Il faut que je profite de cette journée et de celle de demain, parce qu'après, je pars au camp.

Je peux toujours lui proposer de me rendre visite, mais nous n'aurons pas beaucoup d'intimité là-bas. Elle devra dormir dans un chalet avec d'autres personnes. De mon côté, je serai avec les moniteurs hommes. Il nous sera impossible de coucher ensemble. Nous n'aurons aucune intimité et, quand bien même il serait amusant de la sauter dans la forêt, ça risque de s'avérer problématique. Il n'y a aucune activité mixte au camp, car les moniteurs juniors sont généralement de vrais mômes en chaleur.

Quand j'animais ces stages de hockey adolescent, j'avais les érections les plus dingues. C'était casse-couilles de s'en débarrasser. Et puis un jour, je suis devenu moniteur senior et j'ai pu enfreindre toutes les règles que je faisais respecter aux autres. La nature m'a ainsi fait : j'ai besoin de prendre mon pied. Je ne sais pas pourquoi. Si on m'avait attribué une chambre mixte, le séjour se serait transformé en putain d'orgie. Bon, d'accord, peut-être pas, mais j'en aurais rêvé en tout cas.

Ce souvenir réveille ma bite et le drap se dresse brusquement comme une tente au-dessus de ma taille. Ce serait sympa que Sunny vienne me voir, même si nous ne pouvons pas nous déshabiller.

Elle me verrait faire autre chose que jouer au hockey et passer pour un connard sur les réseaux sociaux. Je passerais plus de temps avec elle dans un environnement qui lui plairait certainement. Le seul vrai problème serait que je ne pourrais pas la pénétrer pendant tout ce temps. En y réfléchissant bien, sa venue serait un vrai supplice.

Après cette nuit, je vais avoir beaucoup de mal à rester habillé chaque fois que nous sommes seuls ensemble. Faire l'amour avec Sunny était bien plus intense que je ne m'y attendais. Et le plus incroyable, c'est que j'ai effectué un vrai triplé : je l'ai fait jouir avec mes doigts, ma langue, ma bite, et grâce à moi, elle a connu son premier orgasme multiple. C'est le plus énorme coup du chapeau de toute l'histoire du coup du chapeau.

Je le raconterais bien à Randy, mais il risquerait de gaffer et d'en parler à Lance, qui est lui-même incapable de se taire. Pourtant, j'ai vraiment envie de le raconter à quelqu'un. Je retrouve mon portable, qui a fini sur le sol très loin de mon pantalon, et fais défiler mes contacts pour appeler Violet. Il est plus de onze heures, elle est certainement réveillée. Malheureusement, j'atterris sur sa boîte vocale.

– Salut sœurette. Rappelle-moi quand tu auras ce message. J'ai réussi un super coup du chapeau hier soir et je peux te dire que Waters est un tout petit joueur à côté de moi.

Comme mon portable sonne au milieu du message, je mets fin à l'appel pour répondre. Je devine à la mélodie que c'est mon assistante. Je décroche avant qu'elle atterrisse sur ma messagerie.

– Hé, ça va, Amber ? Comment se passe ton périple dans la nature ? Tu t'es battue contre un ours ?

– Non, heureusement. On s'est pris une grosse averse, hier soir. Nous faisons une pause pour le déjeuner. Je me disais que j'allais t'appeler puisque le réseau est correct pendant cette partie du voyage. Je suis vraiment désolée que tu aies raté ton avion. Je pensais avoir ajouté suffisamment de pense-bêtes à ton calendrier, mais Violet m'a dit que tu t'étais trompé d'horaire.

– Pas de problème. Ce n'est pas ta faute. La batterie de mon portable était à plat et j'étais persuadé que mon avion décollait à vingt et une heures, au lieu de dix-huit. Tu me connais.

– J'aurais dû m'en douter. Je me sens super coupable. J'ai vu toutes les conneries qui circulaient sur les réseaux sociaux. Comment ça se passe avec Sunny ?

– Tout va bien. On a résolu le problème.

– Tu as réussi à la tranquilliser, hein ?

Elle n'a pas l'air tellement surprise.

Je pense à toutes les façons dont j'ai fait jouir Sunny hier soir.

– La situation semble toujours pire qu'elle ne l'est en réalité. Mais ouais, je me suis débrouillé pour apaiser les choses.

– Tu as donc trouvé la boîte de préservatifs dans le sac de cadeaux ?

– La boîte de préservatifs ?

– Je t'en ai pris deux, au cas où vous décideriez de ne faire que ça tout le week-end.

– Sans déconner. Tu es la meilleure, Amber.

– Souviens-t'en le jour où arrivera la facture pour mon cadeau d'anniversaire cette année.

Je ne crois pas qu'elle plaisante.

– Puisque tu me sauves toujours la mise, tu auras tout ce que tu voudras – à moins qu'il s'agisse d'une voiture.

– Oh, quel dommage.

Elle pousse un soupir théâtral.

– Bon, je voulais te parler du stage et de l'occasion pour toi de faire un peu de promo.

– Tu sais ce que je pense de…

– Écoute-moi avant de refuser.

Je soupire, mais décide de la laisser m'expliquer ce qu'elle a prévu plutôt que de faire la sourde oreille.

– Je pense qu'il serait assez malin d'autoriser l'un des journaux locaux à venir t'interviewer.

– Tu sais que je me débrouille mal avec les interviews.

– Avec celles qui sont préparées. Mais tu t'en sors bien quand tu n'as aucune réplique à apprendre. Ce ne sera pas forcément un article très long, le journaliste te posera juste quelques questions sur ton rôle au camp.

– Ça risque d'être le cirque.

– Mais non. C'est la campagne, là-bas, Miller. Ça n'a rien à voir avec Chicago, où les hockeyeurs font perdre la tête à tout le monde.

– D'accord. Je vais y réfléchir. Tiens, au fait, Randy m'a envoyé un e-mail sur un truc caritatif qui aura lieu près du camp. Il s'agit apparemment de récolter des fonds en lavant des voitures. Je vais sans doute l'accompagner si le planning me le permet.

– Tu connais la personne qui organise cette collecte ? demande Amber.

– Non. C'est un mec qui jouait avec Randy à Toronto. Apparemment, il organise beaucoup d'événements.

– Et quel est le nom de l'association ? Tu peux me transmettre les informations ?

– Bien sûr, je te transfère le mail. C'est pour la recherche contre le cancer du sein.

– D'accord. Ça a l'air bien. Je vais m'assurer que tout est réglo.

Amber sait, tout comme Vi, que je ne peux pas refuser de participer à une collecte de fonds pour la recherche contre le cancer.

– D'accord. Très bien. Et je me renseignerai auprès de Balls.

– Super. Parfait. N'oublie pas que tu dois aller le chercher à l'aéroport. Je t'envoie les infos sur son vol. Tu auras le temps de le contacter d'ici dimanche ?

– Ouais. Bien sûr.

– Je préfère m'en assurer, au cas où tu serais trop occupé à utiliser tout ton stock de préservatifs pour t'en souvenir.

Amber a le sens de l'humour. C'est indispensable quand on travaille avec des mecs comme moi.

– Ha ha. Je ferai une pause de dix minutes, histoire de régler tous les détails avec lui.

– Amuse-toi bien avec Sunny.

– Je ne vais faire que ça, tu peux me croire. Amuse-toi bien avec les ours.

– Je t'emmerde, Miller.

Amber met fin à l'appel et je souris. C'est une super assistante.

Avant de partir à la recherche de Sunny, je décide que c'est le bon moment pour sortir ma tondeuse. Je pars bientôt au camp et les moustiques ont tendance à s'emmêler dans les poils de mes bras et à me piquer à mort si je ne les coupe pas.

Je ne suis pas aussi velu que le prétend Vi avec ses insupportables comparaisons. Certains mecs de mon équipe sont bien plus poilus que moi, surtout pendant la période des matchs des séries éliminatoires, époque où les barbes sont de sortie et les cheveux descendent jusqu'aux torses. Comme je suis blond, j'ai la chance d'avoir un peu moins de boulot que les autres.

Je sors sur le balcon qui donne sur le jardin pour éviter de laisser des poils partout dans la chambre. Le treillage du balcon m'assure une certaine intimité, mais je garde mon short car je n'ai aucune envie de m'exhiber devant les voisins.

Je vérifie la lame de la tondeuse pour m'assurer que c'est la bonne. La numéro deux est plus efficace, mais elle rend ma peau piquante et je préférerais qu'elle soit douce ce soir.

Quand j'ai commencé à sortir avec Sunny, j'ai essayé la numéro deux. Vi n'arrêtait pas de me traiter de yeti et je commençais à me sentir complexé. Le problème, c'est que j'ai dû porter des manches longues pendant mon rendez-vous avec Sunny, alors que c'était la canicule. Mes bras ont été aussi piquants que des cactus pendant une bonne semaine, jusqu'à ce que les poils repoussent.

Je pose le pied sur la balustrade et commence par la jambe gauche. Je repasse deux fois partout, mais mon short commence à me gêner. Je n'ai pas envie de finir avec l'équivalent d'un bronzage agricole inversé : les cuisses pleines de poils alors que le reste est nickel. Je jette un œil de l'autre côté du treillage. Je vois le bord de la piscine. De l'autre côté, c'est le patio du voisin. Un vieux type assis en peignoir dans une chaise longue boit du thé glacé en lisant le journal. Une paire de jumelles est posée sur la table à côté de sa boisson. Ce doit être le voisin pervers de Sunny. Mais il ne peut pas me voir. Je peux donc enlever mon short en toute sécurité.

Lorsque la tondeuse est passée deux fois sur mes jambes, je passe une main sur ma peau. Sa texture presque lisse est tout à fait satisfaisante.

Un jour, je me suis rasé les jambes avec un vrai rasoir. En fait, j'ai dû en utiliser quatre. Je voulais voir ce que ça faisait. C'était l'hiver, alors je me disais que personne ne le verrait. Malheureusement, j'avais oublié que j'étais un joueur de NHL et que je devrais me changer dans un vestiaire en compagnie d'autres mecs, qui remarqueraient forcément mes jambes glabres et me vanneraient. Et c'est exactement ce qui s'est produit.

J'ai dû prétendre que l'une des groupies avec qui j'avais couché m'avait rasé les jambes pendant que je dormais. Ça paraissait crédible. Certaines groupies se montrent possessives. Dans ces cas-là, je me dépêche de couper les ponts. Enfin, je me dépêchais. Avant Sunny.

Je passe ensuite à mes bras et poursuis mon travail de débroussaillage. Lorsque la brise se lève, les poils tondus s'envolent en tourbillonnant dans l'air, avant de planer vers le jardin du voisin. Je parie que les oiseaux vont adorer ça. D'après Sunny, ils se font de super nids avec les poils.

Au cours du dernier passage de la tondeuse, une forte bourrasque soulève les poils coupés et le courant d'air provenant de la maison crée une espèce de cataclysme. Une mini-tornade fait tourbillonner les poils, qui s'élèvent dans les airs et disparaissent derrière le treillage.

J'entends un crachotement, puis un bruit métallique dans le patio voisin.

– Qu'est-ce que c'est que ça ?

Un roquet aboie de détresse, tandis que les hurlements se poursuivent.

– Thor ! J'ai renversé mon thé à cause de toi !

J'éteins la tondeuse et me plaque contre la baie coulissante. Je grimpe quelques marches en me dandinant, puis jette un œil à travers le treillage. Le voisin de Sunny a renversé sa chaise longue et sa boisson. Son chien Thor – qui, entre parenthèses, est minuscule – est en train de courir après mes poils.

– Est-ce que tout va bien ? demande Sunny à son voisin.

– Oh, bonjour Sunshine. C'est Thor qui court après une boule de poils.

– C'est marrant… Oh ! Monsieur Woodcock ! On dirait bien que vous avez encore oublié d'enfiler un pantalon.

Je jette un nouveau coup d'œil à travers le treillage. Le peignoir de M. Woodcock s'est ouvert et je vois pendre ses couilles flasques et son zizi ratatiné. J'espère que les miennes ne tomberont jamais aussi bas.

Je me glisse furtivement dans la chambre de Sunny. Il faut encore que je me passe un coup de tondeuse autour du canon. Hier soir, j'ai seulement réussi à me nettoyer les couilles. Si tout le reste est impeccable, je ne peux pas laisser ma bite telle quelle.

Je m'enferme dans la salle de bains et garde la lame numéro trois pour les poils sous le nombril. Le but n'est pas de faire disparaître tous mes poils, sinon je vais avoir l'air d'un gamin de douze ans avec une énorme bite. Je suis suffisamment prévenant pour me tailler les poils au-dessus des toilettes, afin de ne pas en mettre partout dans la salle de bains de Sunny.

Une fois que le bas de mon ventre est clean, je m'assieds à califourchon sur le siège des toilettes, aplatis ma bite contre mon ventre et la serre entre mes couilles comme si c'était un hot-dog pour vérifier si j'ai fait du bon boulot hier soir. Je rigole tout seul en voyant ma queue se dresser comme un zizi trop grand. Je passe la tondeuse sur la peau sensible, puis je fais tomber les poils coupés et inspecte mon travail. Tout a l'air parfait. Je décide de ne pas toucher à mon torse. Sunny l'aime comme il est.

Je me rince rapidement sous la douche et enfile un caleçon de bain. Je finis par dénicher les préservatifs dont parlait Amber et en range quelques-uns dans ma poche, au cas où.

Avant de rejoindre Sunny, je passe par la cuisine et me sers une tasse de café. Puis je pars à la recherche de sucre, mais tout ce que je trouve, ce sont des flocons d'érable bio. Je suppose que ça fera l'affaire. J'en verse une demi-cuillerée dans ma tasse et mélange les flocons au café. L'odeur est correcte. Prochaine mission : trouver de la crème.

Sunny est vegan, autrement dit, une végétarienne hardcore. Elle ne boit pas de lait et ne mange même pas de fromage. Son corps super souple et musclé ne se nourrit que de végétaux. Par chance, Robbie et Daisy n'ont rien contre le jus de vache. Je verse de la crème dans mon café et sors.

Sunny est assise dans une chaise longue, son ordinateur portable sur les genoux. Elle porte un bikini vert pâle et un haut blanc translucide. Depuis que j'ai goûté à son corps, j'ai envie de ne faire que ça tout le week-end. Je bande déjà à moitié.

Titus et Andy dorment à ses pieds. Concentrée sur ce qu'elle lit, Sunny a des écouteurs sur les oreilles et ne m'entend pas.

Elle est si captivée par sa lecture qu'elle ne me remarque toujours pas lorsque je m'avance juste derrière elle. Ses cheveux entortillés sont attachés par une pince, mais quelques mèches rebelles lui caressent les épaules dès que la brise souffle. Je balaie le jardin du regard, afin de vérifier si M. Woodcock peut nous voir. Il semblerait qu'on soit protégé. Seules les fenêtres de l'étage de sa maison ont vue sur la piscine. Je décide qu'il est sans danger de lui annoncer ma présence.

D'abord, je pose mon café sur le sol à côté de la table basse. Ensuite, je dénoue le lacet de mon short. Toujours placé derrière elle, je sors mon sexe à moitié en érection et lui tapote l'épaule avec. Sunny hurle et essaie de chasser ma bite. Par chance, elle ne la frappe pas. Son cri aigu réveille Andy et Titus qui se mettent tous deux à aboyer. Sunny pivote sur son fauteuil, le visage au même niveau que mon entrejambe.

– Mais qu'est-ce que tu fiches, Miller ?

– Je voulais attirer ton attention.

Impossible de rester sérieux. Elle a l'air mortifiée. C'est vraiment génial.

Sunny se couvre le visage des deux mains et ses épaules se mettent à trembler. Regardant Andy et Titus entre ses doigts, elle leur ordonne de se taire d'une voix hilare.

– Ça a marché, hein ?

Je prends l'ordinateur et le pose sur la petite table.

– Tu es ridicule !

– Mais tu adores ça.

Je décroise ses chevilles et m'agenouille entre elles au bout de la chaise longue.

– Qu'est-ce que tu fais ?

– Je te dis bonjour.

– Je croyais que c'était déjà fait.

Je caresse l'extérieur de ses jambes et me cale entre elles. Sans ranger mes affaires dans mon short, je m'allonge sur elle. Seul le tissu de nos maillots de bain nous sépare à présent.

– Je te rappelle que je me suis réveillé dans un lit désert.

J'embrasse sa clavicule et dépose des baisers jusqu'à sa bouche.

– Mes vieux voisins sont probablement en train de nous regarder.

– Il t'a montré sa bite. C'est normal que je lui rende la pareille.

Je tends la main derrière moi, baisse mon short sur mes fesses et attrape les préservatifs au passage.

– Tu l'as vu faire ?

– S'il a décidé de nous mater, autant lui offrir quelque chose à regarder.

Je laisse tomber les capotes sur la table basse.

Sunny jette un œil du côté des voisins.

– Miller ! On est dehors !

– Tu n'es pas obligée de te déshabiller.

Je glisse une main entre nous, pousse son slip de bain sur le côté et passe mon gland sur son clitoris.

– Il faut juste que tu restes silencieuse.

* * *

Une heure plus tard, nous traînons encore au bord de la piscine. J'ai une marque de morsure sur l'épaule – souvenir de l'orgasme de Sunny. Elle est super détendue.

– Tu devrais me laisser appliquer de la crème solaire sur ton dos.

Je cherche une excuse pour la toucher de nouveau.

– Est-ce que je suis en train de prendre un coup de soleil ?

Elle jette un œil à son épaule.

– Ça va pour le moment.

Je tapote l'espace entre mes jambes et l'invite à me rejoindre.

Sunny s'installe entre elles, mais trop loin pour que nos corps se touchent. Ses épaules sont parsemées de taches de rousseur à force d'être exposées au soleil. Le mois dernier, Sunny a passé quelques jours à faire du bénévolat dans un jardin communautaire. Elle plantait des fleurs dans le cadre d'un projet de revitalisation. Elle aime ce genre de truc et c'est l'une des choses que nous avons en commun.

– Au fait, je pars pour mon camp demain, lui dis-je en étalant de la crème sur sa peau.

– Ce que tu fais est vraiment super.

– Merci. Ça va être marrant. Et j'ai le temps de me consacrer à ce genre de chose en ce moment.

Je m'assure de bien passer sous la bretelle de son dos nu. J'adore ce maillot de bain. Elle le portait la première fois que je l'ai tripotée en douce.

– Enfin bref, je me disais que tu aimerais peut-être me rendre visite quand je serai là-bas ?

Comme elle reste silencieuse, je me dépêche de poursuivre.

– Tu pourrais venir à la fin, si l'ambiance de ce stage de hockey ne te branche pas trop. Tu pourrais même rencontrer certains gamins. Enfin, seulement si tu en as envie. On dort dans des chalets là-bas, alors tu n'aurais pas besoin de camper. Ensuite, on pourrait se louer un cottage pour quelques jours, si tes cours de yoga et ton boulot au refuge le permettent.

Elle reste silencieuse encore un moment.

– C'est tentant. Si seulement tu me l'avais proposé plus tôt !

Sunny se tourne presque entièrement vers moi.

Je connais ce regard. Ça craint. C'est exactement la tête que je fais quand je me prépare à larguer une chérie en douceur.

– Si tu as peur de demander un congé, je peux peut-être m'en occuper…

– Ce n'est pas le problème, Miller.

– Alors ça devrait marcher, non ? Tu vas pouvoir venir ? À moins que tu n'en aies pas envie.

Elle pose une main sur mon genou et le serre doucement.

– Eh bien… tu te rappelles toutes ces photos qui se sont mises à circuler sur Internet.

– Tu as dit que c'était oublié.

Je n'y comprends rien. La nuit dernière était géniale, et cette matinée bat tous les records. Pour une fois, j'ai réussi à ne pas tout gâcher entre nous.

– C'est vrai, mais quand je les ai vues, j'étais vraiment contrariée. On aurait dit que tu jouais avec moi, et puis tu m'as appelée alors que tu étais complètement bourré…

– Je pensais que le problème était réglé.

– C'est vrai. J'essaie simplement de m'expliquer. J'adorerais venir te voir, mais c'est impossible.

– À cause des trucs sur Instagram ?

– Non. Enfin, un peu. Lily m'a invitée à partir camper avec elle. Elle me l'a proposé il y a longtemps, mais je n'étais pas sûre d'en avoir envie. Ensuite, ces photos sont apparues et j'ai pensé que ce serait peut-être mieux. Histoire de m'éloigner de tout ça pendant un moment. J'avais déjà allégé mon planning parce que je savais que je te verrais ce week-end. J'ai trouvé quelqu'un pour me remplacer au refuge.

Sunny n'a pas l'habitude de faire du camping. Je le sais parce qu'enfant, elle a passé toutes ses vacances dans des cottages. C'est la mode au Canada. Les gens achètent des maisons au bord des lacs et se tapent des bouchons horribles tous les week-ends pour pouvoir aller se bourrer la gueule sur un ponton, patauger dans l'eau et faire des feux de camp.

– Dans ce cas, tu n'as qu'à camper avec elle quelques jours, puis venir me voir.

– Je me suis déjà engagée. Je ne veux pas revenir sur ma promesse.

Ça ne colle pas avec mes projets. J'aurais dû lui proposer de me rejoindre avant de venir, mais je n'étais pas sûr de ce qui allait se passer ce week-end. Je ne voulais pas précipiter les choses. Mais maintenant, je suis dans la merde. L'entraînement va bientôt reprendre et on m'a proposé de participer à un paquet de nouvelles pubs. Il faut que je parvienne à la convaincre de laisser tomber Lily et de venir me voir à la place.

– Tu ne peux vraiment pas raccourcir ton séjour ?

Elle baisse les yeux et trace un cercle autour de ma rotule.

– Lily m'a beaucoup soutenue pendant toute cette histoire. Je suis constamment bombardée de trucs horribles sur les réseaux sociaux.

Je glisse quelques mèches de cheveux derrière son oreille.

– Je vais faire en sorte que les choses s'arrangent sur ce plan-là.

– Il ne s'agit pas seulement de toi, Miller, mais de mon frère aussi. Ce n'est pas très grave, mais parfois, je ressens le besoin de m'éloigner de tout ça. J'essaie de rester indifférente, mais c'est dur. Lily et moi avons envie de partir un peu, de prendre du recul, tout ça.

Lily n'est pas ma plus grande fan. Je suis sûr qu'elle a fait tout son possible pour convaincre Sunny de l'accompagner.

– Où est-ce que vous allez, au fait ? Je pourrais vous rejoindre là-bas après mon camp. C'est loin en voiture ?

– L'endroit s'appelle Chapleau. Je crois que c'est à environ huit heures de voiture d'ici.

– Et y aurait moyen d'y aller en avion ?

– Il n'y a pas d'aéroport à proximité. On pourrait essayer de se voir dans quelques semaines, avant que commence mon premier semestre.

Hors de question d'être séparé d'elle aussi longtemps. J'ai besoin de la voir *plus*, pas moins !

– Je vous rejoindrai en voiture après le camp. On passera quelques jours à faire ce que tu veux, et puis on rentrera ensemble. J'ai juste besoin de savoir où ça se trouve.

Je ferai tout ce qu'il faudra pour passer du temps avec Sunny, même si je dois pour cela supporter sa garce de meilleure amie. Je devrai faire en sorte qu'elle m'apprécie parce que je suis sûr qu'elle ne nous laissera pas seuls.

– Ça risque de poser problème aussi. Nous ne serons pas dans un vrai camping. Nous allons camper, disons, dans la nature. Je ne sais pas très bien comment sera le réseau là-bas.

– Il y a du réseau partout. Même dans la forêt amazonienne.

D'accord, ce n'est peut-être pas vrai, mais on est au Canada. Tout le monde doit pouvoir utiliser son portable, même dans la forêt.

– C'est vraiment au nord du pays. Les gens de là-bas n'utilisent pas de portables. Il n'y a que des lignes fixes. C'est tout l'intérêt d'un retour à la nature, Miller. Nous allons planter nos tentes au milieu de nulle part.

Pas génial de n'avoir aucun moyen de communiquer avec Sunny. J'ai passé moins de vingt-quatre heures sans portable et voyez un peu dans quel merdier je me suis mis. Lily pourrait bien gâcher tout l'effet que j'ai fait à Sunny ces vingt-quatre dernières heures.

– Alors pourrai-je te faire savoir que je suis en chemin ?

– Nous irons probablement en ville pour acheter de quoi manger de temps en temps. La commune la plus proche se trouvera à une demi-heure du campement, je crois. Peut-être qu'on pourrait se contacter à ce moment-là ? Je suis désolée, Miller. J'ai envie de revenir sur ma promesse depuis que je suis levée, mais Lily pense que ça me fera du bien, et Alex aussi. En fait, je suis assez d'accord avec eux.

Sunny refait ce truc avec ses cheveux : elle les enroule autour de son doigt et passe le bout de sa mèche sur ses lèvres.

Que Waters et Lily aillent se faire foutre. Je suis sûr qu'ils sont de mèche. Il s'agit évidemment d'un sabotage. Mais que fout ma sœur exactement ? Elle est censée me soutenir. Il va falloir que j'aie une petite conversation avec elle. Il me vient soudain à l'esprit que Sunny n'a aucun sens de l'orientation. C'est bien joli de vouloir traverser des kilomètres d'étendues sauvages pour aller communier avec la nature, mais Lily a intérêt à assurer. J'ignore totalement si elle a les moindres compétences dans ce domaine.

– Il n'y aura donc que Lily et toi ? Qui va conduire ? Quelle voiture allez-vous prendre ? Est-ce qu'elle campe souvent ?

– Lily va tout le temps camper avec son petit ami. Elle a été guide quelques années et a fini pionnière.

J'imagine que ce sont des sortes de grades au scoutisme.

– Son petit ami vient aussi ?

Du bout du doigt, Sunny suit une veine de mon avant-bras jusqu'à mon poignet, puis trace la ligne qui traverse ma paume et s'arrête entre mon pouce et mon index.

– Nous partons en groupe.

– Tant mieux. Vous pourrez vous relayer pour conduire. Qui d'autre vous accompagne ?

Lily est la seule copine de Sunny que j'ai rencontrée jusqu'à maintenant.

– Benji, le petit ami de Lily. Tu ne l'as pas encore rencontré. Et puis Kale.

Benji ! On dirait un nom de chien.

– Kale ? C'est un mec ou une fille ?

– Un mec.

– Et il s'appelle Kale ? Comme le chou ?

– Kale est le diminutif de Kaleb. C'est un mec sympa.

Comme si ça rendait son nom moins bizarre. D'abord, j'apprends que Lily passe la semaine que je voulais avec Sunny, et maintenant, je découvre qu'elle part en voyage avec un mec ?

– C'est un ami à vous ?

– Nous nous connaissons tous depuis le lycée.

Une sirène se déclenche dans ma tête quand je m'aperçois qu'elle évite mon regard.

– Tu es sorti avec lui, c'est ça ?

Je voulais lui poser cette question sur le ton de la rigolade, mais là, c'est carrément l'Inquisition.

Sunny continue à contempler ses orteils qui s'agitent.

– C'était il y a longtemps.

Elle n'a que vingt ans. Elle a terminé le lycée il y a seulement deux ans.

– C'est-à-dire ?

– Nous avons rompu en terminale. C'était il y a une éternité. Il est passé à autre chose.

J'ai envie de dire un milliard de choses, mais je dois me retenir. Il faut que j'appelle Violet. Je ne vois pas ce qu'il y a de marrant à partir en voyage avec sa meilleure amie et son mec, ainsi qu'avec son foutu ex. La situation risque d'être extrêmement gênante.

– Et toi ?

Cette fois, Sunny me regarde.

– Bien sûr ! Comment peux-tu me poser une question pareille ?

– Parce que tu as accepté de partir en vacances avec eux alors que tu étais en colère contre moi, et je parie que Lily a fait tout son possible pour te convaincre que c'était une bonne idée. Est-ce qu'Alex sait que Choucroute vous accompagne ?

– Il s'appelle Kale, Miller. Et oui, Alex est au courant et il trouve quand même que c'est une bonne idée.

– Évidemment !

– Pourquoi mêles-tu mon frère à ça ? Il n'est responsable de rien dans cette histoire.

– Bien sûr que si ! Tu fais tout ce qu'il te dit et il me hait. Je ne suis pas très surpris qu'il se réjouisse de te voir partir en vacances avec ton ex, Lily et son copain.

– Kale et moi sommes amis depuis des années.

– Qui a largué l'autre ?

Je n'y connais pas grand-chose en relations durables. Mais je sais que les mecs peuvent en pincer secrètement pour une fille pendant des années.

C'est arrivé plusieurs fois à Violet quand elle était au lycée. Des mecs venaient traîner chez nous et se faire aider en maths, parce que Violet était super douée dans cette matière. C'était toujours des sportifs et je connaissais leur petit jeu par cœur. Chaque fois qu'elle quittait la pièce pour aller se chercher un verre d'eau, je les prévenais que je leur casserais la gueule s'ils osaient toucher à un seul de ses cheveux. Elle ne se rendait jamais compte que ces mecs mataient sans arrêt ses nibards.

– C'était une décision commune.

– Vraiment ? Vous avez décidé tous les deux au même instant de ne plus sortir ensemble ?

– Eh bien, c'est moi qui ai pris l'initiative de rompre, mais il pensait aussi qu'il valait mieux qu'on reste amis.

– C'est toi qui le lui as suggéré ?

Peu importe qui est ce mec : les ex ne restent jamais amis.

– C'était le meilleur copain du petit ami de Lily. Je savais qu'on n'allait pas arrêter de se croiser. Il fallait qu'on reste amis.

Toutes ces informations ne me rassurent pas un instant. Si c'était possible, j'annulerais ma participation au camp et j'irais m'oxygéner les neurones avec eux, mais je décevrais beaucoup trop de gens. Moi y compris.

– Est-ce qu'il a une copine ?

– Il est entre deux histoires.

– Qu'est-ce que ça veut dire ? C'est comme être entre deux boulots ? Il avait une copine et il en cherche une autre ?

– La dernière lui a brisé le cœur. Il préfère éviter toute relation sérieuse pour le moment.

Quelques mecs de mon équipe ont un jour été sous le coup d'une déception amoureuse. C'est l'une des nombreuses raisons pour lesquelles j'ai longtemps évité toute relation sérieuse. Le cycle dure généralement six mois. Au bout d'un moment, les filles avec qui ils sortent commencent à se sentir nerveuses. Elles les appellent tout le temps, deviennent très pots de colle, se mettent à lancer des accusations insensées, s'inquiètent de ce que font leurs mecs après les matchs et avec qui. Parfois, leurs inquiétudes sont justifiées ; d'autres fois, c'est de la pure paranoïa.

Quand on joue au hockey professionnel, on se déplace sans arrêt ; nous nous absentons parfois jusqu'à deux semaines. C'est généralement pendant l'un de ces longs déplacements que commencent les appels : la fille n'en peut plus, c'est trop difficile, le problème vient d'elle, pas de lui, et cetera. Ensuite, c'est la phase où le mec tente de se remettre de leur rupture en se tapant des groupies à la pelle. Mais ça ne marche jamais. Il se morfond sans arrêt et cherche la bagarre sur la glace. Je n'ai aucune envie de finir comme l'un de ces mecs.

– Il préfère donc les relations sans lendemain ?

– Il a envie de faire une pause. Il voit tout le temps cette fille puisqu'ils travaillent pour la même association à but non lucratif. Ils étaient censés partir camper ensemble, mais leur projet étant tombé à l'eau, je prends sa place.

– Lily doit se frotter les mains.

– Elle veille simplement sur moi, Miller. C'est ma meilleure amie depuis le CP. Elle ne t'a rencontré qu'une seule fois et elle ne connaît de toi que ce qu'elle voit sur les réseaux sociaux. En gros, ce n'est pas très positif. Peut-être que si tu racontais un peu plus ce que tu fais en dehors du hockey, des fêtes et des sorties au bar, les gens seraient moins obsédés par ces histoires de groupies.

Je soupire et m'adosse à la chaise longue. J'ai l'impression d'être l'écureuil assis sur un fil téléphonique attendant d'être électrocuté. Cette conversation est sur le point de se transformer en nouvelle dispute.

– C'est compliqué, Sunny. Si les médias apprennent quels sont mes projets, ils n'arrêteront pas d'embêter les gamins.

En fait, j'organise tous les ans une campagne pour aider financièrement les familles les plus déshéritées. Je fais en sorte qu'Amber et mon père examinent les candidatures les premiers et choisissent les cinq meilleures. Je trouve trop difficile de les sélectionner moi-même. Et je m'assure que la promo a lieu après l'événement, afin que les camps soient pleins l'été suivant.

Je passe les bras autour de la taille de Sunny et l'attire contre mon torse. Il faut que j'aborde les choses sous un angle différent. Jouer les copains possessifs n'est pas une bonne idée. Je dois me montrer plus compréhensif.

– C'est normal que tu ne veuilles pas revenir sur ta décision puisque tu as promis à Lily de l'accompagner. Tu es une bonne copine. Je ne veux pas que tu laisses tomber tes amis pour moi.

Il faut que je me contente de profiter au maximum du temps qu'il nous reste ensemble et que je fasse en sorte de la revoir le plus vite possible.

– Septembre va être vite arrivé, poursuis-je. Tu vas reprendre les cours, et moi l'entraînement. Ensuite, la saison va commencer et je voyagerai beaucoup. Je n'ai pas envie de te voir qu'une fois tous les trente-six du mois.

– Moi non plus. J'aime être avec toi.

J'embrasse son épaule.

– Tu ne vois donc pas d'inconvénient à ce que je te rejoigne et fasse le trajet du retour avec toi ? On arrivera peut-être à convaincre Lily que je suis un mec bien.

– Ce serait cool. C'est une amie géniale.

– Est-ce que je rencontrerai ton ex avant de partir ?

– Justement, c'est l'autre chose dont je voulais te parler…

Son ton ne me dit rien qui vaille.

– Lily passe me prendre demain matin.

– Demain matin ? Je croyais qu'on passait la journée ensemble.

Randy m'a envoyé l'horaire de son vol. Je n'ai pas besoin d'aller le chercher à l'aéroport avant dix-sept heures.

– Lily a prévu de passer vers huit heures, mais elle est toujours en retard, alors elle n'arrivera sans doute pas avant neuf ou dix heures.

– Si tôt que ça ? Vous ne pouvez pas partir dans l'après-midi ?

– On a pas mal d'heures de route. Il faut qu'on arrive là-bas avant la nuit pour pouvoir installer notre campement ; sinon nous devrons dormir dans le van.

L'idée que Sunny puisse dormir dans un van avec son ex-petit ami me fait bouillir de rage.

– J'ai fait ces projets après avoir vu toutes ces photos et avant que tu viennes ici, m'explique Sunny d'une voix plus douce. Je n'arrivais pas à te joindre. Je ne pensais pas que tu viendrais. Je n'étais même pas sûre d'avoir envie de te revoir. Et voilà que tu débarques et frappes à ma porte à deux heures du matin !

Je suis le contour de sa mâchoire du bout du doigt. Il faut absolument qu'on se quitte en bons termes.

– Tu n'as pas à te justifier. Tout est ma faute.

– C'était un malentendu.

– Parce que je suis un idiot.

– Mais non.

– Si, parfois.

J'embrasse le bas de son menton, le bout de son nez, puis j'effleure ses lèvres.

– Tu veux qu'on rentre ?

– Maintenant ?

– J'ai l'impression qu'il faut que je m'excuse.

– Et on n'a besoin de rentrer pour ça ?

– J'aime te prouver combien je suis désolé par des actes, non par des mots.

– Quel genre d'acte ?

– Le genre qui donne lieu à des orgasmes multiples.

– Ah. Dans ce cas, il faut absolument qu'on rentre.

9

Attaque-surprise !

Sunny et moi passons l'après-midi au lit, nous découvrant un sérieux appétit l'un pour l'autre, tandis qu'elle me montre toute l'étendue de sa souplesse. Lorsque nous nous arrêtons enfin, elle a eu quatre orgasmes, moi deux, et nous avons fait l'amour dans des positions que je ne pensais même pas réalisables.

– Je meurs de faim.

Toujours installé entre ses jambes, je me délecte de la sensation des mains de Sunny qui se promènent sur mon dos. Je n'ai jamais plané aussi longtemps après l'orgasme. C'est une sensation incroyable, presque aussi extraordinaire qu'une victoire au hockey.

– Je crois que tu as eu suffisamment de cookies pour aujourd'hui.

– Je n'en ai même pas mangé…

Je soulève la tête de sa poitrine. Elle est adorable, les yeux tout écarquillés, l'air contente d'elle.

– Tu fais de l'humour, maintenant, Sunny Sunshine ?

Elle sourit.

– Je suis toujours prêt à manger plus de cookies.

Je commence à déposer une série de baisers sur son ventre, mais elle saisit ma tête entre ses mains.

– Si tu recommences à me lécher, tu vas finir avec un

durillon sur la langue, ou bien je vais en avoir un sur le cookie.

Je ris et l'embrasse du ventre jusqu'à la bouche.

– J'ai besoin de vraie nourriture, de toute façon. Enfilons quelques vêtements et sortons. J'ai envie de t'emmener dans un endroit sympa.

– Oooh ! Je connais le resto parfait. Tu vas adorer !

Sunny pousse sur mon torse, roule sur le côté, puis bondit sur ses pieds.

Une demi-heure plus tard, nous sommes habillés et nous promenons dans le centre de Guelph. Je n'ai pas la même conception que Sunny de l'endroit parfait où manger. Elle m'emmène dans un restaurant vegan. Je ne critique pas la nourriture. Les végétaux ont en fait très bon goût. Je sais simplement que j'aurai de nouveau faim dès qu'on sera de retour dans la voiture. Mais Sunny est tellement contente de son choix que je commande la moitié de la carte et me gave de nourriture n'ayant jamais flirté avec une vache, ni même un poisson.

Au début, j'ai cru à tort que les gens qui travaillaient ici ne connaissaient rien au hockey – ils ont tous des dreadlocks et portent des chaussures en chanvre. Mais je me suis totalement trompé. Le mec qui nous trouve une table sait exactement qui je suis et il répète sans arrêt qu'il aurait adoré que je sois transféré à Toronto.

Sunny doit venir très souvent ici car le personnel semble la connaître. Elle me présente à quelques personnes, mais je n'arrive pas à mémoriser leurs noms, et les surnoms que j'affectionne habituellement ne fonctionnent pas puisqu'ils sont tous du genre écolo. Sunny ne me présente pas comme son petit ami. Elle ne m'appelle pas autrement que par mon prénom, mais nous sommes assis du même côté de la table et elle est pelotonnée contre moi. C'est beaucoup plus parlant qu'un simple titre.

Plus tard, lorsque nous rentrons chez elle, nous regardons un film. Nus. Enfin, nous ne regardons plus grand-chose au bout d'un quart d'heure, mais c'était sympa le temps que ça a duré, et ça le devient encore plus après. Au moment où Sunny s'endort sur le canapé, je décide de faire une razzia dans le frigo. Je n'y trouve pas grand-chose, à part de la nourriture saine, du lait de riz et du lait d'amande. Je pense avoir touché le jackpot en regardant dans le congélateur puisqu'il est plein de viennoiseries. Malheureusement, je découvre un cercle rouge barré d'une ligne couvrant le visage d'un bonhomme en train de manger sur chaque couvercle. Il y a aussi le dessin d'une feuille de ganja dessus. Le père de Sunny doit manger ces trucs pour ses recherches. Il travaille pour un labo médical qui cherche à parfaire ses variétés de marijuana. Cet homme est incroyablement malin. Apparemment, Sunny aime lui donner un coup de main en ce qui concerne la partie boulange. J'appelle une pizzeria locale et me commande un en-cas.

Sunny se réveille au moment où je termine mon repas de minuit. Un tas d'os d'ailes de poulet tout propres se dresse à côté de leur boîte en polystyrène. Lorsque Sunny s'étire, la couverture que j'avais posée sur elle tombe et ses tétons pointent aussitôt.

– Qu'est-ce que tu fais ?

– Je mate tes seins.

Elle me regarde d'un air ensommeillé, tire sur la couverture pour cacher ses affaires et se penche en avant pour inspecter ce qu'il y a dans mon assiette. Son adorable froncement de nez m'indique qu'elle est dégoûtée.

– Ton assiette est un vrai cimetière d'animaux.

– Cette bouffe est délicieuse, pourtant.

– Tu aimes donc t'envoyer une boîte de cadavres quand tu as un petit creux ?

– Dit comme ça, c'est nettement moins appétissant.

Elle se lève et laisse tomber la couverture sur le sol.

– Je vais me coucher.

Je laisse tomber le dernier os dans mon assiette.

– Attends. J'arrive.

– Il ne faut pas que tu laisses ces trucs ici.

Elle pointe le tas d'os du doigt.

– Si Andy les mange, il va être malade.

Je me dépêche de tout débarrasser tandis qu'elle se dirige vers les escaliers. Cette nuit est la dernière que nous allons passer ensemble. Demain matin, elle me quitte pour faire ce stupide voyage. Je dois à tout prix faire en sorte qu'elle pense à moi le temps que nous serons séparés. J'opte pour un câlin plutôt que pour une partie de jambes en l'air. Sunny s'endort enroulée autour de moi, sa joue chaude sur mon torse.

* * *

Je me réveille en sentant un horrible souffle humide sur mon visage. Je soulève une paupière et découvre le museau d'Andy à quelques centimètres de mon nez.

– Salut mon pote. Il faudrait que tu songes à te brosser les dents.

Je roule sur le dos, mais le côté de Sunny est déjà désert. Il n'est que sept heures du matin, mais elle part dans la matinée, alors je sors péniblement du lit en me frottant les yeux. Je ne prends pas la peine d'enfiler un boxer. Mon projet est de trouver Sunny et d'utiliser ma gaule matinale à bon escient. Lorsque j'atteins les escaliers, je suis accueilli par le doux parfum de la cannelle. Sunny est douée pour la pâtisserie, comme le prouvent les viennoiseries stockées dans le congélateur. Ses cookies sont les meilleurs. Je ricane en descendant les escaliers vers la cuisine. Maintenant que j'ai goûté au sien, je peux faire toutes sortes de plaisanteries culinaires cochonnes. Et dire que je ne vais même pas avoir le droit de raconter cette bonne blague aux mecs.

Sunny est dans la cuisine. Ses cheveux sont toujours tressés comme hier soir, mais sa coiffure est en désordre. Le soleil se répand dans la cuisine par la fenêtre au-dessus de l'évier, dans lequel elle est occupée à laver des fruits frais. La lumière souligne ses frisottis blonds, créant un halo autour de sa tête. Elle porte un short, un débardeur, mais pas de soutien-gorge.

Comme Sunny ne me remarque pas tout de suite, je m'appuie contre le chambranle de la porte pour l'observer. Elle épluche des pêches tout en fredonnant l'air qui passe à la radio. Si seulement elle ne partait pas ce matin.

Je m'approche par-derrière et glisse un bras autour de sa taille. Ce serait tellement facile de la déshabiller et de la prendre directement sur le plan de travail. Lorsque Sunny pousse un petit cri, je pense l'avoir effrayée, mais ensuite, je remarque une fine trace de sang qui se forme sur la chair de son index.

– Je suis désolé, Sunny.

Je l'emmène vers l'évier, ouvre le robinet et ajuste la température de l'eau. Lorsqu'elle est froide, j'avance sa main sous le jet. Pour l'effet de surprise, c'est complètement raté.

Sunny tourne la tête et presse la joue contre mon torse.

– Est-ce que ça saigne encore ?

J'appuie sous l'entaille et vérifie la profondeur de l'entaille. La coupure est nette et peu profonde. C'est juste une blessure superficielle. Comme son doigt se remet à saigner, j'avance sa main sous l'eau.

– Rien de grave. Pas besoin de point de suture.

J'embrasse le sommet de sa tête.

Le corps de Sunny est parcouru d'un frisson.

– Il y a des pansements ici ?

– Probablement dans le tiroir.

Elle agite la main en direction des placards à notre droite.

– Je vais t'en chercher un ?

Je ne peux pas bouger tant qu'elle s'appuie contre moi.

– Je crois qu'il faut que je m'asseye, dit-elle d'une voix faible.

Soudain, Sunny glisse le long de mon corps. Je l'attrape sous les bras avant qu'elle heurte le sol.

– Poussin ?

Je m'accroupis et bloque sa tête avec mon épaule pour l'empêcher de tomber. Ses yeux sont révulsés et son corps pèse comme un poids mort dans mes mains. Elle s'est évanouie. J'appuie Sunny contre les placards et positionne son corps mou de façon à ce qu'elle ne tombe pas en avant. Décidément, rien ne se passe comme je l'avais prévu.

Les serviettes en papier se trouvent quelques centimètres trop loin pour que je puisse les attraper. Je me place devant elle pour l'empêcher de tomber en avant et appuie ma cuisse contre son épaule pour la maintenir droite. Cette position n'est pas des plus adaptées, étant donné la situation. Ma bite se trouve à quelques centimètres de son visage, et je suis nu comme un ver.

Elle commence à retrouver ses esprits au moment où j'attrape les serviettes en papier. Tirant sur quelques feuilles, je tente de m'accroupir de nouveau, mais Sunny passe les bras autour de mes jambes et sa tête tombe contre mon équipement. Je pousse un grognement. La douleur irradie tout mon dos et me prend à la gorge. J'ai aussitôt un goût de bile dans la gorge et la sensation que mes couilles resteront à tout jamais bloquées sous ma pomme d'Adam.

Je me laisse tomber sur le sol devant elle en serrant les dents. Ma vue se brouille, puis s'éclaircit.

– Miller ?

Sunny est perplexe et tout essoufflée.

Je sens sa paume sur sa joue. Soudain, Sunny pousse un cri perçant qui m'explose les tympans autant que les couilles, puis elle s'évanouit de nouveau.

J'essuie la trace humide sur ma joue et examine mes doigts. J'y découvre une petite trace de sang, presque déjà sèche. J'humidifie la serviette et m'essuie la joue jusqu'à ce que le papier soit propre. Ensuite, j'enroule une serviette autour de son doigt sanglant et attends encore une fois qu'elle reprenne ses esprits. Mes couilles me font toujours un mal de chien, mais tout sera rentré dans l'ordre dans quelques heures. Un coup de boule dans l'entrejambe n'est rien comparé à un palet ou un coup de crosse dans la coque.

Sunny bat des paupières et ouvre les yeux.

– Coucou.

Elle regarde autour d'elle et prend conscience qu'elle est affalée sur le sol.

– Est-ce que je me suis évanouie ?

– Deux fois.

– J'ai du mal à supporter la vue du sang.

– C'est ce que j'ai cru comprendre.

– Désolée.

– Hormis le coup de boule dans les couilles, tout va bien.

Les nanas ne peuvent pas comprendre à quel point ça fait mal. J'ai entendu Vi raconter toutes sortes d'histoires d'accouchement et je suis sûr que ça fait un mal de chien, mais les femmes ont au moins la possibilité d'échapper à la douleur grâce à une injection. Quand un mec prend un coup dans les burnes, il ne peut rien faire à part se coller une poche de glace sur l'entrejambe et attendre que ses couilles redescendent de sa gorge.

– Quel coup de boule ?

– Rien. T'en fais pas pour ça. Je vais te chercher un pansement maintenant, d'accord ?

Comme Sunny hoche la tête, je me lève et me tourne vers les placards qu'elle m'a montrés tout à l'heure.

– Tu es tout nu.

– Ouais.

J'ouvre le tiroir et farfouille à l'intérieur, à la recherche d'un pansement. Je pousse une boule d'élastiques, un million de stylos et de morceaux de papier brouillon sur le côté.

– Pourquoi ?

Je jette un œil par-dessus mon épaule.

– J'envisage de devenir nudiste. Qu'est-ce que tu en penses ?

– La nudité te va très bien.

Elle m'adresse un faible sourire, s'assied en tailleur sur le sol et je m'aperçois qu'elle ne porte pas de petite culotte sous son short.

– Pas aussi bien qu'à toi.

Je trouve les pansements tout au fond du tiroir, ainsi qu'une crème antibiotique périmée depuis deux mois. Ça fera quand même l'affaire. Je m'assieds sur le carrelage pour être à son niveau. Mes couilles se rétractent et ma bite se recroqueville afin d'échapper au froid. Sunny ferme les yeux pendant que je défais la serviette en papier et vérifie la plaie. Elle est déjà propre et ne saigne presque plus. Il suffit donc que je la couvre. J'utilise deux pansements au lieu d'un, au cas où le sang traverserait le premier.

Je jette la serviette sanglante dans la poubelle et embrasse le dos de la main de Sunny.

– C'est fini.

Elle lève les yeux d'un air méfiant, jusqu'à ce qu'elle voie le pansement.

– Comment tu fais pour regarder un match de hockey en entier ?

Je dis ça sur le ton de la plaisanterie, mais ma question est sérieuse. Les hockeyeurs passent leur temps à se blesser. Tout sportif professionnel doit s'attendre à recevoir quelques points de suture à un moment ou à un autre de sa carrière, surtout s'il utilise des patins à glace. J'ai eu besoin de points à au moins cinq endroits du corps, que ce soit à cause d'une lame de patin, d'un palet trop rapide ou d'un coup de crosse envoyé dans un membre mal protégé. La plupart du temps, je me fais recoudre sur le banc et retourne jouer si ce n'est pas trop grave.

– J'essaie de tourner la tête quand les mecs commencent à se bagarrer. Je peux supporter le sang à la télé, mais dans la vraie vie…

Elle frissonne et pâlit.

Le four bipe et Sunny s'accroche à mes épaules pour se relever. Je me lève avec elle en l'agrippant par la taille lorsqu'elle chancelle.

– Attends, je vais sortir ton plat du four.

– Ça va. Je peux le faire moi-même.

Son ton est presque cassant.

Lorsque je la lâche, Sunny tombe face contre ma poitrine. Glissant un bras autour de sa taille, je la soulève et la pose sans difficulté sur le plan de travail. Sunny grogne et tente de résister, mais encore trop faible, elle finit par m'agripper les bras.

– Je peux sortir un plat du four, Sunny. Réchauffer de la nourriture congelée jusqu'à ce qu'elle soit mangeable est l'une de mes spécialités.

Sunny laisse échapper un drôle de son, mélange de rire étouffé et de soupir agacé.

– Je ne plaisante pas. Je suis le meilleur cuisinier de plats congelés de tout Chicago. J'irais même jusqu'à dire de tout l'Illinois, mais je ne voudrais pas avoir l'air de me vanter.

– Miller.

– Sunny.

Le four bipe de nouveau. Cette fois, Sunny me lâche les épaules et désigne le four d'un geste. J'attrape un tablier sur le plan de travail et l'attache autour de ma taille pour me protéger la bite avant d'ouvrir la porte. À l'intérieur, je découvre une immense plaque de petits pains à la cannelle tout caramélisés et parsemés de noix de pécan. J'enfile deux maniques, sors la plaque et la dépose sur le plan de travail en granit.

– Où les as-tu achetés ?

– Je les ai faits.

– Quand ça ?

– Ce matin, pendant que tu dormais.

– Tu veux dire que tu as tout fait depuis le début ?

– Ouaip.

– La pâte et tout le reste ?

– En effet, c'est bien ce que veut dire « depuis le début ».

Je cesse de mater les petits pains et regarde par-dessus mon épaule. Je suis presque sûr à cent pour cent qu'il s'agissait d'un sarcasme. Sunny est toujours assise sur le plan de travail, les pieds dans le vide, la tête branlante.

– Je suis impressionné.

Je cherche quelques assiettes dans les placards et fouille dans les tiroirs jusqu'à ce que je trouve quelque chose pour m'aider à retirer les petits pains de la plaque.

– Il faut encore que je le recouvre de glaçage.

– Pas besoin, ça ira très bien comme ça.

Je m'apprête à en dévorer un, lorsque j'entends le bruit sourd de ses pieds qui atterrissent sur le sol.

– Tu n'as vraiment aucune patience.

Elle me pousse d'un coup de hanche et attrape un plateau.

Je fais un pas de côté et m'appuie contre le plan de travail, tandis qu'elle place le plateau au-dessus des petits pains et renverse le tout. Après avoir secoué la plaque dans tous les sens, elle la soulève et réapparaissent les petits pains brillants et caramélisés. Une vapeur odorante s'élève dans l'air. J'en ai l'eau à la bouche, je meurs de faim. Les ailes de poulet de cette nuit sont déjà digérées. Il faut que je nourrisse la bête.

Je m'apprête à attraper un petit pain, mais Sunny me donne une tape sur la main.

– Ils sont trop chauds.

– Ça ira.

– Laisse-moi d'abord les recouvrir de glaçage pour que tu ne te brûles pas la langue.

– J'ai faim.

– Aussi faim qu'hier soir ?

Au lieu de me regarder, elle contemple l'assiette d'hier soir.

– Est-ce une invitation ou une requête ?

Je me place derrière elle et presse ma queue légèrement en érection contre le creux de son dos.

– Parce que je suis tout à fait partant pour remettre ça, comme hier soir, et ce matin.

– Ce matin ?

– Enfin, on fera l'impasse sur les évanouissements, et la coupure de ton doigt, mais ça…

Je désigne la cuisine d'un geste et embrasse son épaule.

– J'adore ce que nous faisons ici. Ça ne m'était encore jamais arrivé.

– C'était la première fois que quelqu'un s'évanouissait dans tes bras ?

Sunny mélange le glaçage, mais son souffle est saccadé et un rougissement envahit son cou.

– Je n'avais jamais découvert une fille qui me plaisait en train de me préparer le petit déjeuner à mon réveil.

– Personne ne te l'a jamais préparé ?

– Non. À part Skye, mais ça ne compte pas puisque c'est ma belle-mère et que tout ce qu'elle me donne à manger sort d'un emballage.

Sunny se retourne entre mes bras, l'air pensive.

– Et quand tu étais petit ? Personne ne te préparait le petit déjeuner avant l'école ?

– Je mangeais surtout des céréales le matin, comme il n'y avait que mon père et moi et qu'il était nul en cuisine.

Je regarde fixement les détails d'un placard. Mes souvenirs de ma mère sont vagues. En plus, la plupart ne sont pas agréables et ce n'est pas une période de ma vie dont je parle beaucoup. J'ai évité le sujet avec Sunny jusqu'à maintenant.

Sunny passe un doigt le long de mon bras, puis sur mon épaule jusqu'à ma mâchoire. Elle le referme autour de mon menton et me tourne la tête pour que je la regarde dans les yeux.

– Qu'est-ce qui est arrivé à ta mère ?

J'enroule une mèche de ses cheveux autour de mes doigts en réfléchissant à ce que j'ai envie de lui dire. Je promène le bout de sa mèche sur mes lèvres avant de parler.

– Elle avait une tumeur inopérable au cerveau. Elle est morte quand j'avais trois ans.

Sunny me caresse la joue d'un geste affectueux, mais dépourvu de pitié, me semble-t-il.

– Je suis vraiment désolée.

Je hausse les épaules.

– Je ne me souviens pas bien d'elle. Elle avait beaucoup de maux de tête. On pensait que c'était des migraines. Je me rappelle surtout l'avoir vue à l'hôpital. Ensuite, j'ai passé la plupart de mon temps avec mon père. Avant même qu'elle nous quitte, c'était lui qui s'occupait de moi.

– Ça a dû être tellement dur.

– Le plus difficile, c'était pour mon père. J'étais trop petit pour comprendre ce qui se passait. Je n'étais pas un gamin facile. J'avais beaucoup d'énergie et des difficultés à l'école. J'avais un énorme besoin d'attention et mon père travaillait tout le temps.

Je laisse de côté la partie la plus pénible à aborder : aucune des histoires qu'a ensuite essayé de vivre mon père n'a fonctionné à cause de moi. Les pères célibataires ne sont cool que dans les films. Très tôt, il est devenu évident que l'école ne serait pas mon truc. Je ne comprenais pas les choses suffisamment vite, alors j'étais à la traîne par rapport aux autres. Une femme a dit un jour à mon père qu'elle n'avait aucune envie de s'occuper d'un enfant attardé. Je ne l'ai plus jamais revue après ça.

Il n'a pas eu beaucoup d'autres copines jusqu'à ma seconde – du moins, à ma connaissance. Ensuite, mon père a commencé à sortir avec Skye, la mère de Vi. Elle était sympa et drôle.

– Sidney t'a élevé tout seul ?

– Ouais, en grande partie. Enfant, je passais beaucoup de temps chez Randy. Sa mère cuisinait et faisait des tas de trucs avec nous, mais c'était différent.

D'ailleurs, la vie de Randy n'était pas beaucoup plus facile que la mienne. Son père, hockeyeur professionnel, était souvent absent. Ses parents ont divorcé quand il avait onze ans.

Les yeux de Sunny se brouillent – de tristesse, probablement.

– Enfin bref, je trouve ça chouette que quelqu'un ait envie de faire des choses pour moi.

Je n'ai pas envie de parler de trucs déprimants, parce que ça me rappelle que mon histoire avec Sunny est compliquée. Avant elle, je n'aurais jamais envisagé de passer un week-end entier avec la même femme. Dans le passé, la nuit se terminait toujours par une énième partie de jambes en l'air ou par le départ discret de la groupie. Quand c'était une des filles que je voyais plus régulièrement, il arrivait que je prépare du café ou que je commande un petit déjeuner avant de la renvoyer chez elle, mais jamais aucune d'elles ne s'est pliée en quatre pour me préparer le petit déjeuner. Ça fait du bien – j'ai moins l'impression d'être un coup d'un soir ou le mec qu'il faut garder sous le coude parce qu'il est capable de vous faire jouir plusieurs fois de suite.

Comme j'ai fini de parler, je tends la main vers un petit pain à la cannelle. Un nuage de vapeur s'élève et mes doigts se réchauffent instantanément. C'est douloureux, mais j'aimerais bien mettre fin à cette conversation et j'ai faim.

– Ils sont encore trop chauds !

Sunny me l'arrache des mains.

J'agrippe son poignet et tente de l'approcher de ma bouche, mais elle laisse tomber le petit pain.

– Quel gâchis !

J'ai bien envie de le manger même s'il est tombé par terre.

– Je me suis brûlée !

– Laisse-moi voir.

Le bout de ses doigts est rose et couvert de glaçage à la cannelle. Je les suce un par un et finis de les nettoyer en faisant claquer mes lèvres.

– C'est mieux ?

– C'est mieux.

Je pousse le saladier de glaçage sur le côté et dépose Sunny sur le plan de travail.

– Je sais ce qu'on pourrait faire en attendant qu'ils refroidissent.

Je lui écarte les jambes avec les paumes, me place entre elles et la tire plus près du bord. Mon sexe en érection se dresse tout de suite sous le tablier. Sunny tend la main derrière mon dos et tire sur le lien pour m'en débarrasser.

– Tu as toujours de bonnes idées.

– Je sais.

Je tire son débardeur par-dessus sa tête et lui tripote les seins.

Sunny enroule ses doigts chauds autour de ma queue et se met à me caresser. Nous nous roulons des pelles et nous pelotons jusqu'à ce que Sunny me lâche, puis baisse son short sur ses cuisses. Notre petit jeu devient beaucoup plus sérieux lorsqu'elle passe les jambes autour de ma taille et m'attire fermement contre elle. Je frotte ma queue contre sa chatte humide. Et c'est à ce moment-là que je me rappelle que toutes les capotes sont à l'étage, dans la chambre.

Je baisse la tête dans le creux de son cou tout en faisant glisser mon gland dans son ouverture humide, chaude et divine. Je n'ai fait l'amour sans préservatif qu'une seule fois dans ma vie. C'était à l'époque du lycée, avec la fille dont je pensais être amoureux. C'était si bon que les quelques semaines de paranoïa qui ont suivi m'ont paru presque supportables. Presque. En fait, la peur de l'avoir mise enceinte a gâché tout mon plaisir.

Je gémis lorsqu'elle fait pivoter ses hanches.

– Il faut qu'on monte.

– On est très bien ici, dit-elle.

– Les préservatifs sont dans ta chambre.

– Je prends la pilule depuis que j'ai seize ans.

Elle me donne son feu vert. Difficile de refuser.

– Ce n'est pas efficace à cent pour cent.

Au ton de ma voix, on dirait plus une question qu'une affirmation.

– Tu peux te retirer au dernier moment, si ça t'inquiète.

Je la mords sur l'épaule, puis le long du cou. Sunny retient un petit cri et agite les hanches. Je descends mon sexe plus bas. Très bas. Presque jusqu'à l'entrée numéro deux.

– Oh non ! Certainement pas !

Je lève la tête, perplexe.

– Quoi ?

– Hm-hm. Pas de pénétration anale.

Je m'étrangle presque.

– Pardon ? Je n'essayais pas de…

– Mon ex voulait tout le temps me pénétrer par là parce qu'il disait que c'était moins risqué et qu'on n'avait pas besoin de protection, s'écrie Sunny d'une voix aiguë.

J'ai comme l'impression qu'elle est sortie avec de vrais connards. J'espère bien que ce Kale n'est pas le mec dont elle parle.

– Mais que croyais-tu que j'allais faire, Sunny ? Essayer de te pénétrer par ce trou-là ?

– C'est bien ce qu'il tentait, lui !

– Quelle taille faisait sa bite ?

Elle lève deux doigts.

– C'est le même mec qui était incapable de te faire jouir ?

Je ne suis pas surpris de la voir hocher la tête. Franchement, sa bite était bien plus petite que la moyenne. J'attrape la main qu'elle lève et enroule ses doigts autour de ma queue. Parler de pénétration anale me fait bander comme un con. Je n'y peux rien. Je suis un mec. J'ai envie d'aller partout où on me l'interdit.

– Tu crois vraiment que je pourrais glisser ce machin dans ton cul sans que tu t'en aperçoives, bébé ?

– Eh bien, non, mais…

– Mais quoi, Sunny ? Tu crois que je vais te pénétrer par surprise ?

– Je dis juste que tu ne serais pas le premier à essayer.

– La question la plus importante, c'est de savoir si je serais le premier à y parvenir.

Je plaisante, bien sûr, mais Sunny répond aussitôt :

– Je refuse de répondre à cette question.

L'interrogatoire est bel et bien terminé, car tout à coup, Andy et Titus se mettent à aboyer comme des fous. Il n'est que huit heures. Les potes de Sunny n'étaient pas censés arriver si tôt !

– Sunshine ? Chérie ? On est là.

Oh, merde. Ses vieux sont rentrés plus tôt que prévu.

10

Les surprises craignent, Kale aussi

Je suis à poil. Sunny aussi, et nous étions sur le point de baiser sur le plan de travail de sa mère. Ça promettait d'être super chaud.

J'attrape le débardeur de Sunny sur le sol, le lui lance et enroule le tablier autour de ma taille. Ensuite, je file. Ma première idée est d'aller me cacher dans le garde-manger, mais je serai coincé dans la cuisine. Ma voiture de location est garée dans l'allée. Ils savent que je suis là.

Je fonce dans le couloir vers le bureau de Robbie et m'arrête brusquement avant d'entrer dans le salon. J'entends ses parents, mais je n'arrive pas à deviner où ils sont. Je dois faire une croix sur les escaliers, puisqu'ils sont près de la porte d'entrée.

Dehors, un caleçon de bain est accroché sur le fil près de la piscine. Si je parviens à l'atteindre, Sunny et moi pourrons limiter les dégâts. Je ne suis pas sûr que ses vieux seront très contents de me trouver ici de si bon matin un dimanche. Ils vont se demander si j'ai dormi chez eux. Sunny est peut-être une adulte, mais ses parents sont super protecteurs avec elle. Je n'ai pas eu à affronter la réprobation d'un père depuis que j'ai été transféré et ai commencé à me taper des groupies.

Je suis sur le point d'atteindre la porte coulissante, lorsque la voix de Daisy résonne dans le couloir.

– Ça sent divinement bon ici ! Oh ! Ces petits pains m'ont l'air délicieux.

Elle est dans la cuisine. C'est parfait. Je devrais pouvoir attraper ce caleçon sans être vu.

– À qui est la voiture dans l'allée ? demande Robbie.

– Miller est passé me voir, répond Sunny d'une voix aiguë et flûtée, comme toute personne prise en flagrant délit.

– Miller est ici ? C'est formidable ! J'avais peur que tu aies arrêté de le voir ! répond Daisy.

J'apprécie beaucoup son enthousiasme.

– Maman !

– Eh bien, ça faisait quelques semaines qu'il n'était pas venu. Je sais parfaitement ce que pense Alex de tous ces trucs sur Twatter et je craignais que tu aies changé d'avis.

Bon sang. Daisy connaît donc Twitter ? Ça craint. Je ne vois pas du tout de quoi elle parle, mais ces « trucs » ne peuvent pas être très flatteurs, si Waters les a mentionnés. Il faut que je sois plus prudent. Et pas seulement parce que ces rumeurs donnent une mauvaise image de Sunny. Elles me font aussi passer pour un con et ses parents risquent de moins m'apprécier.

– Sur Twitter, maman.

– D'accord. Sur le Twitter. En tout cas, je suis agréablement surprise. Alors, où est-il ? J'aimerais beaucoup lui dire bonjour.

– Ouais. Où est Miller ? Quand est-il arrivé exactement ?

La voix habituellement calme de Robbie paraît nerveuse.

– Euh… Eh bien… Il, euh… Il rendait visite à des amis à Toronto et s'apprêtait à partir pour ce camp à Muskoka, où il fera du bénévolat – vous saviez que c'était tout près du cottage d'Alex ?

Sunny essaie de gagner du temps dans l'espoir de trouver un mensonge. Malheureusement, ce n'est pas une menteuse-née. Elle est trop honnête et gentille. En me glissant dans le patio, je donne accidentellement un coup de pied dans la balle préférée d'Andy. Le chien me dépasse en courant comme un fou. Je n'ai pas le temps de le rappeler. Il faut absolument que je m'habille. Je bondis, attrape mon caleçon sur le fil et tombe presque la tête la première en essayant de l'enfiler. Des oiseaux gazouillent au-dessus de ma tête. Leur stupide bonne humeur me tape sérieusement sur les nerfs. Je jette un œil autour de moi tout en rangeant ma queue quasiment molle dans mon short et m'assure que tout est bien caché. De l'autre côté du jardin, je distingue une mèche de cheveux blancs. Et ce sont forcément des jumelles que j'aperçois aussi. J'appellerais bien M. Woodcock, mais je n'ai pas le temps. Je lance le tablier sur le fil, parcours la distance qui me sépare de la piscine en deux grandes enjambées et plonge.

Je nage jusqu'au côté opposé. Andy lâche sa balle sur le bord du bassin dès que ma tête sort de l'eau et aboie joyeusement. Je prends la balle, la lance à l'autre bout du jardin et me hisse sur le bord.

– On jouera plus tard, mon pote. Allons voir Sunny.

Attrapant une serviette sur le dossier de la chaise longue, je m'essuie le torse, puis l'enroule autour de ma taille. Andy trotte derrière moi, sa balle dans la gueule, cherchant désespérément à attirer mon attention.

Je passe la tête par la porte qui mène à la cuisine.

– Hé, poussin, tu as le temps de piquer une tête avant de partir ?

Je feins la surprise et m'étrangle presque en voyant la mère de Sunny.

– Monsieur et madame Waters ! Comment ça va ?

Daisy Waters est une victime de la mode version années 1980. Son solide casque de cheveux est une véritable aubaine pour les marques de laque. Un côté de sa chevelure est tout plat, comme si elle s'était endormie dans la voiture, la tête contre la vitre. Je retiens un rire.

– Je me demandais si j'aurais l'occasion de vous voir.

Tout dégoulinant, je reste sur le paillasson près de la porte et tente d'interpréter l'attitude de chacun. Je n'arrive pas à déchiffrer l'expression de Sunny, ni à deviner si elle est stressée. Je crois qu'elle a enfilé son débardeur devant derrière. J'ai peur de ce que j'ai raté en allant chercher mon short.

– Eh bien, c'est une chance que notre vol ait été modifié !

La mère de Sunny traverse la pièce et me serre tendrement dans ses bras. Ses cheveux pleins de laque se collent à ma joue humide.

– Ne reste pas ici. Entre, Miller ! Ça fait si longtemps ! Je suis vraiment contente que tu sois passé. Tu as faim ? Je suis sûre que tu as l'estomac dans les talons !

Elle tâte mon biceps.

– C'est sûrement pour toi que Sunny a préparé des petits pains à la cannelle !

– Je n'en avais encore jamais mangé.

Je la laisse glisser son bras dans le mien. Bien que je n'arrête pas de tout faire foirer avec Sunny, Daisy m'adore.

– Eh bien, tu vas te régaler.

Appuyé contre le chambranle de la porte, Robbie mange l'un des petits pains de Sunny. Il porte un short écossais et le T-shirt tie-dye d'un groupe dont je n'ai jamais entendu parler. Il n'a pas l'air très content de me voir. Je n'arrive pas à deviner s'il a des soupçons. Il faut dire que Sunny n'est vraiment pas douée pour mentir.

– Alors comme ça, tu es arrivé ce matin ?

J'évite de répondre directement à sa question pour ne pas être obligé d'inventer un énorme mensonge.

– Je ne pouvais pas aller à Muskoka sans passer la voir. Je suis déçu qu'elle parte dès ce matin.

Robbie lance un regard à Sunny.

– Tu pars ? Mais où ça ?

Sunny enroule une mèche de cheveux autour de son doigt.

– Tu te rappelles, avant votre départ, je vous ai dit que j'allais camper quelques jours à Chapleau avec Lily. On a décidé de partir une petite semaine, peut-être un peu plus.

Daisy semble absolument horrifiée.

– Camper ? Mais tu n'as jamais campé de ta vie. Et c'est si loin. Est-ce qu'au moins tu auras du réseau pour nous appeler ? Et l'eau courante ? Pourquoi ne pas profiter du cottage d'Alex ? Il n'y est pas cette semaine – enfin, je pense. Et même si c'était le cas, il serait sûrement ravi de vous héberger, Lily et toi. Son cottage a six chambres. Il y a plein de place.

Robbie lance un regard à Daisy, mais elle est trop terrifiée par l'idée que sa fille parte camper pour comprendre le message.

– Et ton travail au refuge ? demande-t-il.

– Tout est arrangé, et pour mes cours de yoga aussi. Je me suis occupée de tout.

– Mais tu ne campes jamais.

Daisy n'en démord pas.

– Mais si.

– La nuit que tu as passée sous une tente dans le jardin d'Alex ne compte pas, Sunshine, déclare Daisy.

Sunny pose les mains sur ses hanches.

– Mais j'ai déjà campé avec Lily.

– Ses parents n'ont-ils pas un mobile home au bord du lac Érié ?

Sunny grogne, agacée.

– Eh bien, j'aurais campé si vous m'aviez laissée faire du scoutisme. Alex allait toujours à des stages de hockey dans la nature, mais moi jamais !

Robbie prend un autre petit pain à la cannelle et mord dedans.

– Ils sont délicieux.

– Merci papa.

Sunny regarde Daisy.

– Lily m'a dit qu'elle allait emprunter un van ou quelque chose comme ça. En plus, elle a tout le matériel nécessaire. Ça va être super !

Elle me paraît moins enthousiaste qu'hier. Peut-être qu'elle va finir par laisser tomber…

– Est-ce qu'il n'y aura que Lily et toi ? demande Daisy. Je ne suis pas sûre que cette idée m'enchante.

– Nous partons en groupe.

Sunny s'enroule les cheveux autour du doigt de plus en plus agressivement. À ce rythme-là, elle va se couper la circulation du sang. Cette fille doit être incapable de bluffer au poker.

– Qui vous accompagne, au juste ?

Robbie pose les yeux sur moi tout en mordant à pleines dents dans son petit pain. J'en veux un à tout prix.

Sunny n'a pas le temps de répondre, car la sonnette retentit. Je vérifie l'heure à l'horloge sur le mur – c'est un modèle analogique, j'ai donc moins de mal à m'y retrouver. Il est plus de neuf heures. Merde. Lily est arrivée. Mon week-end avec Sunny est presque terminé. Je n'ai même pas pu lui donner un dernier orgasme avant de partir. Fait chier.

Sunny fait le tour du plan de travail en bondissant comme une gazelle, se dirige vers la porte d'entrée, puis l'ouvre à toute volée en poussant un cri perçant. Sa meilleure copine hippie-écolo-bobo s'élance dans ses bras et la serre affectueusement contre elle, comme le font généralement les filles quand elles ne se sont pas vues depuis plus de cinq minutes. Trop bizarre. Enfin, j'ai passé ces deux derniers jours avec Sunny, alors elles ne se sont sans doute pas vues depuis quarante-huit heures, mais pas beaucoup plus. Lily a les cheveux noirs et courts, et les yeux foncés. Elle est presque aussi grande que Sunny, mais a moins de poitrine et pas de formes. On dirait plus un garçon prépubère qu'une jeune femme de vingt ans. Enfin, peut-être que je suis juste vache avec elle parce qu'elle n'est pas ma plus grande fan.

Son sourire s'élargit lorsqu'elle aperçoit Robbie, puis son visage devient aussi expressif qu'une poêle en Teflon dès qu'elle me voit. Elle chuchote quelque chose à Sunny, les yeux écarquillés de surprise.

– Lily !

Daisy agite les bras comme une pom-pom girl sous psychotropes. Lily se détourne de son énorme chevelure et la serre dans ses bras.

– Salut maman numéro deux. Comment s'est passé votre week-end ? Vous vous êtes bien amusés ?

– Comme des petits fous, si tu vois ce que je veux dire !

Daisy lui lance un clin d'œil.

Je tourne rapidement la tête vers Robbie, qui m'adresse un immense sourire et prend un autre petit pain. Je crois qu'il a déjà commencé ses recherches aujourd'hui.

– Oh ! Kale ! Benji ! Je ne vous avais pas vus !

La voix de Daisy est aiguë, brusquement, et elle lance un regard bizarre à Sunny.

Deux mecs se tiennent juste derrière Lily. On dirait des frères, ou des espèces de clones branchouilles.

Ils essaient clairement de se laisser pousser la barbe, eux aussi, mais ça ne ressemble à rien. Leurs mentons et leurs joues sont couverts de poils hirsutes et clairsemés. On dirait deux SDF qui ont volé des fringues dans l'armoire de leurs grands-mères.

Ainsi, l'un de ces mecs est l'ex-petit ami de Sunny ? Je suis incontestablement en meilleure forme physique que ces deux-là et je peux me laisser pousser une vraie barbe quand je veux. Et je sais la faire jouir. Tous ces points positifs devraient m'aider à me sentir mieux, mais quand je vois les regards que Daisy lance à Sunny, ma belle assurance s'effrite.

Robbie me regarde en haussant un sourcil, attrape un quatrième petit pain et agite la tête en direction de la porte.

– Tu ferais mieux de les rejoindre, fiston.

Le plus maigre des deux mecs serre Daisy dans ses bras. Quand il voit Robbie, il s'excite comme un abruti.

– Salut Robbie ! Comme ça va ? J'étais tout déçu quand j'ai appris que vous ne seriez pas de retour avant la fin de la journée.

– Notre vol a été modifié à la dernière minute. On a décollé un peu tôt à mon goût, mais sinon, tout va bien.

Les yeux de Robbie glissent de nouveau sur moi.

Kale entreprend de le serrer virilement dans ses bras après avoir fini d'écrabouiller Daisy. Je me demande combien de temps Sunny et lui sont sortis ensemble. Il a l'air très proche de sa famille. Ou peut-être que ça fait longtemps que ses parents ne l'ont pas vu. En tout cas, leur réaction en dit long sur les rapports qu'ils entretiennent avec lui. Kale est l'ex-gendre, je ne suis que le nouveau petit ami.

M'assurant que je ne vais pas mettre de l'eau partout sur le plancher, je traverse la pièce.

– Salut Lily, comment ça va ?

J'ouvre les bras comme si je voulais la serrer dans mes bras.

Lily écarquille bizarrement les yeux et tord la bouche comme si elle réprimait une grimace. Pour finir, on dirait qu'elle souffre d'une sorte de paralysie faciale. Elle se penche en avant et me tapote le dos en tendant le cou pour éviter qu'on se touche. Je trouverais ça drôle si la situation était moins vexante.

Je passe un bras autour de la taille de Sunny.

– Miller ! Je vais être toute mouillée !

– D'habitude, ça ne te dérange pas, bébé.

Ce n'est pas vraiment ce que je voulais dire. Toutes les têtes se tournent aussitôt dans ma direction. Les joues de Sunny rosissent, Lily a l'air mortifiée et Daisy est stupéfaite. Seul Robbie est trop occupé à se lécher les doigts pour remarquer ce qui se passe. La réaction de Kale est la plus drôle. Il a l'air très énervé.

Je fais comme si cette phrase n'avait rien de déplacé et tends la main au mec avec lequel Sunny n'est pas sortie.

– Tu dois être le petit ami de Lily. Je m'appelle Miller.

– Oh, je sais qui tu es.

Il prend ma main et la serre comme s'il avait quelque chose à prouver.

– Benji.

Je serre la sienne jusqu'à ce qu'il tressaille.

– Tu suis le hockey ?

Je le verrais pourtant mieux jouer au golf ou au footbag.

– Sunshine regarde beaucoup de matchs de hockey, donc nous en regardons beaucoup aussi, dit Lily.

– Lorsque Toronto est éliminé, je soutiens Chicago à cause de Sunshine.

Il lance un clin d'œil à Sunny. S'il ne sortait pas avec Lily, j'aurais sans doute envie de lui envoyer mon poing dans la gueule.

– Alex n'a pas choisi les couleurs de la ville qu'il défend, malheureusement.

Sunny rit, mais on dirait qu'elle se force.

– Oh ! Kale, je te présente Miller. Il joue dans la même équipe qu'Alex.

Elle ne me présente pas comme son petit ami. À part le fait que je connaisse Alex, il semblerait qu'il n'y ait rien entre nous. Je n'arrive pas à deviner si c'est intentionnel ou si elle est simplement nerveuse.

– Alex est là ce week-end ?

Kale s'étire comme s'il essayait de regarder par-dessus mon épaule.

– Euh, non. Alex n'est pas là. Il est chez lui. La sœur de Miller et lui sont fiancés.

Kale a l'air encore plus perplexe. Du coup, je me demande s'il est au courant de ce qui se passe entre Sunny et moi.

– Donc tu es venu à Guelph…

Il laisse sa phrase en suspens.

– Pour voir Sunny.

Je me retiens de sourire lorsqu'il comprend enfin ce qui se passe.

Daisy interrompt notre bras de fer idiot.

– Vous ne partez pas tout de suite, dites ? Entrez donc tous un moment ! Je vais préparer du café et de la tisane pour toi, Lily. Sunny a fait des petits pains à la cannelle !

– Ils sont délicieux.

Robbie se tapote le ventre.

– Et vegan, bien sûr, intervient Sunny.

– J'adore tes petits pains !

Kale a le culot de lancer un clin d'œil à Sunny.

– J'ai hâte d'en manger un. Je n'ai goûté qu'aux cookies de Sunny pour le moment.

J'ajuste la bretelle de son débardeur.

Sunny rougit et me donne un coup de coude dans le flanc. Lily quant à elle me lance un regard mauvais. Daisy ne comprend pas le sous-entendu, passe un bras dans celui de Lily et l'emmène dans la cuisine.

– Tiens, je mangerais bien des cookies maintenant.

Robbie marche d'un pas nonchalant vers le frigo et ouvre le congélateur.

– Je vais enfiler des vêtements secs, dis-je, tandis que le reste du groupe le suit.

– D'accord. Tu me trouveras sans doute dans la cuisine.

Sunny semble hésiter lorsque je lui attrape le poignet pour l'arrêter. J'envisage de lui dire qu'elle devrait mettre un soutien-gorge : on voit ses tétons pointer à travers son débardeur. Mais finalement, je me ravise. Je me penche vers elle, l'embrasse sur la joue et dis :

– Désolé que tu aies dû mentir, mais j'aurais préféré qu'on ne soit pas interrompus.

– Moi aussi.

Je grimpe les escaliers quatre à quatre. Il faut que je tienne ce connard de Kale à l'œil, mieux vaut ne pas m'absenter trop longtemps. Pour le moment, j'ai deux objectifs. D'abord, je me change. Ensuite, je sors toutes mes affaires de la chambre de Sunny et les mets dans la chambre d'amis avant que ses parents montent, sinon ils devineront que Sunny a menti – à moins qu'ils s'en soient déjà rendu compte. En plus, il reste des capotes et des emballages partout sur le sol. J'attrape mon sac marin et range tout mon bordel à l'intérieur. Tant pis pour ce que j'ai laissé dans sa salle de bains. Je m'arrêterai à Muskoka si j'ai besoin de quelque chose. Je ramasse une poignée d'emballages de préservatifs vides et pousse les autres sous le lit du côté du pied. À en juger par l'accumulation de carrés brillants, Sunny et moi avons baisé comme des fous ce week-end. C'est étonnant qu'elle ne se plaigne pas de douleurs et que je n'aie pas la bite irritée.

Andy entre dans la chambre et court autour de moi en me donnant des coups de museau.

– Psst. Hé, mon pote, il faut que tu descendes.

Robbie l'appelle de quelque part en bas. Andy l'ignore, comme il le fait pratiquement avec tout le monde (sauf Sunny) à moins qu'il y ait une friandise à la clé.

– Vas-y, Andy. Va voir Robbie.

Je pousse son derrière vers la porte, mais il se précipite dans la salle de bains et plonge la tête dans la poubelle. Je ne sais pas ce qu'il est en train de chercher, mais il faut que je foute le camp de la chambre de Sunny avant que quelqu'un monte ici, surtout si c'est le père de Sunny. Bien qu'il soit du genre relax, je ne pense pas qu'il sautera de joie à l'idée que j'aie sauté sa fille tout le week-end.

Je balaie la chambre du regard une dernière fois et remarque un sous-vêtement de Sunny sous le lit. C'est celui avec les petits pois blancs et bleu foncé. Je le ramasse et caresse le coton doux entre mes doigts.

J'ignore ce que je vais en faire. Je n'ai jamais été un collectionneur de petites culottes, mais c'est le sous-vêtement de ma Première Fois avec Sunny. C'est aussi celui qu'elle portait avant que je lui donne son tout premier orgasme avec la langue et son tout premier orgasme sexuel, alors il est un peu spécial.

Au moment où je le range dans mon sac, le son d'un raclement de gorge attire mon attention. Robbie se tient dans l'entrée de la chambre, l'air de nouveau soupçonneux. Il fourre un cookie dans sa bouche et le mâche.

Je m'assure discrètement que la petite culotte est bien rangée.

– Salut Robbie. Sunny a dû laisser sa porte ouverte. Andy est entré et je voulais m'assurer qu'il ne faisait pas de bêtises. Vous savez combien il aime lécher ses affaires.

Comme il me regarde en clignant des yeux, je tente de rectifier le tir.

– Enfin, farfouiller dans ses poubelles. Je ne voudrais pas qu'il tombe malade.

Robbie examine la pièce d'un œil critique. Je pense que j'ai réussi à faire disparaître la plupart des emballages de préservatifs. Du moins ceux qui étaient bien en vue.

– Tu devrais descendre manger un de ces petits pains à la cannelle avant qu'ils aient tous disparu.

– J'y vais tout de suite. Il faut juste que je me change.

– Tout le monde est sur la terrasse du jardin.

Il fourre un autre cookie dans sa bouche et attend que je sorte de la pièce avant de refermer la porte de Sunny. Je m'arrête dans la salle de bains des invités pour enlever mon short mouillé.

Moins de deux minutes plus tard, je suis en chemin vers le jardin. Ce crétin de Kale est assis juste à côté de Sunny et Lily de l'autre côté. Le seul siège disponible se trouve à côté de Daisy. On dirait qu'elle s'est recoiffée, ou du moins qu'elle a essayé. Les deux côtés sont aussi bouffants l'un que l'autre à présent.

– Miller ! Je t'ai gardé un petit pain à la cannelle.

Sunny lève l'assiette et sourit, mais il y a toujours de la tension dans sa voix.

Je fais exprès de contourner le groupe, au lieu de tendre la main au-dessus de la table. Je me penche juste entre Kale et elle, glisse des mèches de cheveux invisibles derrière son oreille et dépose un chaste baiser sur son épaule, histoire de ne choquer personne.

– Merci bébé.

Au cours de la conversation, Lily et Kale passent leur temps à échanger des blagues auxquelles je ne comprends rien, ce qui est extrêmement énervant. Kale évoque aussi quelques souvenirs destinés à faire sourire Daisy, mais elle n'a pas l'air très à l'aise, ni contente de cette situation. Apparemment, il a passé beaucoup de temps chez les Waters. Je n'aime pas ça, et je n'ai pas du tout envie que Sunny passe une semaine avec lui dans un van exigu. Dans le meilleur des cas, ils s'installeront dans des tentes séparées. Dans le pire des cas, ils dormiront tous ensemble dans le van. Des images d'orgie à quatre me viennent aussitôt à l'esprit, dont une de Sunny prise en sandwich entre les deux mecs. Il faut que je lui parle seul à seul avant qu'elle parte aujourd'hui.

– Miller ?

– Hein ?

Je regarde les autres autour de la table. Tout le monde me dévisage – sauf Lily. Elle est occupée à envoyer des SMS sous la table. Je me rends compte que j'étais ailleurs. En fait, je fixais la poitrine de Sunny. Sous son débardeur, ses tétons me saluent. Si je le lui avais signalé tout à l'heure, on aurait pu passer une minute ensemble à l'étage.

– Comment s'appelle le camp où tu vas faire du bénévolat ? demande Sunny.

– Oh. C'est Camp Beaver Woods.

Ce nom nous a bien fait marrer[1], Randy et moi.

– Pourquoi avoir choisi le Canada ? C'est un peu loin de chez toi.

Kale retire une aigrette de pissenlit des cheveux de Sunny. J'ai envie de la lui enfoncer dans la narine gauche avec mon poing.

Sunny s'est recoiffée depuis tout à l'heure. Ses cheveux ne sont plus aussi ébouriffés qu'avant. Sa tresse est plus lisse, mais des mèches se sont déjà échappées et volent autour de son visage dès que la brise souffle.

– Avant, je passais quelques semaines dans la région de Chicago pour pouvoir rendre visite à ma famille, mais comme j'habite de nouveau là-bas, j'ai eu envie de faire quelque chose de différent cette année. Et j'avais besoin d'une excuse pour voir Sunny. J'espérais la convaincre de venir passer quelques jours avec moi au camp, mais apparemment, vous m'avez devancé.

– En effet.

Kale m'adresse un grand sourire.

Je m'appuie au dossier de ma chaise et lance d'un ton joyeux :

– Je passerais bien quelques jours avec vous après le camp, cela dit.

L'atmosphère se fait soudain pesante autour de la table. Je suis conscient de me comporter comme un abruti en essayant de pisser plus loin que ce crétin maigrichon devant les parents de Sunny, mais je veux simplement que ce mec me prenne pour un sérieux adversaire.

Lily pose son portable.

---

1. *Camp Beaver Woods* signifie Camp des bois du castor au sens littéral, mais aussi Camp de la foufoune et de la trique, en langage très familier.

– Et qu'est-ce que tu vas faire à ce camp exactement ? T'occuper d'enfants gâtés fans de hockey ?

J'ai l'impression que c'est plus une affirmation qu'une question.

Je fronce les sourcils.

– Je vais effectivement animer un stage de sport, mais certains des gamins inscrits là-bas viennent de familles en difficulté.

– Miller finance ce camp pour que les familles déshéritées puissent le payer à leurs enfants, dit Sunny.

Curieusement, Lily semble choquée.

– Oh. Je l'ignorais.

Tout ce qu'elle sait de moi provient des médias et des photos postées par les groupies sur Instagram. C'est un peu limité.

– Je préfère rester discret là-dessus.

– Comment s'appelle cet endroit déjà ? demande Lily.

– Camp Beaver Woods, répond Sunny à ma place.

Cette conversation me met mal à l'aise – Lily se croit obligée de me soumettre à un interrogatoire sous prétexte qu'elle est la meilleure copine de Sunny. Elle fait une de ces têtes, on dirait que quelqu'un a chié dans ses cornflakes.

Daisy me tapote la main.

– Tu fais un tas de choses merveilleuses. Tu es tellement généreux. N'est-ce pas, Sunny ?

Sunny m'adresse un petit sourire.

– C'est vrai.

Elle a presque l'air de se sentir coupable. Je ne vois vraiment pas pourquoi.

– Ce n'est pas grand-chose. Je trouve simplement dommage qu'un gamin soit obligé de faire une croix sur ses ambitions parce que ses parents n'ont pas d'argent.

– En tout cas, ça doit être sympa de pouvoir se permettre d'en jeter par les fenêtres, dit Kale, suffisamment fort pour qu'on l'entende tous.

J'ai bien envie d'envoyer mon poing dans la gueule de cette tête de nœud. Il me provoque. Si j'étais sur la glace, je lui donnerais un coup de crosse dans les tibias. Le problème, c'est que je ne suis pas sur la glace. Je n'ai donc que ma langue pour me défendre.

– Tu penses donc que je jette de l'argent par les fenêtres en aidant ces gamins à se payer un stage auquel ils n'auraient jamais pu participer autrement ?

– Je ne crois pas que c'est ce qu'il voulait dire, intervient Sunny.

– Je pense juste que tu pourrais défendre des causes plus graves.

Je sais exactement quel genre de mec est ce Kale. Il me rappelle ce gamin de ma classe au lycée qui faisait toujours des commentaires sur tout, qui avait un don pour remarquer les faiblesses des autres et s'en servait pour les humilier. J'en ai ras le bol que Kale se croie supérieur.

– Ah oui ? Donc tu penses que financer un camp pour les enfants issus de familles modestes ou une association qui aide les gamins en difficulté n'a aucun intérêt ? C'est un point de vue comme un autre.

Kale cligne des yeux comme un lapin pris dans mes phares. Lily a l'air stupéfaite. Parfois, j'en ai vraiment marre de tous ces clichés sur les sportifs. Je suis content de m'être rappelé l'explication qu'Amber a rédigée quand nous avons révélé à quel camp je participerais cette année.

– Miller fait beaucoup de bénévolat.

Les yeux de Sunny se posent tour à tour sur Kale et moi.

Je n'ai pas envie de me défendre face à ce branleur, ni que Sunny le fasse pour moi. Je travaille dur pour mériter l'argent que je gagne. Et ouais, j'en gagne beaucoup, mais c'est aussi pour ça que je fais ce que je fais.

Je suis également conscient que la durée de ma carrière est limitée. Il faudra bien que je m'arrête quand mon corps commencera à me lâcher, quand je ne serai plus assez rapide ou assez bon pour jouer aux côtés de mes coéquipiers plus jeunes. J'ai commencé à faire du bénévolat pour pouvoir continuer plus tard et avoir quelque chose à faire de ma vie lorsque ma carrière sera terminée.

Lily met un terme à notre échange avant qu'une dispute éclate pour de bon.

– On ferait mieux d'y aller. La route est longue, et il faut qu'on s'installe là-bas avant qu'il fasse nuit.

Andy glisse la tête entre Sunny et le crétin, puis donne de petits coups de tête à sa maîtresse.

– Qu'est-ce qu'il y a, Andy ?

Sunny prend sa gueule baveuse dans ses mains et colle son nez au museau du chien. D'habitude, il la lèche généreusement quand elle fait ça, mais cette fois, il garde la gueule fermée.

– Qu'est-ce que tu manges ? Donne.

Comme le chien n'obéit pas tout de suite, Sunny tend la main.

– Donne.

Une boule verte gélatineuse et couverte de bave atterrit dans sa paume.

– Qu'est-ce que c'est que ça ?

Kale s'approche.

Je me penche en avant pour mieux voir. Je devine ce que c'est en un quart de seconde. Il s'agit de l'un de mes préservatifs « géant vert ». Andy a dû le trouver dans la poubelle de la salle de bains de Sunny. Je bondis de ma chaise, fais le tour de la table et lui tends une serviette en papier avant que quelqu'un d'autre parvienne à l'identifier.

Je prends la capote dans le creux de sa main.

– Je m'en occupe, poussin. Tu devrais te laver les mains.

– On aurait dit un vieux chewing-gum, s'exclame Daisy.

J'adore cette femme.

– Il farfouillait dans ta salle de bains quand je suis monté me changer. Il adore renifler tes vieux kleenex et tout le reste, tu sais bien.

– Oh non ! Vilain Andy ! Tu vas finir par tomber malade !

Sunny lui donne une tape sur le museau et le chien gémit.

Robbie se racle la gorge de l'autre côté de la table. Je jette un regard dans sa direction. J'ai l'impression qu'il a aussi deviné ce que c'était.

Nous aidons Daisy à débarrasser la table et rapportons les assiettes et les tasses à l'intérieur. Lily file aux toilettes pendant que Sunny va chercher ses sacs. J'aimerais lui dire un tas de choses avant qu'elle parte, comme « Ne t'en va pas » ou « Je déteste ton ex-petit ami et j'espère qu'il va se faire bouffer par un ours ».

Je suis sur le point de trouver une raison de courir la rejoindre à l'étage, lorsque Lily sort des toilettes. Il faut à tout prix que je me la mette dans la poche ; de cette façon, elle ne poussera pas Kale à sauter sur Sunny pendant leur séjour.

– Je crois qu'on est partis sur de mauvaises bases, lui dis-je.

Lily croise les bras sur sa poitrine. L'idée d'être coincée avec moi dans ce couloir ne semble pas l'enchanter.

– Qu'est-ce qui te fait dire ça ?

– Oh, j'en sais rien. Tes regards pleins de haine, peut-être.

– Je ne te déteste pas, Miller. C'est juste que je ne te fais pas confiance. Tu es un vrai baratineur, tu es trop…

Elle agite une main autour de moi.

– Trop quoi ?

– Trop… Ken.

– Ken ?

– Tu sais bien, le petit ami de Barbie.

– Mais qu'est-ce que ça veut dire ? Ken n'est pas un sale type, que je sache.

La petite sœur de Randy regardait tout le temps des dessins animés de Barbie quand elle était petite. On était obligés de rester à la maison avec elle quand leur mère travaillait.

– Tu es un vrai coureur.

– Tu trouves que Ken est un coureur ?

Au contraire, ce mec est totalement dominé par sa meuf.

Lily lève les yeux au ciel.

– Tout ce bénévolat que tu fais ne change rien à la réputation que tu as auprès des femmes. Sunny est ma meilleure amie. Je n'ai pas envie de la voir souffrir, et tu as l'air d'un mec qui fait souvent souffrir les filles.

– Comment peux-tu savoir qui je suis ? Je ne cherche pas à faire souffrir Sunny. Je tiens à elle. Je fais des efforts, Lily, mais tu ne m'aides pas beaucoup.

Elle pose les mains sur ses hanches. Et merde. C'est parti.

– Je suis prête !

Je lève les yeux et vois Sunny au sommet des escaliers munie de deux valises à roulettes. On dirait qu'elle s'apprête à passer une semaine dans un hôtel quatre étoiles. Je file là-haut pour l'aider. Ce n'est pas nécessaire, en réalité. Elle a de bons biceps. Les mecs sortent de la cuisine avec les parents de Sunny. Chacun enfile ses Birkenstock et sort. Je vais aussi chercher mon sac parce que je projette de partir en même temps qu'eux, même si je n'ai pas besoin d'être à l'aéroport avant plusieurs heures.

La porte s'ouvre et je découvre un van tout confort au lieu d'une vieille camionnette toute déglinguée. J'imagine qu'on peut dormir dans ce truc. Il est vieux, mais semble bien entretenu. Je n'ai tout de même aucune envie que Sunny dorme dans ce véhicule avec Kale. J'aimerais bien jeter un œil à l'intérieur afin de vérifier les couchages.

Daisy serre tout le monde dans ses bras, tandis que Robbie serre la main de Ben et Kale, puis fait un câlin à Lily et Sunny. Je me tiens à l'écart et observe les différentes interactions en regrettant de ne pas partir à la place de ce connard de Kale. Lorsque vient mon tour, je commence par Lily. J'ai l'impression de serrer un tuyau en acier dans mes bras. Je serre la main de son petit ami, puis je me tourne vers Kale. Il a l'air trop content de lui. Il faut que je le calme.

Je prends sa main et la serre plus fort que nécessaire.

– Prends bien soin de ma copine pour moi.

Je sais que Sunny va m'en vouloir pour cette phrase légèrement sexiste, mais je dois bien faire comprendre à ce mec que je ne lui laisse pas le champ libre.

– Tu n'as aucune raison de t'inquiéter. Je veille toujours sur elle.

Kale me donne une tape sur l'épaule. Son sourire satisfait me donne envie de le massacrer.

Je me penche vers lui et lui donne une claque dans le dos, puis baisse la voix pour que lui seul puisse m'entendre.

– Pas aussi bien que moi.

Je lui lance un clin d'œil et me tourne vers Sunny.

Elle n'est pas contente. Je le devine à son air pincé et à sa moue. Je l'attire dans mes bras et la serre fort contre moi. Approchant la bouche de son oreille, je chuchote :

– Et dire qu'il va t'avoir pour lui tout seul pendant une semaine. Je n'ai pu passer que deux jours avec toi !

Je prends son visage dans mes mains. Si ses parents n'étaient pas là, je lui roulerais la pelle de sa vie. Au lieu de ça, je frotte mon nez contre le sien, puis embrasse la petite fossette sur sa joue gauche.

– Amuse-toi bien, Sunny Sunshine.

– Je vais essayer.

– Mais pas trop.

Cette fois, je presse doucement mes lèvres sur les siennes.

Elle s'accroche à mes avant-bras et enfonce ses ongles dans ma peau.

– Promis.

Je suis soulagé de voir Benji et Kale s'asseoir sur les sièges avant, et Lily et Sunny sur la banquette arrière. De loin, j'examine l'intérieur du van. Il y a une table avec des banquettes rembourrées transformables en lit. J'attrape la portière avant que Sunny puisse la fermer et jette un œil à l'intérieur. Il y a effectivement assez de place pour une orgie à quatre là-dedans.

– Ouah. C'est spacieux. Combien de couchages ?

J'attends que l'un d'eux me regarde dans les yeux.

– Il y a deux lits doubles, dit Kale depuis le siège avant, de nouveau tout content de lui.

– Et nous avons des tentes, dit Sunny.

Son affolement est flagrant. Elle s'attend à ce que je dise ou fasse quelque chose pour provoquer une scène. J'en ai très envie. Il faut qu'on ait une conversation, mais elle n'aura pas lieu maintenant, malheureusement. Cette situation est merdique. Je laisse tomber mon sac sur le sol de l'allée et m'introduis dans l'espace confiné. Ses parents ne verront rien à cause de mon large dos.

Cette fois, je lui saute dessus. Sunny retient un petit cri et je glisse ma langue entre ses lèvres écartées. Au début, sa main se pose sur mon torse pour me repousser. Mais lorsque je suce sa langue, Sunny empoigne mon T-shirt et laisse échapper un bruit plaintif qui m'indique qu'elle aimerait continuer. Lily toussote pour me rappeler que nous nous embrassons en public. Mais j'en suis totalement conscient, ma vieille. J'interromps notre baiser et me mords l'intérieur des joues lorsque Sunny essaie de maintenir le contact entre nos lèvres.

– Je suis désolé pour toutes ces conneries. J'ai bien compris le message. Fini les photos de groupies. Je te le promets. Surtout, n'oublie pas comme on s'est bien amusés, pendant que tu seras partie avec tes amis.

Je sors mon portable de ma poche arrière, le lève et prends un de ces foutus selfies en l'embrassant sur la joue.

Je pointe Lily du doigt.

– Assure-toi qu'aucun ours ne la mange.

Sunny semble aussi perplexe que je suis frustré lorsque je referme la portière.

Toutes les bonnes choses de ce week-end s'évaporent dès qu'ils s'éloignent.

– J'espère que ça va bien se passer.

Daisy se tapote les cheveux.

J'avais oublié que les parents de Sunny étaient dans l'allée avec moi.

– Ouais. Moi aussi.

Je soulève mon sac.

– Bon, je vais devoir vous quitter. Il faut que j'aille chercher un copain à l'aéroport avant de partir au camp.

Daisy s'approche pour me serrer dans ses bras. Je tourne la tête à temps pour éviter ses cheveux pleins de laque.

– C'est gentil d'être passé, Miller. J'espère qu'on te reverra très bientôt.

Elle me tapote la joue et soupire.

Robbie reste en retrait le temps que je jette mon sac sur la banquette arrière du SUV. Je lui serre la main, pressé de foutre le camp. Je dois appeler Randy pour vérifier l'horaire de son vol, et il faut que j'appelle Violet. Je ne me sens pas très bien à cause de cette fin de week-end bizarre. J'ai aussi envie d'envoyer un SMS à Sunny et il va falloir que j'utilise l'application synthèse vocale pour que ça ne prenne pas des années.

– Merci pour votre hospitalité, Robbie. Je vous reverrai sûrement avant le début de la saison.

– Prends soin de toi, Miller.

Il reste près de ma portière pendant que je mets le moteur en marche. Lorsque je m'apprête à sortir de l'allée, il frappe sur ma vitre. Je la baisse et l'interroge du regard. Mes paumes sont moites et, brusquement, je transpire de la lèvre.

– Ouais ?

Il inspire et expire lentement.

– Je sais que Sunny nous a menti.

Il s'appuie contre le bord de la fenêtre et fait claquer sa langue.

– Les voisins m'ont dit que ta voiture était là depuis vendredi soir.

– Je ne voulais pas lui créer de problèmes…

Il lève une main.

– Sunny est une grande fille, mais c'est toujours ma petite fille, alors je te demande de faire attention avec elle. Je t'aime bien, Miller. Je pense que tu es un gentil gamin et je sais que les médias déforment tout. Mais je n'aimerais pas du tout que mon bébé souffre à cause d'un homme qui la fait marcher depuis le début.

– Je ne la fais pas marcher. J'aime beaucoup Sunny.

– Alors je te suggère d'améliorer ton jeu.

Robbie tapote le capot de la voiture, puis repart en flânant dans l'allée, suivi d'Andy.

Cette dernière phrase ne m'aide pas du tout à me sentir mieux.

II

Douche froide

Je tourne au coin la rue et arrête la voiture. Je n'ai pas besoin d'être à l'aéroport avant sept bonnes heures. Il me reste une journée entière à tuer et je suis obsédé par la façon dont ce week-end génial est devenu totalement merdique.

Tout ça à cause de Kale. Enfin, tout ça à cause des groupies, de mes conneries et des stupides photos qui sont postées partout sur Instagram et Tumblr sans ma permission. Mais surtout à cause de Kale.

Je sors mon portable de ma poche arrière. J'ai reçu des messages de Sunny :

Dommage qu'on ait pas eu un moment seuls avt mon départ.

Merci d'être venu me voir.

Je me suis bien amusée. < 3

Je lui renvoie un message accompagné du selfie en utilisant la synthèse vocale pour ne pas tout foirer :

Moi aussi. J'ai hâte de te revoir. Envoie-moi un SMS quand tu seras arrivée si tu as du réseau.

Une fois que c'est fait, j'enregistre la photo comme fond d'écran sur mon portable, puis je la poste sur tous les réseaux sociaux auxquels j'ai accès, j'identifie Sunny et j'ajoute une légende : « Du bon temps avec ma Canadienne préférée ». J'aurais aimé trouver une phrase plus agressive, mais je crois que le message est clair. Si des groupies postent encore des photos de moi, je me défendrai en affichant de jolis selfies de Sunny et moi.

Je vérifie mes e-mails en attendant une réponse. Randy m'en a envoyé deux. J'utilise la synthèse vocale pour les écouter. Apparemment, son horaire de vol a changé et son avion atterrit quelques heures plus tôt que prévu. Randy me dit de prendre tout mon temps, qu'il m'attendra au bar de l'aéroport aussi longtemps qu'il le faudra. Comme Sunny est déjà partie, je serai à l'heure. Je lui envoie un rapide SMS au lieu d'un e-mail pour qu'il le reçoive tout de suite. Puisque Sunny ne m'a toujours pas répondu, j'appelle Vi. Elle décroche à la troisième sonnerie.

– Buck.

Elle prononce mon nom comme si c'était un juron. Je n'ai même pas le temps de lui dire bonjour : elle se met aussitôt à m'engueuler.

– Tu veux bien m'expliquer le message que tu m'as laissé hier, avant que je m'envole pour le Canada et te casse les jambes avec un club de golf ?

J'avais oublié ce message. La situation n'étant pas si dramatique que ça, je décide de jouer au con afin que ça m'aide à oublier cet abruti de Kale.

– Tu ne joues pas au golf.

– Je pourrais bien m'y mettre, tu sais. Ça pourrait être drôle de viser tes couilles. Enfin, j'aurais du mal à les atteindre puisqu'elles sont aussi grosses que des petits pois.

– Mes couilles font la taille du Canada et tout le monde sait que la carte du monde est fausse et que le Canada est le plus grand pays.

– En fait, je crois bien que c'est l'Australie, ou peut-être la Chine ou la Russie. La géographie n'a jamais été mon truc.

Franchement, Buck, j'espère que tu n'es pas idiot au point de te vanter partout de t'être tapé trois groupies, alors que tu étais censé passer le week-end avec Sunny.

– Le coup du chapeau, c'était *avec* Sunny.

– Quoi ?

Vi crie si fort qu'elle me vrille le tympan.

– Tout va bien, l'entends-je dire ensuite d'une voix assourdie. Je discute avec Charlene. Elle s'est encore acheté un sac à main sur la chaîne de téléachat.

Vi semble ouvrir et refermer quelques portes, puis elle dit :

– Tu ferais mieux de t'expliquer. Et vite.

– Alors comme ça, Sunny avait un petit ami au lycée, hein ?

– Je ne vois pas le rapport avec ton coup du chapeau.

– J'y viens. Imagine-toi que ce mec était totalement nul au lit.

– Comme tous les lycéens.

– Ce n'est pas vrai. J'étais génial.

Du moins, c'est ce qu'affirmaient les filles.

– C'est toi qui le dis. Je ne vois toujours pas ce que cette histoire a à voir avec ton coup du chapeau.

– Apparemment, ce mec n'a jamais réussi à faire jouir Sunny. Pas une seule fois.

Violet retient un cri.

– Tu plaisantes ?

– Non.

Je ne suis clairement pas le seul à penser que c'est pitoyable de la part d'un petit ami. La première chose qu'un mec devrait faire, c'est trouver ce qui fait jouir sa copine, surtout s'il veut remettre le couvert plus tard.

– Si c'est vrai, je trouve ça vraiment terrible.

– Qu'est-ce que tu veux dire ? Tu n'y crois pas ?

– Tu es sûr que Sunny n'a pas dit ça pour flatter ton ego ?

– Pourquoi ferait-elle une chose pareille ?

– Pour que tu te sentes bien dans ta peau ?

– Tu crois que toutes les filles font ça ?

Je n'imagine pas un instant prétendre avoir joui si ce n'est pas vrai, et Sunny est du genre honnête. Contrairement à moi. En général, j'omets les détails de mes histoires pour que les gens tirent leurs propres conclusions.

– J'en sais rien. Parfois, peut-être. J'ai menti à Alex sur… peu importe.

– Tu en as trop dit ou pas assez.

– Mieux vaudrait pour toi que je ne termine pas ma phrase, Buck. Je te promets que ça n'apportera rien à cette conversation. En fait, ça risque plutôt de provoquer chez toi des séquelles psychologiques irréparables.

– J'en doute fort. À propos de quoi lui as-tu menti ? D'un truc sexuel ? De tes orgasmes ? Tu lui as dit que tu n'avais jamais joui avant lui ?

J'essaie de ne pas penser à leurs ébats dans le vestiaire le printemps dernier.

– Ha ha. Bien au contraire. Je suis une vraie machine à orgasmes. Je peux en avoir au moins dix-huit d'affilée. C'est génial.

Les filles ne se rendent pas compte de leur chance. À moins que j'apprenne le tantrisme, je devrai me contenter jusqu'à la fin de ma vie de six orgasmes maximum par jour, étalés sur vingt-quatre heures.

– Alors s'il ne s'agissait pas d'un mensonge sur tes orgasmes, qu'est-ce que c'était ?

– Tu es sûr de vouloir le savoir ?

Vi a toujours tendance à tout déballer et à dire exactement ce qui lui passe par la tête. Si elle s'autocensure, c'est que son mensonge était énorme. Du coup, j'ai encore plus envie de savoir ce que c'était.

– Sûr et certain.

– Une fois, je lui ai menti sur mon niveau d'humidité.

– D'humidité ?

– Tout à fait.

– Mais qu'est-ce que ça veut dire ?

Je regrette ma question à l'instant où je la pose.

– Je ne lui ai pas dit combien je mouillais exactement.

J'ai un haut-le-cœur.

– Merde, Vi. Je n'ai pas besoin de ce genre d'information.

– Je te l'avais bien dit, mais tu ne m'as pas écoutée. Ce n'est pas ma faute si je mouille naturellement.

– C'est bon. Ça suffit. Je ne veux pas en entendre plus. Je suis sûr que Sunny ne m'a pas menti. Elle a eu l'air hyper surprise chaque fois que je l'ai fait jouir.

– Peut-être que c'est son expression naturelle quand elle jouit.

J'en conviendrais si Sunny avait réagi différemment quand j'ai voulu la lécher.

– Je lui ai aussi donné son premier orgasme avec la langue et son premier orgasme avec la bite. C'était ça, mon coup du chapeau. Waters peut carrément aller se rhabiller, pas vrai ?

Un jour, il y a longtemps, la rumeur disait que Waters avait couché avec trois groupies la même nuit. Ce n'était pas vrai, mais il s'est vraiment retrouvé dans la merde quand Vi l'a découvert. Finalement, il a rétabli la vérité et cette histoire a prouvé à tout le monde que les médias pouvaient totalement déformer les choses.

– Tu te rends bien compte que tu m'as appelée pour te vanter d'avoir sauté la sœur de mon fiancé, n'est-ce pas ? Super classe, Buck. À qui d'autre l'as-tu raconté ?

– Personne. Si je t'ai appelée, c'est parce que je ne pouvais le dire à personne d'autre. Et je ne l'ai pas sautée ; nous avons fait l'amour. Beaucoup. Partout dans sa foutue maison. Crois-moi, si je pouvais en parler à quelqu'un d'autre, je le ferais, mais c'est impossible. Alors tant pis si ça te fait chier que je déballe tout, Vi. C'est ce que tu fais tout le temps.

Elle soupire.

– Je suppose que tu marques un point. Et je préfère que tu me racontes ça à moi plutôt qu'à tes copains hockeyeurs. Quelles grandes gueules, ces mecs. Bon, manifestement, Sunny a passé l'éponge sur tes conneries avec les groupies.

– Ouais. C'est oublié.

Enfin, ce n'est pas vrai à cent pour cent, vu l'endroit où elle se trouve en ce moment.

– Tant mieux. Je suis contente. Donc, si je comprends bien, votre week-end s'est bien passé ?

Un truc croustille dans sa bouche.

Des céréales, sans doute. Ou des chips. J'ai faim.

– Oui, jusqu'à il y a une heure.

– Qu'est-ce qui est arrivé ?

Ouf, Vi ne rejette pas immédiatement la faute sur moi.

– Bon, tu sais à quel point toutes ces photos de groupies m'ont mis dans la merde.

– Ça me dit quelque chose, oui.

Le ton de Vi est clairement réprobateur. Je suis content qu'il s'agisse d'une conversation téléphonique.

– Eh bien, cette garce de Lily, la meilleure copine de Sunny, a dû les découvrir…

– Ce qui ne devrait pas te surprendre.

– Ouais, mais le problème, c'est que Lily ne m'aime pas beaucoup. Elle a convaincu Sunny de partir camper avec elle dans le Nord. À l'autre bout du monde, quoi. Elles sont parties juste avant que je t'appelle.

– De toute façon, tu t'en vas à Muskoka aujourd'hui, non ?

Ça croustille encore dans sa bouche. Mon estomac grogne. Bien que délicieux, ce petit pain à la cannelle n'était pas suffisant.

– Ouais, mais j'aurais pu passer la journée entière avec elle. En plus, Lily et Sunny ne sont pas parties seules. Le petit ami de Lily les accompagnait, ainsi que son jumeau barbu branchouille, Kale.

– Je crois que barbu branchouille est un pléonasme. Tous les branchouilles en ont une, non ?

Vi ricane.

– Attends. Kale ? Ce nom me dit quelque chose.

– Parce que c'est un légume ?

– Peut-être. Ça s'écrit avec un K ou un C ?

– On s'en fout ! Ce mec est du genre écolo-crado-bobo.

Il est sorti avec Sunny au lycée, et ils vont camper ensemble pendant toute une semaine !

– Oh.

Vi mâche bruyamment pendant quelques secondes. Peut-être qu'elle réfléchit.

– Tu l'as rencontré ?

– Ouais. Ils ont tous débarqué chez elle ce matin. Robbie et Daisy venaient d'arriver, leur vol de retour ayant eu lieu plus tôt que prévu.

Je baisse ma vitre et incline mon siège. Une fille en short et brassière de sport court avec son chien. Je ne la mate même pas.

– Tout s'est bien passé avec les darons ?

Vi sait combien les parents de Sunny sont protecteurs avec elle.

– En grande partie, oui. Sunny ne leur avait pas dit que je venais la voir. Ils ont failli nous surprendre en train de nous envoyer en l'air. Robbie sait que j'ai passé le week-end chez eux. Les voisins lui ont tout raconté.

– Oh, zut.

– Mais curieusement, il n'a pas eu l'air trop contrarié. Il m'a quand même fait la morale, genre « ne t'avise pas de déconner avec ma fille ». Maintenant que j'y pense, Sunny a sans doute fait exprès de ne pas les prévenir de ma visite. Ce week-end ensemble était fixé depuis longtemps. Je comprends mieux, maintenant. Elle voulait probablement être sûre qu'on aurait la maison pour nous tout seuls ; autrement, on n'aurait jamais pu coucher ensemble.

– Tu as de la chance. Le père de Sunny ne doit pas être ravi que sa fille sorte avec une créature mi-humaine mi-yeti qui s'est tapé cinquante pour cent de ses concitoyennes.

J'ignore sa blague idiote.

– Je n'ai pas couché avec autant de femmes.

– Tu en es sûr ?

– Je suis certain de ne pas avoir fait l'amour avec cent cinquante millions de personnes. Mais Lily pense que je joue avec les sentiments de Sunny.

– Évidemment. Ta réputation de coureur ne va pas s'effacer du jour au lendemain sous prétexte que tu as commencé à sortir avec quelqu'un.

Les rayons du soleil traversent le feuillage des arbres et tombent directement sur le pare-brise. Je baisse le pare-soleil et mets mes lunettes de soleil pour ne pas être aveuglé.

– Je n'ai couché avec personne depuis que j'ai rencontré Sunny.

– Je le sais, mais pas Lily. Tu traînes toujours dans les bars avec tes potes et les groupies n'arrêtent pas de poster des photos de toi. Ensuite, il y a toutes ces fêtes chez Lance avec des nanas quasiment à poil. L'image de toi qui circule dans les médias n'est certainement pas celle d'un mec casé. Les gens croient ce qu'ils voient, même si ce n'est pas la vérité. Tu le sais mieux que personne. Ce sont les situations dans lesquelles tu te mets sans arrêt qui posent problème, Buck. Enfin bref, revenons à nos moutons. Tu me parlais de Sunny et de son légume qui sont partis camper. Tu dis qu'ils sortaient ensemble au lycée ?

– Ouais.

– Tu en es sûr ?

Son ton me rend nerveux.

– C'est ce que m'a dit Sunny. Pourquoi ?

– Je crois qu'elle n'a eu qu'un seul petit ami au lycée.

– Et alors ? Ce n'est pas une mauvaise chose.

Le connard en moi aime l'idée que Sunny soit restée une petite fille sage pendant ses années lycée.

– Pas nécessairement…

Vi évite de me répondre.

– Attends une seconde. Il faut que je demande quelque chose à Alex.

Elle couvre le téléphone. Au bout d'un moment, sa voix assourdie redevient claire.

– Charlene a renvoyé le sac à main. Je suis en train de discuter avec Buck maintenant. Non. Non. T'as pas intérêt.

J'entends une espèce de remue-ménage.

– Si tu fais ça, je ne touche pas à ta queue monstre pendant une semaine ! Je ne plaisante pas ! Arrête.

Lorsque Violet me parle un instant plus tard, elle est légèrement essoufflée. Je préfère ne pas penser à ce qui s'est passé de son côté.

– J'avais raison. Kale est le seul mec avec qui Sunny est sortie au lycée.

– Mais c'était il y a longtemps. Pas la peine d'en faire un drame, si ? Elle a tourné la page. Elle m'a dit que c'était elle qui avait rompu, ça veut bien dire quelque chose. Il paraît qu'il vient encore de se faire larguer. Franchement, je crois vraiment qu'il n'y a aucune raison de s'inquiéter.

J'ai besoin que Vi me confirme que tout va bien se passer.

– J'en sais rien, Buck.

Son manque d'assurance est déconcertant.

– Ce n'est pas comme ça que je vais me sentir mieux.

– Est-ce qu'elle t'a dit quand ils ont rompu ? demande Violet.

– En terminale, je crois ? Autrement dit, c'était il y a deux ans. Ils ont eu tout le temps de passer à autre chose, non ?

C'est long, deux ans. Du moins, en ce qui me concerne. J'ai attendu deux jours entiers avant de passer à autre chose, quand j'ai découvert que la fille avec qui je sortais se tapait la moitié de l'équipe de hockey de son université, à deux États de chez moi. Ensuite, j'ai baisé tout ce qui bougeait pour oublier. Cette stratégie n'a pas été très efficace, mais j'avais au moins de quoi m'occuper. C'était il y a cinq ans. Ensuite, j'ai été sélectionné.

– En théorie.

– Pourquoi « en théorie » ?

– Ils ont commencé à sortir ensemble quand Sunny était en troisième et Kale en seconde. Il est resté au lycée un semestre de plus après avoir eu son bac pour pouvoir être avec elle. Ensuite, il s'est trouvé un boulot pour toute la durée du deuxième semestre, afin qu'ils puissent commencer la fac ensemble. Elle a rompu avec lui parce qu'il était collant et pas très motivé, ou un truc comme ça. C'est la version d'Alex. Je ne connais pas celle de Sunny.

Je reste silencieux un moment, occupé à analyser toutes ces informations importantes.

– Ils sont sortis ensemble pendant quatre ans, Buck, ajoute finalement Vi.

– Je peux faire le calcul moi-même, merci.

Leur histoire a duré presque aussi longtemps que ma carrière de hockeyeur professionnel.

– Je n'arrive pas à croire qu'il n'a jamais été foutu de la faire jouir. Sérieusement. Qu'est-ce qui déconne chez ce mec ? Et qu'est-ce qu'elle va foutre dans un van avec lui pendant une semaine ? On est ensemble depuis, quoi, trois mois, peut-être un peu plus ? Et j'ai bien dû la faire jouir une cinquantaine de fois. Elle aurait dû laisser tomber ce voyage et partir avec moi.

– Malheureusement, il n'y a pas que les orgasmes dans la vie.

– Et c'est bien dommage. C'est la première chose que je m'offre le matin et la dernière dont je m'occupe le soir. Jouir est essentiel. C'est aussi vital que respirer.

Je panique, j'en suis conscient. Je lui raconte plein de trucs que je ne devrais pas – enfin, je crois que Vi a aussi déballé son lot de trucs personnels pendant cette conversation. Dommage qu'on ne soit pas bourrés. On aurait pu oublier toutes les conneries qu'on vient de se dire.

– Écoute, je sais que c'est difficile à comprendre pour toi. Tu as couché avec n'importe qui pendant longtemps, mais dans les vraies relations, celles qui n'incluent pas de groupies, l'important n'est pas le nombre d'orgasmes que tu peux provoquer chez ta partenaire. C'est génial, le sexe. Les orgasmes aussi. Et c'est merveilleux de jouir grâce à quelqu'un d'autre, mais ce n'est pas la seule chose qui compte.

Mon affolement se transforme en hystérie totale. D'accord. Ce n'est pas tout à fait vrai, mais je suis un peu flippé. En réalité, je sais déjà toutes ces choses – c'est pour ça que Sunny et moi n'avions pas dépassé le stade de la baise avec les doigts avant ce week-end. Nous parlons beaucoup, de vrais trucs, pas seulement de hockey. Mais j'ai mis beaucoup d'œufs dans le panier à orgasmes en espérant que notre relation deviendrait plus sérieuse si je la faisais jouir.

– J'ai fait tout mon possible pour que Sunny se sente bien ce week-end. Personne ne lui avait jamais donné ce que je lui ai donné. Ça doit bien représenter quelque chose pour elle.

– Je suis sûre que oui, Buck. Mais tu dois aussi te rappeler que, ces trois derniers mois, elle a vu des photos de toi avec tes putes partout sur les réseaux sociaux. Un week-end sans couverture médiatique ne suffit pas à effacer ça. Je suis sûre qu'il s'agit plus que d'un marathon de sexe entre vous. Du moins, je l'espère. Est-ce que tu t'es comporté comme un con quand elle est partie avec son légume ?

– Non.

Je réfléchis à ma réponse. Il se peut que j'aie été un peu lourd avec lui ; mais seulement parce qu'il se comportait de la même façon avec moi.

– Peut-être un peu. Mais vraiment un tout petit peu.

– Tu peux développer ?

Je lui explique ce qui s'est passé avec Kale et essaie de n'omettre aucun détail, ou de ne pas déformer la réalité. C'est difficile. Je me sens totalement nul. Sunny n'a toujours pas répondu à mon SMS.

Lorsque j'ai fini mon récit, Vi souffle dans son portable.

– Tu n'as rien fait de mal. Il t'a provoqué et tu as répliqué. Je demanderai à Charlene ce qu'elle en pense, et peut-être à une autre fille au bureau, parce que, pour être honnête, je trouve ça sexy quand Alex joue les mecs possessifs. Tu te souviens de ce type dans mon immeuble, Melvin ? Celui qui sentait le sexe et la chaussette ?

Vi est célèbre pour ses digressions.

– Je me souviens de lui, ouais.

Je ne vois pas du tout quel est le rapport avec Sunny et moi, ou avec le fait qu'elle soit partie avec son ex-petit ami – avec qui elle est apparemment sortie pendant quatre ans, détail qu'elle a omis, comme par hasard. Il me semble que c'est pourtant important. J'ai un peu envie de lui en vouloir.

– Il me proposait tout le temps de venir glander chez lui. Même s'il ne risquait pas de se passer quelque chose entre nous, Alex tenait à ce qu'on baise dans le salon quand il venait chez moi. Je crois que c'était pour que Melvin entende mes déclarations d'amour à sa queue monstre.

– Sa quoi ?

– Sa queue monstre.

– Bon sang, Vi. Je joue au hockey avec ce mec. Comment veux-tu que je puisse le regarder, ou même lui parler, après avoir entendu des trucs comme ça ?

– Je t'explique, c'est tout. De toute façon, vous vous promenez tout le temps à poil dans le vestiaire, alors tu sais à quoi ressemble l'équipement d'Alex. Ça m'évoque un paquet d'images homoérotiques, soit dit en passant. Enfin bref, j'aime bien qu'Alex joue les hommes des cavernes. C'est sexy. Mais je ne sais pas si Sunny est du même avis.

– Tu veux dire que j'ai peut-être encore tout fait foirer ?

J'ai bien l'impression que cette histoire est un combat perdu d'avance.

– Je ne crois pas que tu as merdé. Toutes les femmes sont différentes. Sunny n'est pas une groupie, alors même si elle a dû apprécier ses orgasmes à la chaîne, votre relation ne repose pas que là-dessus.

– C'est difficile d'être un petit ami correct.

Violet rit.

– En effet. L'amour n'est pas un jeu. Personne n'a envie d'être trompé, à part peut-être les gens qui adorent les mélodrames et rêvent de passer dans une de ces horribles émissions de téléréalité.

– Je ne joue pas avec Sunny. En fait, je me demande si ce n'est pas elle qui joue avec moi.

– Parce qu'elle est partie camper avec son ex.

Ce n'est pas une question.

– Et elle a omis de préciser combien de temps ils étaient sortis ensemble. Quand on en discutait, elle a eu l'air de dire que ce n'était pas une histoire mémorable. Pourtant, ce mec a bien dû compter pour elle. J'ai envie de lui en vouloir, mais je ne sais pas si j'en ai le droit.

– Honnêtement, si tu n'étais pas énervé contre elle, je serais inquiète. S'il s'agissait d'une autre fille, je dirais qu'elle te manipule, mais Sunny est… enfin… c'est Sunny. Il est difficile de savoir pourquoi elle a omis ce détail sans en discuter directement avec elle.

– Je suis sûr que Lily est derrière tout ça. Waters aussi, sans doute.

Vi soupire.

– Peut-être, mais Sunny est capable de penser et de prendre ses décisions toute seule. Elle doit bien se douter que tu découvriras la vérité un jour ou l'autre. Peut-être que c'est ce qu'elle veut, justement. N'oublie pas que tu as passé ta vie entière à jouer avec les filles, alors Sunny risque de se méfier de toi un moment.

– Je n'ai jamais joué avec personne.

– Tu n'as peut-être jamais fait de fausses promesses aux groupies, mais tu sais te mettre les gens dans la poche comme personne. Quoi que tu dises à une fille, elle finit toujours par baisser sa culotte devant toi, ce qui est franchement incroyable. C'est sans doute ta fourrure qui les attire. Un vrai piège à filles.

– Je ne comprends pas pourquoi tu es obsédée par mes poils.

– Et moi, je ne comprends pas pourquoi nous avons des poils. Sur la tête, c'est utile, mais le reste ne sert franchement à rien.

– C'est une protection.

– Parle pour toi. Je suis sûre que tes poils sont en titane et qu'ils te font comme un gilet pare-balles. Mais pour les femmes du monde entier, ça fait une source de douleur inutile en plus. Oh, je n'arrive pas à croire que j'ai oublié de te poser la question ; est-ce que Sunny est aussi nature que je le pensais ?

– Elle entretient bien ses affaires.

– C'est vrai ? Ouah. J'étais presque sûre qu'elle ne touchait pas à sa touffe.

– Je pense que tout le monde le fait de nos jours.

– Exact. Écoute, il faut que j'y aille. Alex m'attend pour une partie de Scrabble et je vais lui mettre la pâtée.

– Amuse-toi bien.

Le Scrabble est le jeu que je déteste le plus au monde.

– Merci pour le conseil, et tes confidences habituelles.

– Pas de problème. Je ne sais pas si je suis la personne la mieux placée pour te donner des conseils, mais je fais ce que je peux. Sunny ne me dit pas tout. Elle est suffisamment intelligente pour savoir que je te raconterai tous les trucs importants. Fais en sorte de la contacter tous les jours. Même si elle est au milieu de nulle part et ne peut pas recevoir ton message. Il faut que tu sois aussi tenace qu'une mycose génitale.

– Et si ça ne suffit pas ?

– Tu ne peux pas obliger une personne à t'aimer. Tout ce que tu peux faire, c'est te retrousser les manches et espérer qu'elle finira par partager tes sentiments.

– Et si ça ne marche pas ?

– Tu passeras à autre chose. Mais je suis sûre que Sunny va finir par s'attacher à toi. Les histoires d'amour sont effrayantes. Surtout les nouvelles. Ça peut faire peur de sortir avec un mec qui a la fâcheuse réputation de collectionner les filles. Parfois, il est plus facile de retourner à ce qu'on connaît, parce que c'est rassurant et confortable, que de se mettre en danger. Si c'est ce que tu veux – si tu veux Sunny –, c'est à toi de prendre des risques, pas l'inverse. Appelle-moi demain si tu as besoin ; Alex a une séance d'entraînement à neuf heures demain matin. Je projette de le regarder suer pendant que je fais semblant de m'épuiser sur un vélo couché.

Vi raccroche en poussant un cri strident et un gloussement.

En arrivant chez Sunny ce week-end, j'avais pour projet de passer à l'étape suivante avec elle et j'ai réussi. Pas une seule fois je n'ai imaginé qu'elle pourrait trouver plus rassurant de retourner auprès de son ex-petit ami incapable de la faire jouir avec sa petite bite.

Robbie et Violet ont raison. Il faut que j'améliore mon jeu. Autrement, Bushman la Petite Bite risque de me voler Sunny.

12

Gros paris et vagues souvenirs

Après avoir appelé Violet, je me trouve un buffet à volonté et me goinfre. Ensuite, je roule jusqu'à Toronto pour aller chercher Randy. En attendant son arrivée, je fais le con sur les réseaux sociaux. Bushman a identifié Sunny sur des photos. Assises à la table sur la banquette arrière, Lily et elle s'enlacent en souriant. Il y en a une autre de Sunny, le visage juste à côté de la barbe miteuse de Bushman, levant un sachet de ces saletés de chips de kale. Je les hais, son nom stupide et lui.

J'ajoute des commentaires aux messages sur son mur, histoire que Bushman sache que je le surveille. J'ai envie d'envoyer un message à Sunny à propos des quatre années qu'a duré leur histoire, mais je n'ai pas envie de couler mon bateau déjà mal en point. Aucune des photos postées jusqu'à maintenant ne pose problème, mais ils ne sont pas encore arrivés. Qui sait quelle merde va encore se produire au cours de la semaine. À sa sortie de l'avion, je découvre un Randy tout content d'aller camper. J'essaie de ne pas laisser ma mauvaise humeur assombrir la sienne. Il incline son siège et ajuste sa casquette de baseball. On dirait une publicité ambulante pour Chicago.

– Alors ? Comment s'est passé ton week-end avec Sunny ? Je crois comprendre que tu t'es bien amusé, vu que je n'ai eu de tes nouvelles qu'une seule fois.

Je m'efforce de garder une expression neutre.

– C'était bien.

– Seulement ? Allez, Miller, je veux des détails. Tu es resté silencieux tout le week-end. Est-ce que vous êtes enfin passés à l'action ?

Autrefois, on se racontait toutes nos histoires de groupies. Quand Sunny et moi avons commencé à nous voir, il se peut que j'aie donné à Randy et quelques autres mecs l'impression que j'avais conclu. Ce n'est pas que je leur ai menti, j'ai simplement omis quelques détails. Vi m'en a voulu à mort. J'ai compris ce qu'elle voulait dire. Il allait de soi pour les autres qu'on était passés à l'acte dès le premier soir, mais il était important que je ne fasse pas passer Sunny pour une groupie. D'autant plus que c'était la sœur de Waters et qu'il risquait de me castrer avec sa crosse s'il pensait que je lui avais sauté dessus.

Au cours du dernier mois, il m'a donné deux ou trois coups de crosse dans les tibias les fois où on s'est fait un match entre potes après les entraînements. Il m'a aussi frappé dans les reins et c'était très douloureux. J'ai eu mal pendant plusieurs jours. S'il sait que j'ai couché avec Sunny, cette crosse va atterrir tout droit dans mes couilles.

Le GPS se réveille et me dit de prendre la 401 East. J'évite de répondre à Randy en me concentrant sur les panneaux.

– Miller ?

– Oui ?

– Tu me réponds ou quoi ?

– On s'est bien amusés. Restons-en là.

– Tu ne l'as pas sautée ? Tu dois avoir super mal aux couilles maintenant !

Il sort son portable.

– Qu'est-ce que tu fais ?

La circulation dans cette ville est complètement dingue. Les gens passent d'une voie à l'autre sans prévenir. Il y a des panneaux partout et des connards qui roulent à cent cinquante dans la voie de droite, puis qui coupent devant les autres et forcent tout le monde à freiner brusquement.

Randy est en train de taper avec ses pouces sur son portable et n'a pas coupé le son. J'entends donc tous ses petits bruits énervants.

– J'envoie un message à Lance.

– Pour quoi faire ?

Il cesse de taper pour me répondre.

– Je lui dois une caisse de bières.

– Pourquoi ?

– J'ai perdu notre pari.

Randy affiche de nouveau un sourire suffisant.

– Quel pari ?

– J'ai parié une caisse de bières que tu réussirais à te faire Sunny ce week-end et il a parié que tu te dégonflerais.

Je donne une tape sur son portable et l'appareil tombe de ses mains sur le sol. En même temps, je donne un coup de volant et m'insère brutalement dans la voie voisine. Une meuf dans sa BMW sport klaxonne et agite les mains.

– Hé, mec ! C'est quoi ton problème ?

Randy s'apprête à ramasser son portable, mais je lui bloque le passage en plaquant mon avant-bras contre son cou.

– Si tu envoies ce message à Lance, je te jette sur le bord de l'autoroute.

– C'est bon, j'ai compris. Mais qu'est-ce qui t'arrive ? Qu'est-ce qui s'est passé ? Tu t'es disputé avec Sunny ? Je pensais que tu réussirais à la tranquilliser, comme tu le fais toujours avec les groupies.

– Sunny n'est pas une groupie.

Cette rime m'énerve.

– Je le sais.

Je me passe une main dans les cheveux et le regarde en coin.

– Si tu veux parier sur des groupies, vas-y. Mais ne mêle pas Sunny à tes conneries. Ce n'est pas une salope que j'essaie de me faire.

Randy se réinstalle sur son siège lorsque je retire mon bras.

– Je sais bien, mec, mais tu connais Lance ; tout est un jeu pour lui.

– Il me semble évident à ce stade que c'est du sérieux entre Sunny et moi.

– Bien entendu. Qui réussirait à sortir avec la même meuf pendant trois mois sans baiser si ça ne l'était pas ?

Randy regarde par la fenêtre et se gratte la barbe.

– Je suis sûr que j'en serais incapable.

Je ne dis rien pendant que Randy tripote les boutons de la radio et trouve une station qui lui plaît. Il adore la country.

C'est ça, le truc : je sais qu'il vaut mieux ne rien lui raconter, mais comme l'a dit Randy, j'ai attendu des mois pour en arriver là. Et je ne peux pas donner de détails à Violet parce que c'est embarrassant et bizarre. D'accord, c'est un peu l'équivalent féminin de Randy, les orgies sexuelles et l'équipement sous la ceinture en moins, mais nous sommes quasiment de la même famille, elle et moi, et nous sommes proches. Je ne peux pas m'engager sur ce terrain-là. Cependant, Randy est l'un de mes meilleurs copains, et les vieilles habitudes ont la peau dure. Je devrais pouvoir lui en raconter un peu plus sans qu'il aille tout révéler aux autres.

– Tu n'en touches pas un mot à Lance, compris ?

Randy cesse de tripoter les boutons de la radio.

– Promis. Parole de scout.

Il lève deux doigts et me lance un sourire effronté.

– Je suis sérieux.

– Désolé. Je ne peux pas m'en empêcher. Mais non, je ne dirai rien – ni à Lance ni à personne d'autre.

– Bon, Sunny était en colère quand je suis arrivé chez elle, mais on a parlé et j'ai arrangé les choses.

– Alors, vous êtes passés à l'acte ?

Mon sourire est une réponse suffisante.

– Je le savais ! Tu me dois une caisse de bières, connard. C'était comment ? Elle est prof de yoga, non ? Je parie qu'elle est plus douée au lit qu'une star du porno. T'as qu'à la plier en deux et lui filer…

Randy agite les hanches d'avant en arrière.

J'ai bien envie de lui envoyer mon poing dans la tempe. Je serre les dents.

– Pardon. Désolé, mon vieux. J'ai dépassé les bornes.

Il me tapote sur l'épaule.

– Je sais que tu t'es abstenu de coucher avec d'autres filles pendant des mois, alors je suis content que vous l'ayez fait.

Je devine qu'il veut des détails. Avant que je sorte avec Sunny, il aurait eu droit à une description tout en 3D et en Technicolor. Puisque toutes les groupies aiment raconter leurs histoires de cul en détail – elles exagèrent carrément, parfois – sur des chats de groupies, je me suis toujours dit qu'on était quittes. C'est bizarre. Jusqu'à maintenant, je n'ai jamais eu l'impression de faire quelque chose de mal en racontant tout à mes potes, mais Sunny ne va rien poster sur notre marathon du week-end, alors je sens qu'il vaut mieux garder les détails pour moi.

– Et toi ? Comment s'est passé ton week-end ?

Mieux vaut changer de sujet.

– Tu sais comment ça se passe quand Lance est bourré. Il n'arrête pas d'inviter des gens. Il y avait une tonne de filles chez lui ce week-end. Quand je suis parti ce matin, il avait l'air en mauvais état.

Ce n'est pas une réponse. Pas le genre de réponse que j'attends de Randy, du moins. D'habitude, il ne se prive pas de tout me décrire. Mais aujourd'hui, il a l'air plus énervé qu'autre chose.

– Natasha devait être furieuse ?

– Un peu, ouais ! Elle s'est mise à jouer les sergents instructeurs. Lance a gerbé partout plus tard. C'était énorme.

J'écrase le frein quand le mec devant nous freine brusquement. Devant moi s'étend un océan de phares rouges et de camionnettes aux pneus énormes. C'est comme si on allait à un rassemblement de camions monstres. On est dimanche après-midi ! Le Canada est un pays immense et peu peuplé, mais nous roulons pare-chocs contre pare-chocs. Je n'y comprends rien.

Je demande à Randy :

– Tu crois qu'il se passe un truc ?

– Entre Tash et Lance ? Il flirte avec elle, mais bon, il fait la même chose avec tout ce qui a des seins. Tash ferait mieux de ne pas tomber dans le panneau. Lance est un mec marrant, mais grossier. Pourquoi tu me demandes ça ? Tash t'a dit quelque chose ?

Randy recommence à tripoter les boutons de la radio.

– Non. C'était juste une impression.

Randy est incapable de tenir en place. Si je ne le connaissais pas aussi bien, je penserais qu'il se shoote à longueur de journée. Mais ce n'est pas le cas. Je pense même qu'il n'a jamais fumé d'herbe au lycée. Il pianote sur ses genoux et fredonne en écoutant la chanson qui passe à la radio.

Ses mains s'immobilisent.

– Hé, mais t'as peut-être raison.

– À propos de Tash et Lance ?

– Il était de sale humeur après son départ. Il n'arrêtait pas de dire qu'elle ne lui avait même pas dit au revoir et qu'elle avait été injuste avec nous pendant l'entraînement. J'ai mis sa mauvaise humeur sur le compte de sa gueule de bois. Il était chiant, comme d'habitude. Mais à ce moment-là, la fête a pris une tournure complètement dingue. Lance a commencé à enchaîner les shots. Ensuite, il a fait une pause aux toilettes. Il est ressorti une ou deux heures plus tard, a appelé la moitié de sa liste de groupies et est retourné se bourrer la gueule. De mon côté, j'avais arrêté de boire parce que je redoutais qu'il se bagarre, et prendre l'avion avec la gueule de bois, très peu pour moi.

Lance s'énerve facilement sur la glace et c'est encore pire quand il est bourré, surtout si quelqu'un dit une chose qui ne lui plaît pas. Ça peut m'arriver aussi, mais Lance est bien pire que moi. C'est probablement son côté rouquin.

– Enfin bref, il s'est endormi vers vingt heures et j'ai cru qu'on en avait fini avec lui, mais il s'est relevé vers minuit et a recommencé. Il dormait encore quand je suis parti aujourd'hui. Je devrais l'appeler plus tard pour prendre de ses nouvelles.

Parfois, je m'inquiète pour Lance et pour son avenir. Il joue professionnel depuis deux ans, mais se comporte toujours comme un bleu. Il fait n'importe quoi avec son argent – il dépense tout en fêtes et en voitures. Je ferais probablement la même chose si Violet n'était pas là. Elle me donne juste de l'argent de poche pour que je ne gaspille pas toutes mes économies. Il m'arrive aussi d'acheter des trucs idiots et inutiles, mais je le fais simplement moins souvent que Lance. En plus, comme j'habite dans un appartement, il m'est impossible d'inviter cinquante personnes chez moi. L'avantage d'être pote avec Lance, c'est que je peux profiter de ses fêtes sans devoir faire le ménage après ni claquer tout mon fric.

– Qu'est-ce qui est arrivé aux filles que vous avez ramenées chez lui ?

– Lesquelles ?

– Celles que vous avez rencontrées au bar, la veille de mon départ.

Il ne voit toujours pas de qui je parle.

– La fille sur les photos avec la bite sur mon front. Celle qui m'a foutu dans la merde avec Sunny.

– Ah, ouais. Lance s'en est beaucoup voulu, après.

Pas au point de me présenter ses excuses. Mais ce n'est pas le style de Lance. Il ne s'excuse jamais. Il se comporte comme s'il était le centre du monde. Raison de plus pour penser que sa carrière ne durera pas. Il n'a pas vraiment l'esprit d'équipe. Un gros inconvénient quand on joue au hockey professionnel.

– Alors, qu'est-ce qui leur est arrivé ?

Randy hausse les épaules.

– Qui sait ?

– L'une d'elles connaissait Lance, au fait.

– C'est quoi cet accent canadien ?

Randy sourit d'un air suffisant.

– Sunny commence à déteindre sur toi.

– Elle fait bien plus que ça, réponds-je du tac au tac.

Randy rit.

– Ne dis jamais ça à Waters, sinon il est sûr de viser tes couilles au prochain match. Qu'est-ce que tu disais, au fait ? L'une d'elles connaissait Lance ? Pas étonnant, il a couché avec la moitié de la planète.

– La fille qui a effacé la bite sur mon front m'a dit qu'elle était allée à l'école avec lui.

– C'est vrai ? Elle était sexy. Est-ce qu'il se l'est faite au moins ?

– Non. Il s'est tapé Chatte Éclair. Je ne crois pas qu'il l'a reconnue. Elle m'a dit qu'elle était plus jeune que lui. Ils étaient dans le même collège, ou un truc comme ça. Un soir, sa grande sœur l'a traînée à une fête et Lance et elle ont fini ensemble dans un placard.

– Sans déconner ? Tu vas lui en parler ?

– Je ne vois pas l'intérêt. Il s'en fout, de toute façon. Cette fille avait l'air sympa. Je me suis senti mal pour elle, franchement. Et dire que Lance a baisé sa copine.

Randy émet un son désapprobateur.

– C'est plutôt bas. Comment elle s'appelait ?

– Poppy.

– Poppy comment ?

– Aucune idée. Je te dirais bien de demander à Lance, mais il ne s'en souviendra pas. En tout cas, c'était une fille bien, pas du tout une groupie. Apparemment, c'est Lance qui lui a donné son premier baiser.

– Ouah. Pas de bol pour elle.

Randy incline de nouveau son siège et regarde par sa fenêtre en pianotant sur ses lèvres au rythme de la musique.

– Tu sais quoi, je ne me souviens même pas de mon premier baiser. Il y a eu tellement de filles depuis. Je serais bien incapable de les compter.

Randy ne se vante pas. En fait, cette idée semble le rendre triste.

13

Règles de base

Une fois que nous sortons de Toronto, la circulation diminue. Au moment où nous arrivons à Muskoka et quittons l'autoroute, il reste à peine quelques voitures sur la route. Nous arrivons au camp vers l'heure du dîner. Tous les gamins sont probablement occupés à se gaver. Randy et moi nous sommes arrêtés dans un fast-food et avons avalé une douzaine de hamburgers à nous deux, alors nous ne mourrons pas de faim. Ayant déjà fait du bénévolat dans ce genre d'endroit, je suis très au courant de la qualité et de la quantité de nourriture qu'on y sert.

Je ne veux pas dire qu'elle est mauvaise. C'est juste de la nourriture de camp, préparée en grande quantité pour des gamins dont les goûts culinaires ne sont pas super raffinés. Les vrais stages de hockey sont différents. Les gamins y jouent entre quatre et six heures par jour. C'est un entraînement sérieux destiné à repérer les futurs joueurs de NHL. Ça coûte aussi la peau des fesses, alors la nourriture y est meilleure et abondante. On ne peut pas servir de la bouffe de base à un groupe de préados ou d'ados qui ont joué toute la journée comme s'ils espéraient passer pros.

Ce camp est différent, cependant. Il est destiné aux gamins qui ne pensent pas qu'à leurs performances et à leurs futures carrières. Si nous en sélectionnons quelques-uns qui semblent avoir un sérieux potentiel, la plupart sont ici simplement parce qu'ils adorent le hockey. Le camp est en grande partie subventionné par moi, mais aussi par d'autres fondations qui s'occupent de familles défavorisées ou de gamins en difficulté. L'un des enfants cette année est même susceptible de ne pas atteindre l'adolescence. C'est pour ça que j'ai choisi ce camp. Personne n'apprécie – et ne mérite – autant les petits plaisirs de la vie qu'un enfant qui connaît déjà sa date de péremption.

Je suis les instructions d'un moniteur junior qui a les yeux tout écarquillés et s'excite comme un fou quand nous lui disons qui nous sommes et ce que nous venons faire là. Je me gare sur le parking du personnel et coupe le moteur. Deux filles en short et chemises du camp, sur le dos desquelles est écrit PERSONNEL, sortent du réfectoire. Randy les regarde traverser la pelouse en sautillant vers les cabanes, un grand sourire aux lèvres.

Comme la plupart des sites, celui-ci comprend deux camps séparés, l'un pour les filles, l'autre pour les garçons. Celui des garçons se trouve au sud du lac et celui des filles au nord. Le réfectoire étant placé au centre, ils mangent tous ensemble. Des événements mixtes ont lieu pendant la journée, mais le soir, quand vient l'heure d'aller se coucher, filles et garçons sont séparés, les chalets des moniteurs formant une frontière entre les deux camps. Le vendredi, à la fin du stage, on organise une boum, sorte de feu d'artifice d'hormones préadolescentes, pendant laquelle les gamins se frottent les uns contre les autres, puis tentent de disparaître dans la forêt.

Avant que Randy puisse sortir de la voiture, j'appuie sur le bouton de verrouillage des portières et garde le pouce dessus.

– Il faut qu'on établisse quelques règles de base pour la semaine.

– Hein ?

Randy ne m'écoute pas. Il est trop occupé à baver sur la vitre en regardant leurs culs.

– Des règles de base. Il faut que tu m'écoutes.

Je claque des doigts devant son visage. Ce qui, par miracle, attire son attention.

– Les moniteurs juniors ont seize et dix-sept ans. Les seniors ont dix-huit ou plus.

Je le sais parce qu'Amber m'a lu le programme quand je lui ai dit que je préférais faire du bénévolat à Muskoka plutôt que de participer à un stage plus sérieux cet été.

– Il est par exemple interdit de fréquenter un membre du personnel.

Randy s'esclaffe.

– Tu crois vraiment que les moniteurs prennent cette règle au sérieux ?

– Il faut que tu le fasses.

– Tu te souviens des stages de hockey, Miller ? Moi, oui. C'était un festival de jambes en l'air.

– Il ne s'agit pas de ce genre de camp et nous n'y participons pas, nous l'animons en tant que bénévoles. Ne me fais pas regretter de t'avoir invité.

Un groupe de quatre filles sort du réfectoire ; l'une d'elles porte une chemise du personnel, les trois autres des vêtements d'été normaux.

– Comment je sais si elles sont seniors ou juniors ?

– Tu leur poses la question.

– Génial. Allons-y.

Randy se met à gratter la portière.

– Nous n'avons pas fini d'établir les règles de base. Si tu veux te faire une animatrice senior, tu devras te limiter à une seule.

– Une seule ?

On dirait que ses yeux vont lui sortir de la tête.

– Ouais. Une seule. Toutes ces filles se connaissent. Elles viennent probablement ici depuis qu'elles sont gamines. Des rumeurs vont vite circuler, et si tu t'amuses à les baiser l'une après l'autre, je ne te réinviterai jamais. Inutile de créer un mélodrame.

– D'accord. Juste une.

Il fait craquer ses articulations et roule des épaules comme s'il se préparait à affronter un adversaire.

– C'est bon. J'imagine que c'est faisable.

– Choisis bien, Balls.

Je remonte le verrou et Randy sort de la voiture en s'étirant, avant de s'appuyer contre sa portière et de regarder un autre groupe d'adolescents sortir du réfectoire. Cette fois, l'une des monitrices pousse un gamin en fauteuil roulant. Randy grimpe les marches et lui offre son aide avant même que j'aie eu le temps de détacher ma ceinture.

Mon portable sonne plusieurs fois de suite pour me signaler l'arrivée de nouveaux messages.

<3 la photo !

Arrivés au campement. Tu vas bien ?

Oublié mon chargeur :(Devrai aller en HT 1 en ville

Ça craint. Je ne prends pas la peine de répondre à Sunny. Je cherche son numéro et l'appelle immédiatement. Elle décroche à la deuxième sonnerie. Le réseau est mauvais.

– Salut poussin.

– Miller ! Je n'ai plus beaucoup de batterie.

– C'est bon. Je voulais être sûr que vous étiez bien arrivés.

– Tu es mignon. Le trajet s'est super bien passé ! Kale et Benji allument un feu et Lily et moi sommes responsables du dîner.

On dirait une soirée à deux couples au milieu de nulle part. Le seul point positif, c'est qu'ils n'ont pas de douche. J'espère que Sunny a aussi oublié son déodorant et son savon, histoire de puer rapidement. Enfin, connaissant Kale, ça lui fera probablement l'effet d'un aphrodisiaque. Je parie qu'il ne se douche qu'une fois par mois.

– Nous n'irons pas en ville avant deux ou trois jours.

J'essaierai de t'envoyer un message avec le portable de Lily, mais elle a presque aussi peu de réseau que moi.

– C'est con. J'espérais des nouvelles quotidiennes.

– Je sais. Je suis désolée, Miller. Je t'enverrai un message dès que j'aurai un nouveau chargeur. Il faut encore que je prévienne mes parents que je suis arrivée, alors il vaut mieux que je te laisse avant que ma batterie soit à plat.

Le grésillement m'empêche presque de l'entendre.

– D'accord. Fais attention à toi. La prochaine fois qu'on se verra, il faudra qu'on parle de…

Sunny pousse un cri perçant qui m'oblige à éloigner le portable de mon oreille.

– Kale ! Arrête ! Je suis au téléphone avec Miller ! Repose-moi…

Un bip-bip me signale la fin de l'appel et je n'entends plus rien.

Je regarde fixement l'écran noir de mon portable, à deux doigts de le foutre en l'air. Si j'étais sur la glace, je me prendrais probablement une pénalité. J'ai l'impression de me faire grave niquer et je n'aime pas ça.

Ainsi commence une longue semaine atroce de doutes et de questionnements.

14

Des couilles de taille

Randy réussit à garder sa bite dans son pantalon les deux premiers jours, ce qui tient du miracle. Il y a beaucoup plus de moniteurs à ce camp qu'aux autres, sans doute parce que ces gamins ont davantage besoin d'aide et de surveillance. L'avantage, c'est que je peux me servir de Randy comme bouclier contre les monitrices seniors, qui sont très nombreuses à cause du camp de filles voisin. Ce ne sont pas des groupies, mais elles sont tout aussi prêtes à jouer à frotti-frotta avec moi.

Je pensais que la photo de Sunny enregistrée comme fond d'écran sur mon portable aurait un effet dissuasif, mais je découvre que les filles aiment les mecs qui ont des photos de leur petite amie sur leurs portables. Au début, je crois qu'elles me draguent, mais ensuite, je m'aperçois qu'elles veulent être mes amies. Les filles sont drôles quand elles tentent de devenir amies avec un mec. Elles font les coquettes et se montrent exagérément tactiles, mais elles ne semblent pas attendre de moi que je nous trouve un chalet libre et leur montre ce que je peux faire avec mon paratonnerre. J'ai l'impression d'avoir un paquet de nouvelles sœurs comme Vi qui adorent me raconter leurs vies.

Randy a le problème opposé. Depuis que tout le monde a compris qu'il n'avait pas de petite amie, il est devenu une cible légitime. J'ai parfois l'impression de regarder des urubus à tête rouge se disputer une carcasse sur l'autoroute. Elles semblent prêtes à crever les yeux des autres afin d'avoir Randy pour elles toutes seules.

Le matin du troisième jour, je n'ai toujours pas de nouvelles de Sunny. Entre les séances d'entraînement et les matchs avec les gamins, je jette un œil à ses différentes pages sur les réseaux sociaux, mais il n'y a rien de nouveau, à part une photo postée le premier jour – prise non par Lily ou elle, mais par Bushman la Broussaille. Les quatre amis se tiennent par la taille, debout devant le van, l'air tout contents. À présent, je comprends mieux que jamais pourquoi elle a eu cette réaction en découvrant les photos de groupies. Bushman passe un bras autour de la taille de Sunny. J'ai envie de le lui arracher, mais je sais très bien que les apparences sont parfois trompeuses. Malheureusement, je sais aussi que la réalité peut être tout à fait conforme aux apparences.

Moins j'ai de nouvelles d'elle, plus je suis énervé. Je sais qu'ils sont copains, mais toute cette histoire me rappelle un peu trop les reproches qu'elle me fait sans arrêt.

Agacé par leur photo de groupe, je réplique en postant de nombreux clichés de Sunny et moi pris lors de mon week-end chez elle. J'ai beau être énervé contre elle, je lui envoie des messages tous les jours pour lui donner des nouvelles. Le réseau chez nous n'est pas terrible, à part dans le réfectoire ou au bord de l'eau, aux endroits où il n'y a pas trop d'arbres. Autrement dit, je dois moi-même taper la plupart de mes messages. Je refuse d'utiliser la synthèse vocale devant les autres. Certaines des choses que j'écris sont totalement privées.

Je demanderais bien à Randy de corriger mes fautes, mais je n'ai pas envie qu'il se moque de moi. Je pourrais demander à mon assistante de me relire, comme je le fais parfois, mais elle est toujours perdue quelque part au milieu dans la nature, alors ce n'est pas possible.

À la fin du cinquième jour, je suis crevé. Les gamins nous donnent beaucoup de boulot. Mon père a dû bien galérer quand j'étais petit, surtout quand j'ai commencé à aller aux entraînements de hockey cinq fois par semaine. Cependant, je pense que ça lui permettait d'avoir un peu de temps libre et de faire ce qu'il avait à faire. En plus, mes entraînements lui donnaient l'occasion d'observer les autres gamins et de découvrir de futurs talents.

Si j'étais toujours prêt à aller aux entraînements, j'étais nettement moins motivé pour faire mes devoirs. J'ai l'impression que certains de ces gamins vivent la même chose. J'ai déjà envoyé un mail à mon père pour lui parler de deux ou trois gosses ayant un sérieux potentiel, mais dont les parents n'ont sans doute pas les moyens de leur payer l'entraînement nécessaire à une future carrière de hockeyeur. Je sais qu'il ne me répondra pas avant d'être rentré de sa croisière, mais j'aime bien le tenir informé.

Je me réfugie dans les douches du personnel, histoire de me retrouver un peu seul, et attends que l'eau soit chaude pour m'avancer sous le jet. J'ignore les araignées installées dans le coin de ma cabine, ainsi que la légère odeur de moisi. C'est parfois sympa de ne pas bénéficier du même confort que chez soi. Ça me rappelle que j'ai une chance incroyable d'être parvenu à devenir hockeyeur professionnel. Néanmoins, je suis soulagé de découvrir que la pression de l'eau est correcte. J'ai dû jouer six parties de hockey sur gazon aujourd'hui, si j'additionne les séances avec les gamins et les matchs avec les moniteurs juniors.

J'envisage de m'astiquer sous la douche. Ça fait deux jours que je ne me suis pas occupé de mes affaires. Si je ne le fais pas rapidement, je vais finir par avoir super mal aux couilles. Elles sont déjà douloureuses et les seules photos que j'ai regardées sont celles de Sunny en bikini.

Je me couvre de savon, saisis mon manche et tire rapidement dessus. Mes couilles se serrent comme de petits poings. Ça ne va me prendre qu'une minute. Le dos sous le jet, je commence à me caresser. Je garde les yeux fermés pour pouvoir visualiser Sunny nue, allongée sous moi, les jambes serrées autour de ma taille. Je ne tiens pas plus de deux minutes. Dans d'autres circonstances, ça m'embarrasserait, mais aujourd'hui, c'est l'efficacité qui compte, pas l'endurance.

Je ferme le robinet et m'essuie, avant d'enfiler un short propre et un T-shirt. Je renverse presque une des monitrices en sortant. Elle porte un maillot de bain deux-pièces, mais il est différent de ceux que portent les groupies. Autrement dit, il couvre toutes les parties importantes de son corps. Ses fesses sont même carrément invisibles.

Randy se tient à côté d'elle, muni d'une serviette et d'une tenue de rechange.

– Vas-y la première.

Il désigne la cabine ouverte de la tête.

– Tu es sûr ?

Toute rougissante, elle se mord la lèvre.

– Ouais. Bien sûr. Je te retrouve plus tard.

– D'accord. On se voit au réfectoire avant le feu de camp ?

Elle enroule sa queue-de-cheval autour de son doigt.

– Évidemment.

Lorsqu'il lui lance un clin d'œil, elle trébuche en entrant dans la cabine de la douche.

Dès qu'elle est enfermée à l'intérieur, je lui pose la question la plus importante.

– Quel âge a-t-elle ?

– Dix-neuf ans.

– Tu en es sûr ?

La plupart de ces filles ne sont pas maquillées ; il n'est pas toujours facile de deviner quel âge elles ont.

– Elle m'a montré son permis de conduire.

– Tu es certain que c'était un vrai ?

– Il en avait l'air.

Randy me tapote l'épaule.

– T'en fais pas, Miller. J'ai la situation bien en main.

Lorsqu'une autre cabine s'ouvre, il se précipite à l'intérieur avant que je puisse l'interroger davantage.

Il me reste pas mal de temps avant le feu de camp. Je descends donc au bord du lac où le réseau est meilleur et j'aurai un peu d'intimité. Sunny a dit qu'elle essaierait de m'appeler ce soir. La dernière fois que j'ai eu de ses nouvelles, c'était avant-hier soir. Elle m'a laissé un message brouillé disant que le réseau était mauvais. Elle n'avait pas l'air particulièrement joyeuse. Je n'aurais pas dû m'en réjouir, mais ça m'a tout de même fait un peu plaisir.

Ce soir, ils sont censés se rendre dans un bar en ville. Lily ne boit pas beaucoup, c'est donc elle qui conduira. Même si elle se bourre la gueule, ils pourront dormir sur place puisqu'ils ont un van. Sunny est tactile et amicale quand elle est ivre. D'habitude, ça ne me pose pas de problème, mais cette fois, je ne serai pas auprès d'elle, contrairement à Bushman la Broussaille.

Le soir où j'ai rencontré Sunny, trois verres, dont deux offerts par moi, ont suffi à l'émécher. Je lui ai ensuite commandé un mojito sans alcool pendant qu'elle était aux toilettes, afin de l'aider à dessoûler. À l'époque, je ne voulais pas me sentir coupable si on couchait ensemble plus tard. Finalement, on a terminé la soirée dans un resto ouvert toute la nuit. Elle a avalé une quantité démente de nourriture, ce qui était sexy, car la plupart des filles que je connais picorent une salade et prétendent ne pas avoir faim. On a parlé pendant des heures.

Je l'ai ramenée en taxi chez sa copine à quatre heures du matin, mais elle ne m'a pas invité à entrer. Au lieu de ça, on s'est roulé des pelles sur le perron. Ensuite, je lui ai demandé son numéro et lui ai donné le mien. En rentrant à l'hôtel, je lui ai envoyé un message en utilisant la synthèse vocale pour ne pas écrire n'importe quoi et lui ai dit que j'avais passé un super moment et que je voulais la revoir. Quand je suis arrivé dans ma chambre, j'ai filé sous la douche et me suis astiqué le manche, au lieu de retourner au bar pour me faire une groupie.

Le soleil décline à l'horizon, mais la nuit ne tombera que dans une heure, alors je devrais pouvoir échapper aux moustiques. Ils sont terribles ici. Bien pires qu'à Chicago. Je ne me suis pas rasé depuis mon arrivée. J'ai laissé mon rasoir et ma tondeuse chez Sunny, et je n'ai pas pensé à en acheter quand Randy et moi avons fait notre réserve d'en-cas à l'épicerie. Même si j'avais fait un peu de ménage chez Sunny, ces sales bêtes m'ont piqué un peu partout. Je me couvre de lotion anti-moustiques tous les soirs avant le feu de camp, mais visiblement, ça ne sert pas à grand-chose.

Je me dirige vers les pontons et me laisse tomber sur l'un des fauteuils, après avoir enlevé quelques toiles d'araignées et fait partir une bestiole ou deux. C'est calme ici lorsque tout le monde se prépare pour le feu de camp. Je m'en veux de ne pas les aider comme je le fais d'habitude, mais j'ai besoin de passer quelques minutes tout seul. Ce soir, j'aimerais que Sunny m'explique comment la rejoindre après le camp.

Ouvrant ma messagerie, je ne découvre rien de nouveau. Comme je suis tout seul, je peux utiliser la synthèse vocale. Je dicte un message rapide, puis me connecte à mon compte Instagram. Sunny ne met pas souvent le sien à jour, mais Bruce McBushman l'a identifiée sur une demi-douzaine de photos. Son pseudo sur Instagram, @Chou_Frisé, est aussi naze que lui. Il a pris quelques photos de Sunny avec Lily. Sur l'une d'elles, les filles rigolent, bras dessus bras dessous. En fait, Lily est plutôt jolie quand elle n'est pas occupée à me détester.

Ces photos ne me posent aucun problème. Il faut bien que Sunny s'amuse, même si elle est loin de moi et que ses raisons de partir m'ont paru douteuses – bon d'accord, je suis en partie responsable. Mais plus je fais défiler les photos, plus je suis mécontent. Il y a des selfies de Sunny avec Bushman la Broussaille. Elle porte mon bikini préféré et l'autre la tient par la taille. Je hais ce mec – et Lily aussi, parce qu'elle l'a convaincue de partir avec eux.

Je suis sur le point de laisser des commentaires sous quelques photos, lorsqu'une vive piqûre me fait bondir de mon fauteuil. Mon portable tombe avec fracas sur le ponton et rebondit une fois. Il tourne sur le côté puis s'immobilise. Heureusement qu'il n'est pas tombé dans une fente entre les planches. Mon soulagement est de courte durée. Une énorme araignée tombe de mon short et atterrit sur ma chaussure de course. Je hurle et agite le pied, puis piétine cette connasse jusqu'à ce qu'il n'en reste plus rien.

M'assurant d'abord que je suis toujours seul, je déboutonne mon short pour jeter un œil à mes parties génitales. J'ai l'impression que la piqûre se situe entre mes bourses et mon anus, plutôt que du côté de ma bite. Difficile d'en être sûr sans baisser complètement mon short et montrer mes fesses à une personne qui passerait par là par hasard. Je glisse ma main à l'intérieur de mon short et tâte mes couilles à l'endroit où la piqûre est la plus douloureuse. Il y a une bosse sur ma couille gauche. Ça fait mal quand j'y touche.

– Euh… est-ce que tout va bien ? fait une voix féminine qui m'est vaguement familière.

Je retire immédiatement ma main de mon short et le reboutonne, histoire de ne pas avoir l'air de me branler au milieu du ponton comme un pervers. Une fois que tout est en ordre, je me retourne. C'est l'une des monitrices seniors. Celle qui me suit partout depuis quelques jours. Elle a eu dix-huit ans la semaine dernière. Je le sais parce qu'elle me l'a dit au moins mille fois. Elle éprouve pour moi un béguin inoffensif – je crois –, mais jusque-là, j'ai fait de mon mieux pour ne pas me retrouver seul avec elle. Comme je le suis maintenant.

Elle regarde autour d'elle, l'air perplexe.

– J'ai entendu une fille crier.

– Une araignée m'a mordu.

– Oh, est-ce que ça va ?

Je devrais être gêné qu'elle m'ait pris pour une fille, mais la piqûre est douloureuse et cette putain d'araignée était énorme.

– Oui, un peu d'antiseptique et tout rentrera dans l'ordre.

Hors de question de mettre de l'antiseptique là-dessus. J'ai déjà l'impression d'avoir trempé mes couilles dans un bain d'acide.

– Tu veux que je jette un œil ?

Elle fait quelques pas vers moi, mais je recule en même temps.

– C'est bon. Je gère.

– Si tu me laisses vérifier, je pourrai te dire de quelle espèce d'araignée il s'agissait. La semaine dernière, la main d'une gamine a doublé de volume parce qu'elle avait été mordue par une dolomède. Parfois, quand elles sont enceintes, elles déposent leurs œufs sous la peau.

Je frissonne à la pensée du millier d'œufs d'araignée qui risquent d'éclore dans mes couilles. C'est comme un foutu film d'horreur.

La fille s'approche. Ailleurs que sur ce ponton, il aurait été facile de la contourner. Mais l'eau m'en empêche. J'ai désespérément envie de serrer mes couilles dans ma main, mais ce geste aura l'air déplacé. Je recule dans l'espoir de lui échapper, en oubliant que je suis près du bord. Je trébuche, mais me redresse juste à temps pour ne pas tomber dans l'eau.

La fille pose une main sur mon épaule, comme pour me stabiliser.

– La vache, c'était moins une. Tu es sûr que ça va ? J'ai une trousse de premiers secours. Où est-ce qu'elle t'a mordu ?

– À un endroit que je préfère ne pas te montrer.

On dirait qu'il se passe quelque chose dans mon pantalon et ça ne me dit rien qui vaille.

Je l'écarte du passage en la prenant par les épaules. Dans ma hâte, je marche presque sur mon portable. Je le ramasse, le range dans ma poche et repars vers les chalets. La fille m'appelle, mais j'agite la main par-dessus mon épaule et me mets à trottiner. C'est désagréable. Je dois écarter les jambes pour éviter de provoquer une friction entre le tissu et mes couilles.

Par chance, mon chalet est désert, alors je baisse mon short et examine les dégâts. Je dois remonter mes couilles sur ma bite pour bien voir. La morsure est rouge et fait peur à voir. Ma couille gauche est vraiment plus grosse que la droite, à présent. D'habitude, elle pend plus bas, mais maintenant, elle est super enflée.

Je me rappelle qu'une fois, à un stage de hockey quand j'étais ado, une araignée m'avait piqué et que mon pied avait enflé. Mais justement, ce n'était que mon pied. C'était désagréable, mais pas dramatique. Cette fois, c'est différent. Il me faut au moins un antihistaminique. Et une bonne dose d'antalgique. Cette couille va me démanger à mort et, si elle continue à enfler, on ne verra bientôt plus qu'elle. Difficile de m'occuper d'un groupe de préados avec un paquet pareil entre les jambes.

Je remonte mon short et jette un œil dans la trousse de premiers secours. Les lingettes désinfectantes et pansements ne seront d'aucune efficacité. La seule option qu'il me reste, c'est d'aller à la clinique. En raison des problèmes de santé de certains enfants, il y a toujours une infirmière de garde. Je manque de trébucher sur la fille du ponton en sortant du chalet.

– Tout va bien ? On commence bientôt le feu de camp. Tu vas venir, non ?

– J'arrive. J'ai un truc à faire avant.

Mon short frotte contre ma couille enflée et ça me fait boitiller. La fille m'accompagne en sautillant. J'admire son énergie quand elle travaille avec les enfants, mais maintenant, je trouve ça très agaçant, surtout parce que je souffre.

– Oh là là, tu boites. Elle t'a mordu sur la jambe ?

Elle se penche pour vérifier. Sa tête est presque au niveau de mon entrejambe.

J'ai envie de me casser le plus vite possible, mais plus je bouge, plus ça fait mal.

– Pas sur la jambe, non.

– Où ça alors ?

– Sur les couilles.

– Oh, la vache.

Voilà qui met fin à ses questions.

En chemin vers la clinique, nous tombons sur Randy. Il est avec la fille des douches. Il fronce les sourcils en me voyant marcher comme un criminel qui aurait pris une balle dans le cul, puis il nous regarde tour à tour, mon pot de colle et moi. Je me rends compte pour la première fois que cette fille est blonde et qu'elle ressemble un peu à Sunny. Ça pourrait expliquer pourquoi je tentais inconsciemment de m'éloigner d'elle.

– Qu'est-ce qui t'arrive ? me demande Randy.

Le sosie de Sunny sautille avec entrain.

– Une araignée a mordu les couilles de Buck !

– Comment c'est arrivé ?

Je suis vexé que Randy soit aussi soupçonneux. J'ai réussi à me passer de chatte pendant trois mois. Je ne vais pas craquer au bout de cinq jours, sous prétexte que la nana à côté de moi ressemble un peu à ma petite amie, que celle-ci se trouve actuellement à sept heures de route d'ici, qu'elle est injoignable et qu'elle est restée comme cul et chemise avec son ex-petit ami.

– Elle a dû grimper dans mon short, jeter un œil à mes couilles et se dire : « Hé, mais c'est que ça a l'air bon », avant de les mordre à pleines dents. Mais comme je ne murmure pas à l'oreille des araignées, j'ignore totalement comment ces bestioles prennent ce genre de décision. Ce n'est qu'une supposition.

Randy a le culot de vérifier auprès de Sosie si je dis bien la vérité.

Elle soulève une épaule et la laisse retomber.

– J'ai entendu un cri et je suis allée voir. J'avais peur qu'un gamin soit allé au bord de l'eau sans permission. J'ai trouvé Miller sur le ponton en train d'écraser l'araignée. C'est difficile de deviner quelle espèce c'était, mais il s'agissait probablement d'une dolomède puisqu'il était sur le ponton.

Toute cette conversation ne me dérangerait aucunement si je n'avais pas l'impression que mes couilles étaient sur le point d'exploser.

– Il faut que j'aille aux toilettes.

– Je pense quand même que tu devrais me laisser vérifier. Cette morsure a l'air de te gêner.

La fille fait une grimace.

– Et tu transpires.

Randy me tapote le dos et m'emmène vers les toilettes du personnel.

– Viens, on y va.

Je lui ferais bien remarquer que seules les filles vont ensemble aux toilettes, mais il y a plus grave : le tissu de mon short a l'air grave tendu devant.

Je suis soulagé de trouver les toilettes désertes. Je ferme la porte de ma cabine et Randy se place devant. Comme il n'y a pas de verrou à l'intérieur, il me servira de sentinelle pendant que j'évalue les dégâts.

– Il va falloir que tu me dises si c'est grave. Je ne vois pas la morsure.

Randy croise les bras sur sa poitrine.

– Je surveille la porte, tu peux vérifier dans la glace.

– D'accord. Mais ne laisse entrer personne.

Je traverse la salle en boitillant. Le miroir est si vieux qu'il est tout flou. Et puis il est accroché un peu haut sur le mur. Malgré mon mètre quatre-vingt-dix, il m'arrive à la taille. Je baisse mon short et saute sur place. Malheureusement, je n'aperçois que mon gland, pas mes couilles enflées.

– Je ne vois rien.

– Essaie de décrocher le miroir du mur.

– Il est vissé.

Je me retourne, à bout de nerfs.

Randy regarde fixement mon équipement et blêmit.

– Putain de bordel de merde. Il faut que tu voies un médecin, mon pote.

Je baisse les yeux. Pas besoin de glace pour voir le problème. Le temps que je parcours la distance entre le chalet et les toilettes, ma couille gauche a doublé de volume. Avec précaution, je prends mes couilles dans ma paume et pousse ma bite sur le côté pour mieux voir. Je n'aperçois toujours pas la morsure, mais elles sont incontestablement enflées et j'ai l'impression de les avoir trempées dans de la lave.

– Il me faut un antihistaminique, du paracétamol et peut-être une poche de glace.

– À mon avis, il va te falloir bien plus que ça.

Randy s'approche et se penche.

Soudain, je suis aveuglé par un éclair de lumière. Momentanément ébloui, je lève les mains et mon short tombe par terre.

– T'as pas intérêt à poster ça quelque part !

J'essaie d'attraper son portable, mais il le lève en l'air en appuyant sur les touches avec son pouce.

– Ce n'est que ton équipement, mon frère.

Il me montre un gros plan de mes castagnettes.

– Je connais un site sur lequel des gens identifient les problèmes médicaux en se basant sur des photos. Ils trouveront peut-être quelle espèce d'araignée t'a mordu.

– Je refuse qu'il y ait des photos de ma bite sur Internet !

C'est à ce moment précis que la porte s'ouvre brusquement, heurtant Randy dans le dos. Il trébuche en avant et tombe presque la tête contre mes couilles géantes. Je le retiens en plaquant la main sur son front. Un moniteur senior – que j'ai déjà croisé au réfectoire – se tient sur le seuil. Il commence à s'excuser, mais sa voix déraille lorsqu'il me voit la bite au poing et Randy à genoux devant moi, le portable à la main.

Comme si cette journée n'était pas suffisamment pourrie…

15

Rien n'est jamais simple. Absolument rien

– Euh…

Le regard de l'Intrus des Toilettes va et vient entre Randy et moi.

– Une araignée m'a mordu les couilles.

Je lève les deux mains pour éviter qu'il se fasse des idées. Puis ça me paraît assez inutile parce que c'est clairement déjà le cas.

– Je vais…

Il agite le pouce par-dessus son épaule et se met à reculer.

Randy l'attrape par la chemise, le tire à l'intérieur des toilettes et plaque sa main libre contre la porte pour empêcher quiconque d'entrer ou de sortir.

– Tu ne vas nulle part.

– Je-je ne – je ne suis pas… Je préfère les filles.

– Calme-toi, Randy, laisse-le partir.

L'Intrus des Toilettes semble à deux doigts de se pisser dessus. Ce qui est compréhensible étant donné l'étrangeté de la situation et l'extrême agressivité de Randy.

– Ce n'est pas ce que tu crois. Une araignée m'a vraiment mordu les couilles.

Pas la peine que d'autres rumeurs se mettent à circuler, j'ai suffisamment de problèmes comme ça avec Sunny. L'Intrus baisse les yeux, puis les lève aussitôt. Son expression horrifiée confirme ce que je sais déjà. Il faut que je me fasse soigner. Et le plus tôt sera le mieux.

Comme si je ne l'avais pas encore compris, l'Intrus des Toilettes dit :

– Je crois que tu as un problème.

– Sans déconner.

– Il faudrait probablement que tu consultes.

– C'est justement ce que j'ai l'intention de faire.

Le mec hoche la tête comme si c'était plus raisonnable.

Je ferme la braguette de mon short avec précaution, afin de m'éviter toute souffrance supplémentaire. Randy et notre nouveau copain marchent deux pas devant moi, faisant office de boucliers, histoire que la vue de mes couilles ne traumatise aucun gamin ou moniteur junior qui traînerait dans le coin. Les filles nous rejoignent en courant au moment où nous nous apprêtons à entrer dans le réfectoire. Le sosie de Sunny se place devant nous et ouvre la porte à toute volée.

– Buck a eu un problème avec une araignée !

Elle se tait, puis annonce théâtralement :

– Elle lui a mordu les couilles !

Ce ne serait pas vraiment un problème s'il n'y avait que Randy, l'Intrus des Toilettes, les deux autres filles et moi. Malheureusement, un groupe de gamins est installé dans un coin. Certains jouent aux cartes, d'autres sur leurs appareils, parce que c'est le meilleur endroit pour avoir du réseau. Plusieurs moniteurs juniors sont assis à une table et préparent des en-cas pour le feu de camp. Nous allons manger des bananes braisées au chocolat. J'adore ça ! J'espère que mes couilles ne vont pas m'empêcher de me joindre au groupe. Je veux une banane braisée. Peut-être même six. Tout le monde s'arrête pour regarder fixement mon entrejambe. Je comprends pourquoi ; mon short est super serré devant. Les autres ont donc une vue imprenable sur la forme de mes couilles maintenant énormes. Je me couvre avec les mains, mais c'est trop tard. Ils ont découvert la monstruosité qui prenait toute la place dans mon short.

– Tu devrais aller voir l'infirmière, dit une des filles assises à la table.

Son regard est toujours fixé sur mon entrejambe.

– Il me faut un antihistaminique. Je pourrais vous emprunter un sachet de légumes congelés si vous en avez ?

Tout le monde continue à me fixer. Randy toussote à côté de moi.

– D'accord. Et une poche de glace ? Comme ça, je n'aurai pas à vous la rendre après l'avoir posée sur mes couilles.

Je me rappelle qu'il y a quelques gamins dans le coin de la pièce. Ils sont tous bouche bée, eux aussi.

– Sur mes testicules, je veux dire.

J'entends quelques gloussements. Je suis ravi que ça en fasse marrer certains.

L'Intrus des Toilettes intervient.

– Je pense vraiment que quelqu'un devrait y jeter un œil.

– Je me suis proposée !

Sosie lève la main. Sa voisine la force à la baisser.

– C'est bon. *Moi*, j'y ai jeté un œil ! dis-je en pointant le doigt vers mon torse. C'est juste un peu enflé.

Randy toussote de nouveau.

– Bon, d'accord. Très enflé. Mais j'ai connu bien pire, alors n'en faisons pas toute une histoire.

La brûlure qui a envahi mes couilles est maintenant accompagnée par une démangeaison atroce. C'est surréaliste. J'ai l'envie super bizarre de les tremper dans de l'eau glacée. C'est à peu près la dernière chose qu'a envie de faire un mec, en principe. Autrement dit, la situation est bien plus grave que je le pensais.

– Allons voir Debra, suggère Sosie. Elle s'occupera de toi.

Je cesse de protester. Je donne le mauvais exemple en refusant d'être examiné par un médecin. En plus, jamais une paire de couilles ne devrait être aussi grosse. Accompagné de mes amis de plus en plus nombreux, je me faufile à travers le réfectoire et me dirige vers le centre médical. Cet endroit ressemble à la fois à une mini-salle des urgences et à un centre de physiothérapie. L'équipement m'est en grande partie familier. Lorsque nous sommes arrivés et que personne ne semble vouloir partir, je frappe dans mes mains.

– C'est bon, tout le monde. Merci de m'avoir accompagné jusqu'ici. J'apprécie votre aide, mais je n'aurai sans doute pas besoin d'une équipe de pom-pom girls pour la suite.

– Euh…

Sosie lève la main comme si on était en classe et que j'étais le prof.

– Est-ce que je peux prendre une petite photo avec toi ?

– Photo de groupe ! s'écrie Randy, un sourire stupide aux lèvres. Que tout le monde s'approche !

Il rassemble brutalement mes petits copains et me place entre Sosie et l'Intrus des Toilettes. Mon sourire est probablement très crispé. Je ferais bien un doigt d'honneur, mais cette photo finira sans aucun doute sur Internet. J'espère que mon équipement n'apparaîtra pas dessus.

Lorsque la séance photo est terminée, tout le monde part enfin.

Dans un coin de la clinique, un gamin est branché à un tas d'appareils, une perfusion dans le bras. Dès qu'il me voit, il baisse la tête comme s'il était gêné d'être là ou d'avoir assisté à nos conneries.

Je me souviens de l'avoir croisé plusieurs fois cette semaine. Il ne s'est pas inscrit à une seule compétition de hockey, mais il a assisté à tous les cours. C'est un joueur incroyable, même s'il reste souvent silencieux et part toujours dès la fin du cours, avant que je puisse lui parler. Il a raté le feu de camp deux ou trois fois.

– Salut, mon pote. Je m'appelle Miller. Je t'ai vu jouer cette semaine. Comment ça va ?

Le gamin lève la tête, les yeux écarquillés de surprise.

– Euh, je m'appelle Michael.

Il regarde la perfusion.

– Et je suppose que ça va.

– Tu reprends des forces pour pouvoir jouer avec moi demain ?

D'un mouvement de tête, je désigne tous les engins auxquels il est relié.

Il sourit, mais d'un air triste et sage, bien trop sage pour un gamin de son âge.

– En quelque sorte.

Debbie l'infirmière apparaît en blouse et chaussures de sport blanches. J'aimerais pouvoir dire qu'elle a la bonne cinquantaine et le physique de ma tante. Mais hélas, elle ressemble plus à une starlette du porno qu'à la méchante infirmière de *Vol au-dessus d'un nid de coucou*. Elle doit avoir la petite trentaine – j'ai couché avec des femmes plus vieilles qu'elle – et a les cheveux foncés attachés en queue-de-cheval. Elle a quelques rondeurs, mais ça lui va bien. En bref, Debbie est trop jolie pour être infirmière. Je ne suis pas sûr d'avoir envie qu'elle jette un œil à mon équipement. Mais la démangeaison s'est généralisée, tout comme la sensation de brûlure. Je suis à deux doigts de gratter sauvagement les valseuses. Et tant pis s'il y a des spectateurs.

Elle fait ce truc que font les femmes quand elles voient quelqu'un qui leur plaît. Elle se tapote les cheveux et lisse le haut de sa blouse. C'est une réaction inconsciente. Elle se racle la gorge, puis appuie son écriteau sur sa hanche d'un air professionnel.

– Que puis-je faire pour vous aider ?

– Je me suis fait mordre par une araignée et ça gonfle.

J'ai envie de mettre les mains dans mes poches, mais il n'y a pas de place.

– Venez donc vous asseoir pour que je regarde ça.

– Euh…

Je penche la tête en direction de mon jeune copain.

– Je vais avoir besoin d'un peu d'intimité.

Debbie l'infirmière hausse brusquement les sourcils, puis ses yeux clignotent comme des stroboscopes.

– D'intimité ?

– Disons qu'elle m'a mordu à un endroit délicat.

Elle cligne des yeux encore deux ou trois fois, puis désigne un lit d'un geste. Elle me tend une blouse et ferme le rideau pendant que je baisse mon short et enfile son truc. Je n'ai jamais exhibé mon paratonnerre dans des circonstances aussi nazes.

Une fois que j'ai enfilé la blouse, je l'invite à entrer. Debbie l'infirmière ne prend même pas la peine de cacher sa stupéfaction lorsque je lui montre mon équipement.

– Oh mon Dieu.

Je ne sais pas très bien si c'est une illusion d'optique, mais mes couilles semblent encore plus grosses que la dernière fois que je les ai vues. Chacune fait à peu près la taille d'une balle de softball, et la gauche est considérablement plus enflée que l'autre. D'habitude, elles ressemblent à deux prunes gentiment collées l'une contre l'autre. Maintenant, la gauche est énorme et l'enflure atteint l'autre côté. De cette façon, ma bite a l'air beaucoup plus petite qu'elle ne l'est en réalité. Et l'endroit où elle est rattachée à mes couilles est enflé, ce qui lui donne la forme d'une torpille. Si j'avais un préservatif orange, je pourrais peindre mes burnes en vert et j'aurais une carotte à la place de la bite. Enfin, je ne crois pas que je pourrais bander tout de suite, même si j'essayais.

– C'est un peu enflé.

L'infirmière lève les yeux vers moi avec une incrédulité évidente.

– Un peu seulement ?

– Bon, d'accord. Très enflé. Mais ce n'est pas très grave, si ? Ça finira par se dégonfler si je prends un antihistaminique et que je mets de la glace.

– Savez-vous quel insecte vous a piqué ?

– Une araignée. Je l'ai écrasée quand elle est tombée de mon short.

– Elle est tombée de votre short ?

– Ouais. Je me détendais sur le ponton après le dîner en vérifiant mes e-mails, parce que c'est plus calme là-bas et le réseau est correct.

Je ne sais pas pourquoi je lui explique tout ça. Ce que je faisais n'a aucune importance. C'est l'état de mes couilles qui compte.

– Si vous étiez sur le ponton, c'est probablement une dolomède. Mais pour en être sûre, je vais devoir examiner la morsure.

Elle enfile une paire de gants.

– Vous faites une réaction assez extrême, mais c'est peut-être à cause de l'endroit où elle vous a mordu. Avez-vous des allergies ?

– À la pénicilline seulement.

– Ah. Ça pourrait expliquer le problème.

D'un geste, elle désigne vers mes énormes couilles.

– C'est mon allergie à la pénicilline qui a transformé mes burnes en pamplemousses ?

– Les propriétés du venin d'araignée sont semblables à celles de la pénicilline. C'est pour cette raison que vous faites une réaction plus importante.

Effectivement, mes couilles ont l'air plus importantes. Je jette un œil à l'horloge sur le mur ; il est déjà plus de vingt heures.

– Combien de temps pensez-vous que ça va prendre ? Il faut que je participe au feu de camp ce soir ; les gamins m'attendent. Demain matin, les moniteurs vont jouer un match contre les enfants avant que leurs parents viennent les chercher. Il faudrait que l'enflure ait diminué pour que je puisse jouer.

En plus, des journalistes locaux doivent passer, comme le souhaitait Amber.

– Un coéquipier pourra vous remplacer.

– Je ne veux pas que Randy me remplace. J'ai envie de passer du temps avec ces gamins, de jouer au hockey et de faire griller des bananes sur le feu. Donnez-moi juste un antihistaminique et quelques antidouleurs. Tout ira bien.

Mon équipement est toujours proéminent. Et Debbie l'infirmière continue à le regarder fixement. C'est compréhensible. Il faudra que je prenne quelques photos avant que l'enflure diminue, parce qu'elles sont carrément énormes. Je menacerai Vi avec chaque fois qu'elle me tapera sur les nerfs.

Debbie croise les bras sur la poitrine. J'aurais peut-être dû éviter de lui dire quoi faire, c'est une professionnelle.

– Il faut que j'examine la morsure avant de vous donner quoi que ce soit.

Elle me dit de poser les jambes sur le lit et de les écarter. C'est une position embarrassante et je me sens très vulnérable. L'infirmière se met direct au travail et tâte mes couilles en feu. Ensuite, elle me demande de me tourner sur le côté et de lever une jambe. C'est comme dans un porno, sauf que ce n'est pas excitant du tout. Je me rends compte que ces positions doivent être très inconfortables pour les nanas qui jouent dans les films hardcore.

Plus l'examen dure, plus je suis inquiet. Peut-être qu'une araignée mutante ayant pris la forme d'un carnivore mangeur de couilles s'est récemment installée au Canada. Ce n'est pas logique ; presque toutes les araignées mortelles se trouvent en Australie. Pour arriver jusqu'ici, il aurait fallu qu'elle prenne l'avion.

Je tente de calmer mon angoisse en énumérant dans ma tête les créatures les plus dangereuses du Canada, pendant que l'infirmière continue à me tâter les couilles. Un élan peut vous tuer, s'il court sur l'autoroute et fonce dans votre voiture. Les castors peuvent se montrer possessifs si vous touchez à leur bois. Et bien sûr, il y a les ours. Je connais mal le reste de la faune canadienne. Je suppose que les autres animaux sont tranquilles, comme les gens.

Finalement, Debbie l'infirmière m'autorise à m'asseoir. Elle me tend un drap pour que je puisse couvrir mon équipement.

– Comme je le soupçonnais, c'est une morsure de dolomède. Vous n'aurez pas de séquelles si on la soigne correctement. Mais avec votre allergie à la pénicilline, ce sera évidemment plus compliqué que dans des circonstances normales. En plus, elle vous a mordu à un endroit sensible, les tissus sont fragiles ici. J'aimerais vous faire une prise de sang afin d'évaluer le risque de toxicité. Ensuite, je vous donnerai quelque chose pour faire diminuer l'enflure et calmer la douleur. Il faudrait que vous reveniez dans quelques heures afin que je vérifie l'évolution de votre blessure, et puis demain matin, pour que je m'assure que vous êtes en état de jouer.

– Je suis certain que ça ira mieux demain matin. J'ai déjà reçu un palet dans les burnes un jour, et mon équipement fonctionne bien. Ce n'est pas une stupide araignée qui m'empêchera de jouer demain.

– Si je ne vous en donne pas l'autorisation, vous ne jouerez pas.

Je suis sur le point de la supplier, mais elle lève la main.

– M'occuper des problèmes médicaux des sportifs est mon métier. Vous pourrez protester autant que vous le voudrez. Si je vous dis qu'il est imprudent de jouer, vous devrez m'écouter. Vous trouverez sûrement un autre moyen de vous rendre utile au camp.

– Allez, Debbie. C'est le dernier jour.

Elle pose une main sur sa hanche et pointe mon entrejambe du doigt. Une énorme bosse soulève le drap.

– Vous n'en avez qu'une paire, vous savez. Il ne s'agit pas d'une pièce détachée de voiture. Impossible de la remplacer. Ce serait dommage que votre équipement cesse de fonctionner parce que vous vous êtes montré borné, non ?

Je réfléchis à ce qu'elle dit. J'ai eu tellement de blessures au hockey ; neuf fois sur dix, je suis sur pied en quelques jours. Évidemment, la douleur dure un peu plus longtemps que ça. Parfois, mes articulations craquent bizarrement. C'est un peu inquiétant, vu que j'ai seulement vingt-trois ans.

Quand mes blessures sont plus longues à guérir, je calme le jeu pendant les entraînements, je fais de la physio, je nage au lieu de courir, et puis je me soigne en prenant des herbes et des compléments alimentaires pour remettre mon corps en état. La possibilité que mon équipement ne fonctionne plus comme avant à cause d'une morsure d'araignée est effrayante. Je viens juste de recommencer à m'en servir. Il faut absolument qu'il soit en état de marche le jour où je reverrai Sunny, et j'espère bien que ce moment arrivera vite.

Je soupire bruyamment.

– D'accord. Mais faisons le nécessaire pour que cette blessure guérisse le plus rapidement possible. Je voudrais que la journée de demain soit mémorable pour ces gamins. Et puis je devrais revoir ma petite amie très bientôt, alors plus vite les choses redeviendront normales, mieux ce sera.

– Il vous faudra au moins une semaine pour vous remettre de cette morsure.

– Ouah. C'est beaucoup trop long.

– Nous discuterons des différentes solutions après l'examen sanguin.

L'infirmière sort par la fente dans le rideau et me laisse seul.

Je sors mon portable et prends quelques photos de mes bourses enflées. Vues du dessous, elles paraissent énormes, tandis que ma bite a l'air moyenne. Ce n'est pas flatteur. Il se pourrait bien que je ne montre ça à personne.

Je me connecte au wifi et vérifie mes messages. Je n'ai toujours aucune nouvelle de Sunny, ce qui est un peu chiant vu que la tête de nœud barbue a de nouveau posté des photos.

Je lui envoie un SMS. Je n'arrive pas à deviner si le correcteur automatique me fait encore un sale coup et je ne peux pas écouter mon message à cause du gamin de l'autre côté du rideau. Je lui parle des posts de Bushman la Broussaille. Je supporte ces conneries depuis moins d'une semaine et je suis déjà super frustré. Je déteste être amoureux. Pour la première fois depuis le CM2 – époque où j'ai reçu mon stupide surnom –, je manque de confiance en moi. Cette journée me broute les couilles – aïe. Ensuite, je cherche des photos de dolomèdes sur Internet. Je frissonne lorsque d'innombrables photos s'affichent sur le petit écran. Ces bestioles sont énormes. Je suis presque sûr que c'est ce qui m'a mordu. Comme je suis curieux, et un peu stupide, j'ajoute le mot « morsure » après « dolomède ».

– Putain de bordel de merde.

Je plaque une main sur ma bouche. Le petit Michael est de l'autre côté et je ne devrais pas jurer en sa présence. Ensuite, je me mets à faire de l'hyperventilation. Ces morsures sortent tout droit d'un film d'horreur. J'aurai beaucoup de chance si j'ai toujours mes couilles à la fin de cette histoire.

Debbie l'infirmière revient et je lève mon portable devant son visage.

– Je croyais qu'il n'y aurait pas de séquelles !

Elle me prend l'appareil des mains.

– C'est une morsure de recluse brune, pas de dolomède.

Elle clique sur une autre photo et me tend le portable. C'est moche, mais loin d'être aussi terrifiant. Enfin, il s'agit quand même de mes couilles.

Debbie l'infirmière me prélève un peu de sang, puis elle m'offre des antidouleurs et un antihistaminique costaud.

– Dans combien de temps pensez-vous que l'enflure diminuera ?

Je renfile mon short. Ranger toutes mes affaires à l'intérieur est un véritable exploit.

– Ça dépend. Entre plusieurs heures et quelques jours.

– Quelques jours ? Est-ce qu'il y a un moyen d'accélérer les choses ?

Elle tapote sur son écriteau avec son stylo.

– Les antihistaminiques font effet plus rapidement par injection que par voie orale.

– Est-ce qu'il faut que vous les injectiez dans mes couilles ?

Je ne peux réprimer un frisson.

Elle rit.

– Oh, mon Dieu, non ! Ce sont les bras ou les fesses qui conviennent le mieux.

– Faisons comme ça, dans ce cas.

Debbie prend une seringue et m'enfonce l'aiguille dans le bras. L'injection ne fait pas dégonfler mes couilles instantanément et ne soulage pas non plus la sensation de brûlure et les démangeaisons. Si c'est à ça que ressemble une MST, plutôt mourir que d'en choper une.

– Alors, je peux y aller ?

– Oui. Mais je veux tout de même vous revoir après le feu de camp et puis demain matin. J'aurai sans doute reçu les résultats de votre prise de sang d'ici là, et honnêtement, je pense qu'ils seront parfaits.

– D'accord. Ça marche.

– Je vous revois donc dans quelques heures.

Elle ouvre le rideau et va voir mon copain de l'autre côté de la pièce. Elle vérifie l'écran, puis lui tapote l'épaule.

– C'est bon, Michael. Apparemment, tout est en ordre.

Lorsqu'elle commence à retirer tous les trucs qui l'obligent à rester allongé, le gamin paraît fatigué et embarrassé. Je lui demande :

– Tu viens au feu de camp ce soir ?

Les yeux baissés, il s'assied au bord du lit.

– Je ne sais pas si j'aurai le droit.

D'un regard, l'infirmière me fait comprendre que je lui complique les choses.

– C'est le dernier soir. On va manger des bananes braisées au chocolat. Il faut que tu viennes.

J'adresse mon sourire le plus irrésistible à Debbie.

Michael la regarde.

– Je peux y aller ?

Elle hésite.

– Je ne sais pas si c'est une bonne idée. Il vaut sans doute mieux que tu te reposes ce soir, si tu veux participer au match de demain.

Michael hoche brièvement la tête, comme s'il s'y attendait. Ses longs cheveux tombent devant son visage. Ce gamin n'a pas plus de douze ans, treize ans au plus. Il a le physique dégingandé d'un gamin qui promet d'être grand et costaud dans quelques années. On devine à son attitude maussade que l'adolescence est proche, mais j'imagine qu'il a d'autres raisons d'être morose.

– On sera assis toute la soirée. Ce sera tranquille.

Je devine qu'elle hésite encore à le laisser y aller. Je devine aussi que Michael est prêt à accepter son refus sans broncher. Je fais une dernière tentative.

– Je m'assurerai qu'il n'essaie pas de courir un marathon ou ce genre de chose.

– Tu nous excuses une minute, Michael ?

Debbie me fait signe de la suivre en agitant le doigt et je la suis gauchement jusqu'à ce qu'on soit hors de portée de voix.

C'est moi qui parle le premier.

– C'est la dernière soirée. Il ne faut pas qu'il la rate.

Elle se masse le front et ferme les yeux.

– C'est la deuxième fois qu'il vient à la clinique cette semaine. Il est fatigué. Je crois qu'il a un peu dépassé ses limites. La dernière fois, il est allé directement se coucher après son passage ici. S'il ne se sent pas bien, il ne vous le dira pas. Il voudra rester jusqu'à la fin pour ne pas se sentir exclu.

– Ce gamin a l'air en bonne santé. Qu'est-ce qu'il est venu faire ici ?

– On lui a diagnostiqué un cancer il y a deux mois.

C'est l'un des gosses que je parraine.

– Il a une tumeur au cerveau.

Debbie écarquille les yeux.

– C'est lui qui vous l'a dit ?

– Est-ce qu'il va s'en sortir ?

Elle fait la moue.

– Ils ont reporté sa radiothérapie pour qu'il puisse venir cette semaine.

– Mais ça fonctionne, non ?

Je fais de mon mieux pour me concentrer sur le présent plutôt que sur les quelques souvenirs que j'ai de ma mère sur son lit d'hôpital, trop souffrante pour me serrer dans ses bras.

– Ils espèrent parvenir à réduire suffisamment la taille de sa tumeur pour pouvoir l'opérer. Mais je ne devrais pas vous raconter tout ça.

Je déteste les réponses vagues.

– Je ne dirai rien.

J'enfonce les mains dans mes poches et grimace quand elles touchent mes burnes.

Les tumeurs au cerveau sont difficiles à soigner. Même si les chirurgiens parviennent à l'enlever, ça ne veut pas dire que ce gamin sera la même personne après ou qu'il n'y aura pas de récidive.

– Laissez-le venir au feu de camp.

Je regarde le gamin. Il est assis sur le bord du lit, la tête toujours penchée. Il a l'air de détester sa vie.

– Je resterai avec lui toute la soirée. Ce serait horrible qu'il soit obligé de rester au lit à maudire sa maladie, pendant que les autres s'amusent autour du feu de camp. C'est la meilleure partie de la journée.

Je devine combien cette décision est difficile à prendre pour Debbie. L'infirmière en elle préférerait que Michael se repose, tandis que l'être humain aimerait qu'il vive cette expérience. Si le traitement ne fonctionne pas, il pourrait bien ne plus jamais en avoir l'occasion.

– Je prendrai bien soin de lui, je m'assurerai qu'il n'en fait pas trop.

Il faudra que je me renseigne sur ses parents et leur situation financière, lorsque je serai de retour à Chicago et aurai de nouveau accès aux formulaires.

L'infirmière accepte de le laisser sortir ce soir avec une certaine appréhension. Elle lui fait un tas de recommandations, comme s'il s'agissait de son propre gamin, et nous laisse enfin partir. La seule chose qu'elle me demande, c'est de le ramener en fauteuil roulant parce qu'il est trop fatigué pour marcher. Michael n'a pas l'air très enthousiaste, mais quand Randy et les filles viennent à notre rencontre et se bagarrent pour être celui qui le poussera, il se détend.

Nous passons une super soirée autour du feu de camp. Les moniteurs racontent des histoires. Nous mangeons des sucreries et parlons du programme du lendemain. Les gamins nous révèlent quels sont les meilleurs moments qu'ils ont passés ici. Quelques-uns avouent qu'ils se sont enfin sentis normaux. Michael tient le coup toute la soirée, mais à la fin, je devine qu'il a épuisé toutes ses forces en voulant veiller aussi longtemps. Un moniteur vient le chercher – le gamin est fatigué, mais tout content et gavé de sucre.

À la fin du feu de camp, la douleur dans mes couilles a beaucoup diminué. Le devant de mon short est toujours tendu, mais la situation de Michael me fait relativiser.

Comme prévu, je vais voir l'infirmière avant de retourner à mon chalet. Mon enflure semble toujours l'inquiéter, mais elle est contente que je ne souffre plus. Dans le chalet, quelques moniteurs seniors jouent aux cartes et boivent de la bière de contrebande. Je ne vois Randy nulle part.

Je jette un œil à mon portable en espérant que Sunny m'a appelé. Rien. Il est déjà vingt-trois heures. Elle est probablement sortie avec Bruce McBushman et leur gang.

La connexion est intermittente, mais je parviens à me connecter à Instragram. En attendant que la page se charge, je contemple les lattes en bois du lit au-dessus de moi. Nous avons pensé qu'il valait mieux que je dorme en bas, au cas où je serais trop lourd pour la couchette du haut. Il n'y a rien de plus naze que de se retrouver écrasé sous le corps d'un copain au milieu de la nuit. C'est arrivé pendant un stage de hockey quand j'étais au lycée. Quelques prénoms sont gravés dans le bois. Certains sont suivis de « a dormi ici ». Par endroits, des gamins ont écrit « machine + truc » entouré d'un cœur.

La première fille que j'ai tripotée, c'était à un stage de hockey, la première année où j'étais moniteur junior. Le redressage de mes dents de lapin était enfin en cours. J'ai eu le malheur de sucer mon pouce quand j'étais gamin. En fait, j'ai eu beaucoup de mal à m'en passer puisque je n'ai arrêté qu'à dix ans. D'après mon père, j'avais commencé juste après la mort de ma mère. Je ne dormais jamais chez mes copains parce que j'avais la trouille de me réveiller le pouce dans la bouche. C'était super embarrassant.

Enfin bref, cette fille était conne, mais elle jouait carrément bien au hockey et elle avait des jambes magnifiques. En bref, elle me plaisait. Un soir, nous remontions du lac vers le réfectoire, quand elle m'a tiré dans un coin, derrière de grands conifères. Ensuite, elle s'est jetée sur moi, puis a collé sa bouche sur la mienne et enfoncé sa langue dans ma bouche.

Je ne savais pas quoi faire. Bon d'accord, ce n'est pas vrai. J'avais regardé suffisamment de films et feuilleté assez de magazines, cachés par mon père dans son atelier, pour comprendre le mécanisme, mais elle m'a pris par surprise. Une fois que j'ai été remis du choc, je l'ai tripotée à pleines mains et l'ai embrassée à mon tour.

Il faisait presque nuit et les moustiques étaient déchaînés. J'étais couvert de piqûres quand on est rentrés au camp cinq minutes plus tard. Enfin, ça valait le coup, puisque j'avais non seulement réussi à l'embrasser, mais aussi à la peloter. Malheureusement, j'ai découvert plus tard ce soir-là que Shellie la Cochonne – c'était le surnom que lui avait trouvé je ne sais qui – avait embrassé presque tous les moniteurs juniors du camp. Pas de chance. Mais je pouvais au moins me féliciter d'avoir réussi à lui peloter les seins.

Le nombre de mecs qu'elle avait soi-disant emballés était sans doute un peu exagéré. Quoi qu'il en soit, ce souvenir a rapidement perdu tout son éclat.

Je repense au petit Michael et à son avenir en suspens. Si le traitement ne fonctionne pas, il n'aura peut-être même pas l'occasion d'embrasser une seule fille de sa vie. Toutes ces expériences, les bonnes comme les mauvaises, resteront à jamais abstraites dans sa tête. La vie craint vraiment, parfois.

Mon portable vibre lorsqu'arrive une alerte. Il y a de nouvelles photos. Certaines ont été postées par Bushman la Broussaille, mais j'en découvre aussi quelques-unes de Lily et deux nouvelles de Sunny. Elles ont toutes été ajoutées il y a quelques minutes. Sur l'une d'elles, Bushman a le bras posé sur les épaules de Sunny, la main dangereusement proche de son sein. C'est un selfie. Tous deux tiennent des bouteilles de bière. Bushman la dévisage tandis qu'elle regarde l'objectif. Sur une autre, Sunny est prise en sandwich entre Lily et Bushman, qui se serrent contre elle. Il ne la tripote pas, mais son attitude n'a pas l'air totalement innocente non plus.

Au premier coup d'œil, Sunny me paraît heureuse. Toutefois, à bien y regarder, ses yeux ont l'air bouffis et ses joues tachetées. Je ne saurais dire si c'est la photo qui est mauvaise. En tout cas, ils sourient tous les trois et je ne suis pas là pour empêcher la situation de dégénérer plus tard ce soir. Et Sunny n'a pas pris la peine de m'appeler.

Mon portable sonne. Ce n'est pas Sunny, mais Violet.

Sans me laisser le temps d'en placer une, elle hurle :

– Pourquoi tes couilles défigurées sont-elles partout sur Internet ?

Je jure de noyer Randy dans le lac dès que je l'aurai retrouvé.

16

Trop de déballage

Je descends de mon lit et me précipite en boitant sur la véranda afin d'avoir un peu d'intimité.

J'opte pour la réaction la plus logique : le déni.

– Mais de quoi tu parles ?

– Tes couilles gonflées sont partout, elles saturent mon fil Facebook.

Étape suivante : détourner son attention.

– Comment sais-tu que ce sont mes couilles ? T'aurais pas maté la photo de nu que j'ai faite il y a quelques années par hasard ? C'est bon, Vi, tu peux me le dire.

Je n'ai jamais fait de photo de nu. On me l'a demandé, cependant ; mon agent a pensé qu'il était préférable de refuser.

– Franchement, tu es la personne la plus dégoûtante du monde, Buck. Je suppose que ce sont les tiennes puisqu'il y a ton nom en dessous. En plus, cette bite ratatinée semble être de la bonne taille.

– Comme mes couilles sont enflées, ma bite a l'air beaucoup plus courte qu'en réalité.

– Alors c'est bien une photo de ta bite !

– Je n'ai pas dit ça !

Je déteste que Violet arrive sans arrêt à me piéger.

– Mais si !

– C'est pas vrai.

– Mais si. Bon, ne joue pas à ce petit jeu-là avec moi. C'est ta bite. Je reconnais ton short. Tu le portais la dernière fois que je t'ai vu, abruti. Ce que je veux savoir, c'est comment et pourquoi cette photo a atterri partout sur les réseaux sociaux. Tu es censé animer un stage, pas montrer tes couilles au monde entier. En plus, il y a une autre photo de toi dans le même short avec un sosie de Sunny pendu à ton cou. La fille a posté cette photo partout. Mais le plus grave, c'est qu'il y a le portrait de tes foutues couilles juste à côté. T'as intérêt à pas déconner avec Sunny, sinon c'est pas Alex qui va te foutre une raclée, mais moi !

– Attends.

– Comment oses-tu…

J'éloigne le portable de mon oreille. Vi continue à me passer un savon, tandis que je tape mon nom + bite dans un moteur de recherche. Le premier lien est celui d'un site médical affichant la photo que Randy a prise, accompagnée de la question : « Quel genre de morsure d'araignée provoque ce type d'enflure ? »

Vient ensuite la photo de groupe sur laquelle j'apparais avec mes burnes enflées. Mon entrejambe est entouré en rouge et le sosie de Sunny a posté juste à côté le gros plan de mes couilles. Sur une autre photo, elle s'est débrouillée pour faire disparaître le groupe afin qu'il ne reste que nous deux et je m'aperçois que ce montage est devenu sa photo de profil. En fait, cette fille ne s'est jamais inquiétée pour moi. Décidément, les photos compromettantes se répandent sur le Net à une vitesse incroyable. Il n'y a rien que je puisse faire pour arrêter ce massacre, maintenant que c'est arrivé. Je me connecte à mes propres comptes et découvre que mon nom a été mentionné par un nombre insensé de personnes ces dernières heures. Des tas de groupies follement amoureuses de moi m'offrent de s'occuper de mes couilles ou me souhaitent une guérison rapide.

– Je suis dans la merde, hein ?

– Dans la merde ? On dirait que tu trompes Sunny avec une fille qui lui ressemble ! Comment veux-tu que je t'aide, alors que de nouvelles photos compromettantes de toi se mettent à circuler sur Internet tous les jours ?

Je me frotte le visage.

– Cette relation est vouée à l'échec.

Je lui raconte tout ce qui s'est passé, de ma morsure d'araignée à la débâcle qu'elle a entraînée.

– Je comprends bien que tu n'es pas pour grand-chose dans cette histoire, mais je pense que tu as peut-être raison, marmonne-t-elle. Votre relation est vouée à l'échec si tu continues à faire des conneries pareilles. Je ne sais même plus quoi te dire.

– Merci beaucoup, Vi. Tu m'aides vraiment beaucoup.

Elle soupire.

– Je t'adore, Buck, mais parfois, tu compliques tellement les choses. Pourquoi ne postes-tu pas des photos de toi avec les gamins du camp ? Tu dois en avoir pris des millions à ce stade. Tu le fais toujours, d'habitude. Il faut absolument que tu fasses circuler des choses positives, pas des trucs atroces comme l'enflure de tes couilles.

– Qui croira que je fais tout ça par altruisme si je poste des photos du camp ?

– Tout le monde ! Pourquoi te prendre la tête ? Les familles de ces gamins signent toutes une autorisation d'utilisation de l'image de leurs enfants.

– Comment le sais-tu ?

– Parce que je lis les e-mails que m'envoie Amber. On en a déjà parlé. Je comprends que ce soit un acte personnel pour toi, mais ça aiderait beaucoup de monde si tu t'exprimais davantage sur toutes les choses positives que tu fais. Comment veux-tu inspirer les jeunes si tu gardes tout pour toi ? Les photos de tes putes occupent tout l'espace et les gens pensent que ta vie n'est qu'une longue partie de jambes en l'air. Tu as des tas de super projets, mais tu ne fais rien pour en informer le public – à moins que ton projet soit de monter un groupe de soutien pour toutes vos putes.

Je contemple le ciel et un million d'étoiles semblent me lancer des clins d'œil. Violet a raison. Amber me tanne avec ça depuis longtemps. Elle me demande de devenir le porte-parole des associations caritatives que je soutiens. Il faut que je mette plus d'énergie là-dedans. L'intersaison est le moment parfait pour mettre toute cette histoire en route et faire quelque chose par moi-même. Mon but ultime est de créer une fondation, afin de rassembler des fonds pour les gamins et les familles en difficulté.

– D'accord, Vi. Je comprends ce que tu veux dire. Je posterai quelques trucs sur le camp. Je commence aussi à avoir des idées plus précises sur le nouveau projet que je veux mener. Je pense qu'un match de charité remporterait un certain succès, surtout s'il a lieu juste avant la saison. J'en parlerai à Amber et nous pourrons commencer à organiser tout ça quand je serai rentré à Chicago. J'enverrai aussi un mail à papa, histoire de le mettre à contribution, puisqu'il a plein de contacts.

– Voilà qui me paraît beaucoup plus constructif qu'un groupe de soutien pour vos putes. Il faut que tu prouves ta générosité autrement qu'en jouant les yetis en rut.

Je lève les yeux au ciel.

– Tu ne peux pas t'en empêcher, hein ?

– Eh non ! Bon, il faut que j'y aille.

– Attends. J'ai un autre problème.

– J'espère que tu ne vas pas donner de nouvelles raisons à Alex de vouloir t'arracher la bite.

– Pff. Waters n'y arriverait jamais, même s'il le voulait. Elle est magique, comme la corne d'une licorne – mais pas pointue. Et puis, je ne sais pas de quelle substance féerique se composent les cornes de licorne, mais la mienne est faite de chair. Et elle est incassable.

– Tu as fumé toute la beuh du Canada, ma parole !

– Non, pourquoi ? Enfin bref, tu sais que Sunny est partie camper avec son stupide Bushman ?

– Tu veux parler de Kale ?

– Ouais. J'ai bien peur qu'elle ait oublié combien je suis doué pour les câlins ou à quel point c'était marrant de regarder des films à poil, parce que j'ai vu plein de photos de lui collé à elle comme un chien en chaleur.

– Surtout, je ne veux rien savoir de plus sur ce que vous avez fait le week-end dernier. Pas la peine de me déballer tout ça juste avant que j'aille me coucher.

– Tu ne crois pas que tu es un peu mal placée pour me reprocher ces quelques confessions ?

– Désolée. Bon, parle-moi de ces photos. Elle n'est pas nue quand même ? Alex risque de péter les plombs.

– Il a le bras posé sur ses épaules.

– Et elle est nue ?

Violet peut être très démoralisante, parfois.

– Non.

– Est-ce qu'il lui caresse le sein à travers son T-shirt ?

– Non.

– Il a une main glissée sous son T-shirt ?

– Non.

– Est-ce qu'il essaie de l'embrasser, quelque chose comme ça ?

Vi a l'air dégoûtée. Bon d'accord, il ne l'embrasse pas, mais je me sens un peu plus soutenu.

– Non.

– Est-ce qu'il a sorti sa bite ?

– Bordel. Non. Il a juste un bras posé sur ses épaules.

– Ah. Et elle, qu'est-ce qu'elle fait ?

– Elle sourit. Ils tiennent tous les deux des bières. Elle a posté cette photo récemment. Ils sont dans un bar.

– Aucune main n'est posée au mauvais endroit ?

– Non, putain. Sinon je serais déjà en route.

– Attends une minute, gros bêta. Réfléchis un peu à ce que tu viens de dire. Un mec a le bras posé sur les épaules de ta copine et tu envisages de parcourir dix mille kilomètres pour lui casser la gueule ? Lui hurler dessus ? Hurler sur Sunny ? L'emporter sur ton épaule dans une cabane au fond des bois, sans eau courante ni toilettes, afin de pouvoir la mettre en cage et la promener en laisse ?

– À t'entendre, je me comporte comme un homme des cavernes.

– Pas sûr que le pagne tienne…

– C'est son ex. Ils sont sortis ensemble pendant quatre ans, Vi. Imagine qu'elle soit ivre et décide que sa minuscule bite vaut mieux que ma corne de licorne bien au-dessus de la moyenne ?

– Je pense qu'il faut que tu arrêtes de t'en faire pour la taille mythique de ton équipement et que tu te concentres sur le vrai problème. Tu as fait des erreurs avec Sunny. Elle a des raisons légitimes de se montrer prudente avec toi. Ça craint, je sais. Mais tes qualités compensent largement tes défauts. Tu es incroyablement gentil et prévenant quand tu ne te sers pas de ta bite. Je sais que tu ne l'as pas trompée, mais tu es quand même dans la merde à cause de tes antécédents.

– Je ne peux pas effacer ce que j'ai fait avec mes groupies.

– Non, en effet. Autrement dit, tu vas devoir travailler mille fois plus dur que les autres pour gagner sa confiance.

Je réfléchis à ce qu'elle vient de dire.

– Je comprends, mais à mon avis, ce que je subis est un peu injuste. Ce n'est pas moi qui ai voulu que toutes ces photos compromettantes circulent.

– Tu penses que Sunny se venge ?

– Peut-être qu'elle laisse son ex prendre toutes ces photos intimes pour me faire enrager ?

– Pour te rendre jaloux, tu veux dire ?

– Pourquoi pas. Les gens font ça parfois, non ?

– Parfois. Je n'imagine pas Sunny agir par rancune, mais il faut que tu lui parles. Peut-être que c'est intentionnel, peut-être pas. Tant que vous n'aurez pas eu une sérieuse conversation, tu ne feras que te triturer les méninges et imaginer des scénarios catastrophes pour rien.

Vi a raison. Je souffle bruyamment dans le téléphone.

– Est-ce que les histoires d'amour sont toujours aussi compliquées ?

– Pas toujours. Mais celles qui valent le coup sont celles qui demandent le plus d'efforts.

17

On n'est plus tranquille nulle part, même aux toilettes

Je suis à deux doigts d'appeler Sunny, lorsque mon portable sonne. Au début, je crois que c'est Violet qui me rappelle pour me balancer la dernière insulte de la soirée ou pour me fournir un ultime conseil – les deux sont possibles. Mais il s'agit de Sunny et c'est un appel vidéo.

Ma première pensée, c'est qu'on pourrait faire l'amour au téléphone. Je ne sais pas pourquoi. On n'a aucune intimité ici. Je suis un peu énervé contre elle, et nous ne l'avons jamais fait avant. En plus, j'ai toujours mal aux couilles. J'ai l'impression qu'il me serait presque impossible de bander, et encore plus de jouir.

Je décroche. L'écran reste noir pendant quelques secondes, puis apparaît le visage mouillé de larmes de Sunny.

Ma colère se transforme en inquiétude.

– Sunny ? Qu'est-ce qui ne va pas ?

J'essaie d'apercevoir son environnement, mais elle tient le portable trop près de son visage.

– Tu avais promis !

Elle est bourrée. Je le devine à sa voix traînante et à la lourdeur de ses paupières. J'ai vu Sunny éméchée deux ou trois fois. Elle était mignonne, drôle et tactile. Rien à voir avec maintenant.

Je suppose qu'elle a vu les photos de ma bite.

– Sunny, bébé. Je vais tout t'expliquer.

– Tu te trouves toujours des excuses ! Tu es tellement doué pour ça. Pourquoi il faut que tu sois aussi beau ? Pourquoi il faut que tu sois aussi sexy, gentil et doué au lit ? Je n'arrête pas de penser à toi et… et… et…

Elle éclate en sanglots.

Je ne vois plus son visage. Je crois que je suis en train de regarder ses cheveux, mais c'est difficile à dire. Le volume de la musique augmente, puis diminue. Je crois entendre des voix masculines dans le fond. Si seulement j'avais mes écouteurs. Sunny pleure bruyamment et ses sanglots résonnent autour de moi. La forêt qui entoure les chalets étouffe un peu les sons, mais notre conversation privée est totalement publique.

– Respire, Sunny Sunshine. Tout va bien. Si seulement tu m'avais appelé ou envoyé des messages cette semaine. Tu aurais pu te rendre compte que tu n'avais aucune raison de t'inquiéter.

– Le réseau était mauvais. Enfin, le mien. Je n'aurais pas dû choisir le pack le moins cher. Je n'avais qu'une barre, la plupart du temps. Parfois, je pouvais lire tes messages, mais je n'arrivais pas à te répondre. Le portable de Lily ne fonctionnait pas mieux. J'ai essayé de l'utiliser et c'est là que j'ai vu toutes ces photos…

Elle hoquette.

– Parlons-en justement.

Elle lève la tête et me regarde avec des yeux troubles.

– Ton pénis est partout sur Internet. Je croyais que c'était le mien.

– Mais c'est le tien, bébé. Je suis désolé pour la photo. J'ai été mordu par une araignée aujourd'hui. Je ne savais pas que Randy allait la mettre en ligne.

– Je me fiche que tout le monde voie ton pénis. Il est magnifique. Mais tes couilles ont l'air vraiment grosses. Pas très normales. J'imagine que c'est à cause de la morsure d'araignée ? Le problème, c'est les commentaires sur ton mur. Ils ne m'ont pas plu. Je ne peux pas…

Elle hoquette.

– Tu savais que tes groupies avaient fondé un fan-club ?

Malheureusement, oui. Je suis tombé dessus un jour en tapant mon propre nom dans un moteur de recherche. J'ai créé un faux compte sous le nom de Groupie Foufoune afin de voir ce qu'elles se racontaient. Les filles avaient posté beaucoup de selfies. Sur la plupart, on me voyait endormi à côté d'une groupie qui levait les pouces. Sur d'autres, on voyait pendre mon paquet. Rien de tout ça ne va m'aider à arranger les choses entre Sunny et moi.

– Mieux vaut que tu ne regardes pas ces trucs, bébé. Tu sais bien que les gens adorent déformer les choses.

Quant aux commentaires sur les photos de mes couilles, je ne peux malheureusement pas exiger des groupies qu'elles effacent leurs condoléances.

Sunny se redresse et rejette ses cheveux par-dessus son épaule. Elle enroule une fine tresse entre ses doigts et la passe sur ses lèvres.

– Je n'ai pas essayé de m'y inscrire. Je sais à quoi tu ressembles. Je le sais, et pourtant…

Elle soupire.

– Lily et Benji se disputent beaucoup. J'ai voulu aller dormir dans la tente hier soir, mais il y avait des crottes d'ours dans les environs, alors j'ai laissé tomber. Je crois que Kale n'a toujours pas tourné la page. Est-ce que tu vas me larguer ?

Sunny n'arrête pas de sauter du coq à l'âne. J'ai bien peur qu'elle soit vraiment bourrée et je me demande bien où elle peut se trouver. J'ai un million de questions à lui poser, du genre « Mais où est-ce que tu dors, si ce n'est pas dans la tente au milieu des merdes d'ours ? » et « qu'est-ce qui te fait dire que Bushman la Broussaille n'a pas tourné la page, au juste ? » Ma colère monte de nouveau, mais je reconnais qu'il serait bien inutile de lui faire part de ma frustration alors qu'elle est dans cet état.

Je réponds à la dernière question, parce que c'est la plus importante et probablement la seule dont elle se souvienne.

– Mais non, je ne vais pas te larguer. Qu'est-ce qui te fait croire ça ?

Sunny baisse à la fois les yeux et la voix.

– On a fait l'amour. Je me disais que tu allais peut-être jeter le beurre, maintenant que tu as eu l'argent.

Lorsqu'elle lève les yeux, des larmes coulent sur ses joues tachetées.

– Pourquoi crois-tu que j'ai attendu aussi longtemps pour coucher avec toi ?

– Tu pensais que je ne voudrais plus te voir après ?

Voilà une conversation que j'aurais préféré ne pas avoir au téléphone.

– Évidemment. Tu es doué au lit, moi pas. Je parie que tes groupies sont très fortes aussi. Je suis sûre qu'elles te taillent des pipes. J'aurais dû t'en tailler une. Tu es incroyable au lit. Je te l'ai déjà dit, non ? Je crois que je suis un peu bourrée.

Elle souffle sur les cheveux qui lui tombent devant le visage. Comme ils retombent, elle les repousse d'un geste lourd, maladroit.

– S'il existait une Coupe Stanley de l'orgasme, tu la remporterais haut la main. Tiens, je pourrais en fabriquer une à mon cours de poterie. Tu me manques. Je suis tellement en colère contre toi. Tu m'avais promis qu'il n'y aurait plus de photos de groupies, et hop !

Elle claque mollement des doigts.

– L'une d'elles apparaît comme par magie. Cette fille me ressemble. Est-ce que tu la trouves plus jolie que moi ? Elle était maquillée. Tu trouves que je devrais me maquiller ?

Sa franchise me fend le cœur. Il y a tellement de choses qui me troublent dans ce qu'elle dit. Je ne voulais pas que ça se passe comme ça entre nous. Si je n'ai jamais insisté pour qu'on couche ensemble, c'est parce que je ne voulais pas qu'elle pense que c'était tout ce que j'attendais. Je pensais que c'était clair. Mais bon, Sunny n'est absolument pas en état d'en discuter maintenant.

– Je te trouve magnifique sans maquillage. Et ce n'était pas une groupie, mais l'une des monitrices du camp. Sunny, bébé, où es-tu ? Où est Lily ?

– Je te l'ai dit, elle se dispute avec Benji.

Sunny change de position et s'appuie contre un mur. À côté de sa tête, j'aperçois des mots écrits au marqueur ou gravés dans la peinture.

– Tu es enfermée dans des toilettes ?

Elle hoche la tête et renifle. Je l'entends tirer sur le rouleau de papier toilette. Elle approche un paquet de feuilles de son nez et se mouche.

– Ça sent très mauvais là-dedans.

– J'imagine. Pourquoi tu ne sors pas ? Ça sentira bien meilleur dehors et ce sera plus calme.

Elle baisse la voix et chuchote.

– Je me cache.

– De qui ?

– De Kale. Il a essayé de m'embrasser. Je crois qu'il ne s'est pas brossé les dents depuis qu'on est arrivés ici. Ou peut-être qu'il a des caries. En tout cas, il a mauvaise haleine. Et sa barbe – elle ne me plaît pas du tout. Elle n'est pas douce comme celle que tu avais pendant les matchs des séries éliminatoires. J'aime bien ta barbe. Surtout quand tu la frottes sur mes tétons.

Sunny se caresse la clavicule. Il se peut qu'elle porte une robe. Je ne la vois qu'au-dessus des épaules.

– Je t'aime beaucoup, Miller. Tout le monde pense que j'ai tort. Sauf Violet et ma mère. Elle te trouve parfait et pense que tu t'occuperas bien de moi, mais je peux le faire moi-même. Lily me dit que je vais souffrir, et peut-être qu'elle a raison, mais j'ai pas envie de l'écouter parce que j'ai envie d'être avec toi, mais parfois, c'est vraiment dur.

Toutes ces confessions me donnent matière à réfléchir. Soudain, j'entends un vacarme assourdissant : de la country à plein volume, des voix masculines, et puis une chasse d'eau et un robinet qui coule.

– Sunny, je peux te poser une question ?

– Bien sûr.

– Tu ne serais pas dans les toilettes pour hommes, par hasard ?

– Hm-hm. Personne ne me cherchera ici puisque j'ai un cookie, pas un pénis.

Je trouverais ça très drôle, si j'étais là pour veiller sur elle. J'en veux beaucoup à Lily d'être une amie aussi pitoyable et à Bushman la Broussaille de lui avoir donné envie de se cacher.

– Il faut que tu sortes de là, poussin.

– Impossible. Il y a des urinoirs et les hommes font pipi en rangs. C'est bizarre – on dirait des vaches alignées devant une mangeoire, sauf qu'ils font pipi. Ils sont juste à l'extérieur de la cabine. Je risque de voir des pénis.

Sunny écarquille les yeux d'horreur, complètement ivre.

– Je veux seulement regarder ton pénis.

– Tu m'en vois ravi. Mais les toilettes pour hommes ne sont pas un endroit sûr pour toi. Couvre-toi les yeux et dirige-toi tout droit vers la porte.

Elle inspire profondément plusieurs fois.

– Tu es tout à fait capable de le faire, Sunny. Ma pauvre, je viendrais te chercher si je le pouvais. Le camp se termine demain. Je prendrai la route dès que les gamins seront partis.

– Je n'ai pas besoin que tu me sauves, Miller. Je peux me couper de moi-même.

Je pense qu'elle veut dire « m'occuper », mais elle se mélange les pinceaux.

– Je le sais. Mais je suis inquiet et je n'aime pas te savoir dans cet état. J'aimerais être là pour arranger les choses.

Elle s'humecte les lèvres.

– J'aime bien quand tu arranges les choses. C'est agréable.

– Je te ferai plein de choses agréables dès qu'on se verra, d'accord ?

J'espère qu'il y a assez de bruit dans les toilettes pour que personne n'entende notre conversation.

– D'accord. Peut-être. Mais d'abord, j'ai envie de rester

un peu fâchée, à cause de la photo de toi avec cette fille qui me ressemble.

– Pas de problème. C'est ton droit. Nous parlerons de plein de choses.

Nous avons tous les deux quelques comptes à régler.

– Tu veux bien sortir de ces toilettes maintenant ?

– D'accord.

Sunny se lève avec détermination.

– Je vais te mettre dans mon soutif.

– J'adore être dans ton soutif.

– Je sais. Oh, attends. Je n'en porte pas. Hmm. Je vais te mettre dans ma petite culotte.

– Encore mieux.

Sunny porte incontestablement une robe. Elle se lève, la remonte sur ses cuisses puis glisse le portable dans sa petite culotte. C'est la première fois que je suis aussi près de sa chatte cette semaine.

J'entends un cliquetis, puis Sunny qui panique. J'essaie de la calmer, mais comme je suis dans sa petite culotte, elle ne peut pas m'entendre. Tout à coup, un claquement retentit. Des voix étouffées poussent des cris de surprise et quelques personnes sifflent.

– Sunny ? Mais qu'est-ce que tu fais là-dedans ?

Je connais cette voix. C'est Bushman la Broussaille.

J'entends un bruit de fond et des voix qui se disputent. La musique devient atrocement forte, puis il y a une sorte de craquement. Du gravier, peut-être. Encore un échange verbal étouffé. Tout à coup, j'aperçois de la lumière. Le portable de Sunny quitte son sous-vêtement et tombe sur le sol du van. Je vois ses jambes et sa petite culotte. Il y a des petites fleurs dessus.

Une main couvre l'écran comme une araignée. Et ce n'est pas le visage de Sunny que je découvre ensuite. J'ai un haut-le-cœur ; c'est celui de Bushman.

Je le pointe du doigt.

– Toi, mon gars, tu ne perds rien pour attendre.

Il sourit sans doute, mais je ne peux pas le savoir, car sa barbe couvre sa bouche.

– Allez, Sunny Bunny. Viens te coucher.

– Ne m'appelle pas comme ça ! Hé, où est mon portable ? Rends-le-moi.

Il met fin à l'appel avant que je puisse prononcer un mot de plus. J'essaie de rappeler Sunny, mais tombe sur sa messagerie.

Ce connard à l'haleine de phoque l'aura voulu. Je vais le réduire en miettes.

18

Dégonflé

Le lendemain matin, je me lève tôt. D'un côté, je n'arrête pas de penser à Sunny, et de l'autre, j'ai mal aux couilles et envie de pisser. Je me dirige vers les toilettes en boitillant toujours, mais pas autant qu'hier soir. Lorsque je libère mon paratonnerre, je suis énervé de voir que mes couilles n'ont toujours pas retrouvé leur taille normale. L'enflure n'a pas diminué autant que je l'espérais pendant la nuit.

Je passe à la clinique avant le petit déjeuner. Je vais prendre une autre dose d'antihistaminique, participer aux dernières activités et filer retrouver Sunny.

Je baisse mon caleçon ; Debbie l'infirmière garde une expression neutre tandis qu'elle examine la situation.

– Est-ce que l'enflure n'aurait pas dû diminuer davantage ?

– Ce n'est pas l'enflure qui pose problème, mais le liquide.

– Le liquide ?

– Ce phénomène peut se produire, surtout quand la morsure provoque une réaction allergique. La blessure se remplit de liquide.

– Comme une ampoule ?

– En quelque sorte, oui.

– D'accord, mais est-ce qu'il partira tout seul ?

Je ne peux pas continuer à me promener avec des couilles aussi grosses que des pamplemousses. Et j'ai un long trajet devant moi. Rester assis ne va pas être agréable. Mais le plus important, c'est que j'ai besoin de couilles en état de marche. Et vite.

– Au bout d'un moment, oui.

– Et c'est long, un moment ?

– Quelques jours, peut-être plus.

– C'est pas vrai ! Et on ne peut rien faire ? Vous ne pourriez pas me donner quelque chose ?

L'infirmière se racle la gorge et regarde son écriteau.

– Les antibiotiques que je vous ai donnés hier soir devraient aider. Il y a une autre solution…

Je me tape sur les cuisses.

– Oui ? Qu'est-ce que c'est ? Je suis prêt à tout pour faire disparaître ces bourses géantes.

– Je pourrais vider la poche de liquide.

– La vider ?

Debbie hoche la tête.

– Ça fera incontestablement diminuer l'enflure.

– Et vous feriez ça avec…

Je laisse ma phrase en suspens. Je sens que je connais déjà la réponse. Il n'existe qu'un seul moyen de vider une poche de liquide.

– Avec une aiguille.

– D'accord. Je vois.

Je me frotte les cuisses. Mon estomac semble être descendu tout droit dans mes orteils. Je me suis fait recoudre un paquet de fois sans anesthésie. J'ai vu le médecin de l'équipe enfoncer une immense aiguille dans la plaie béante que j'avais au bras et ça ne m'a même pas perturbé. Mais une aiguille dans les couilles, c'est différent. Elles sont attachées au centre de mon univers.

– Mes couilles retrouveront vraiment leur taille normale ?

– Cela devrait considérablement les aider.

– Et mes affaires seront plus rapidement en état de marche ?

– En principe, si vous y allez doucement et que vous

ne vous fatiguez pas trop. Vous allez devoir rester assis aujourd'hui et éviter toute activité énergique ces prochains jours.

– Qu'est-ce que vous appelez « énergique » ?

– Tout ce qui pourrait créer un traumatisme. Je vous recommande aussi de porter un slip afin de réduire la friction.

– J'irai m'en acheter un dès aujourd'hui.

Si nécessaire, je peux y aller mollo sur les parties de jambes en l'air avec Sunny pendant quelques jours.

– D'accord. C'est parti.

– Vous êtes sûr ?

Elle me laisse le choix.

Mais je ne peux pas revenir en arrière, même si j'en ai envie.

– Sûr et certain.

– Je vais d'abord endormir la blessure.

– Super.

En effet, je veux bien un petit coup de main.

Debbie me demande d'enfiler une autre blouse d'hôpital. Je trouve assez comique qu'elle me laisse seul pendant que je me déshabille, puisqu'elle va bientôt se retrouver avec mes burnes sous le nez. Je l'enfile tout de même et me rassieds. Je dois garder les jambes écartées pour laisser suffisamment de place à mes parties enflées. L'infirmière Debbie me laisse de nouveau seul en attendant que l'anesthésie fasse de l'effet.

Comme il n'y a personne d'autre dans les parages, j'utilise l'application synthèse vocale pour envoyer un message à Sunny. Franchement, je ne comprends pas pourquoi les gens se fatiguent à taper leurs SMS. C'est tellement plus facile.

Comment tu te sens ce matin ?

Je fais défiler mes e-mails en attendant sa réponse. On dirait qu'Amber a eu accès à Internet hier. J'ai reçu douze nouveaux mails d'elle. La plupart sont des messages vocaux. Debbie revient avec un plateau couvert d'un tissu. J'arrête de lire mes messages et la laisse faire son boulot tout en gardant les yeux rivés au plafond. Je n'ai aucune envie de voir l'aiguille qu'elle projette d'utiliser.

– Bon. Vous allez sentir un pincement, mais il faudrait que vous restiez aussi immobile que possible.

J'essaie de rester détendu. Le « pincement » ressemble plutôt à un coup de tison brûlant dans les couilles.

Lorsqu'elle a terminé, elle nettoie la morsure et la couvre avec de la gaze et du sparadrap. Je vais avoir un mal de chien à l'enlever. Je m'assieds et vérifie mon équipement. Il n'est plus aussi gonflé. J'ai droit à une nouvelle dose d'antihistaminique, une injection d'antibiotiques et quelques antidouleurs de plus. Je n'ai toujours pas la permission de participer au tournoi ce matin. Ça me fait chier, mais pas autant que mes couilles géantes.

Je glisse du lit et essaie de marcher. Mon boitement n'est plus aussi prononcé qu'avant. Pourtant, je vais suivre le conseil de l'infirmière Debbie et aller m'acheter un slip.

Après mon passage à la clinique, je vais au réfectoire. Je pourrais m'asseoir avec les moniteurs, mais parfois, c'est sympa de traîner avec les gamins et de tailler le bout de gras avec eux. Comme il est encore tôt, ils arrivent lentement, par petits groupes. Assis tout seul à une table, mon pote Michael donne des coups de fourchette dans ses pancakes.

Je m'assieds à côté de lui avec précaution et lui ébouriffe les cheveux.

– Comment ça va ce matin ?

Il me lance un sourire peu enthousiaste et hausse une épaule.

– Ça va.

– Tu t'es bien amusé hier soir ?

– On a veillé jusqu'à minuit, me répond-il avec un sourire insolent.

– La vache. Tu dois être fatigué ce matin, non ?

– Ça va.

Il regarde autour de lui afin de s'assurer que personne ne nous entend.

– Le traitement que je dois suivre me donne la nausée.

Je n'avais pas envie d'aller à la clinique hier, mais on m'a dit que c'était obligatoire. Du coup, je ne peux pas jouer aujourd'hui. Je déteste ça.

– J'imagine. Ça doit être chiant.

Il éparpille sa nourriture dans son assiette.

– Ouais. Je n'étais jamais malade avant, mais maintenant, je me sens tout le temps vaseux.

– Mais il est important que tu te soignes, non ? Il faut que tu te rétablisses.

Je m'attaque à mon petit déj, une pile de sept pancakes tartinés de margarine et de faux sirop d'érable.

– Je ne peux pas jouer non plus aujourd'hui.

J'enfourne une bouchée et mâche. Maintenant que mes couilles ne font plus la taille de ma tête, j'ai de nouveau faim.

– Pourquoi ?

– J'ai été mordu par une araignée.

Michael rougit.

– Je pensais que c'était juste une rumeur.

– Si seulement ! Du coup, je vais devoir me contenter de jouer les coachs aujourd'hui ; ça te dirait d'être mon assistant ?

Son regard s'éclaire comme si je venais de lui dire que je lui achetais une Ferrari.

– La vache, t'es sérieux ?

– Ouais, mon pote. Je vais avoir besoin d'aide. Alors, partant ?

– Carrément.

– Cool.

Je sors ma casquette de baseball et la pose sur sa tête. Elle est beaucoup trop grande et, maintenant, j'ai les cheveux tout aplatis sur la tête, mais je m'en fous. Je ressens une espèce de chaleur en moi, comme à chaque fois que j'aide quelqu'un à se sentir mieux. C'est enivrant. Je sors mon portable et prends quelques photos.

– Ça te dérange si j'en mets quelques-unes en ligne ?

– Non. Pas de problème.

Je poste l'une des photos et ajoute en légende : « En train

de stratégiser avec mon coach asistant pendant le ptit déj. Avec l'èquipe Butterson, l'afaire est dans le sac. »

– Comment tu te débrouilles à l'école ?

– Bien. Je n'ai pratiquement que des A. Sauf en musique.

– Donc tu es bon en orthographe ?

Il hoche la tête.

– Ouais, je suppose.

– Cool.

Je décide de lui parler de mon problème, parce que ça me semble être la bonne chose à faire.

– Tu veux bien relire ce commentaire pour moi avant que je le poste ? Je suis nul en orthographe.

– C'est vrai ?

– Ouaip. Je suis dyslexique.

Michael n'hésite pas un instant à accepter. Et il ne me juge pas non plus. C'est ça que je trouve génial avec les gamins. Il se redresse sur sa chaise.

– Un de mes copains aussi ! Il n'arrête pas de lire tous les mots à l'envers. C'est comme si toutes les lettres se mélangeaient et que les phrases étaient sens dessus dessous, non ?

– Il y a de ça, ouais.

Je lui passe mon portable. Il relit mon commentaire et on ajoute son nom sous la photo. Ça déchire. Ça veut dire que je vais pouvoir suivre ses progrès et voir quelles difficultés financières rencontre sa famille.

Quatre heures plus tard, je suis sur le parking avec Randy. Nous donnons des autographes aux parents, serrons les gamins dans nos bras et prenons des photos. Je n'ai pas eu le temps de l'engueuler après l'apparition de la photo de mes couilles sur le Net, mais nous allons bientôt nous retrouver seuls dans la voiture.

Les mecs du journal local sont venus, comme le souhaitait Amber. Ils nous interviewent, Randy et moi, ainsi que quelques-uns des gamins. Amber avait raison ; ils n'ont rien à voir avec les journalistes auxquels j'ai affaire d'habitude. Tout est tellement plus cool ici !

Les parents de Michael viennent le chercher dans une vieille camionnette. Ce n'est pas une épave, mais elle a clairement dépassé sa date de péremption. Sa mère descend du véhicule avant même que le moteur se soit arrêté. Elle fout la honte à Michael en le serrant dans ses bras et en l'embrassant, le visage couvert de larmes. Comme n'importe quelle maman, elle lui fait passer un véritable interrogatoire et l'observe avec un regard critique, mais plein d'amour.

Une fois qu'elle a fini d'embarrasser son fils devant tout le monde, elle le traîne jusqu'à l'endroit où nous nous tenons, Randy et moi. Michael enfonce les mains dans ses poches et fait les présentations en marmonnant. Sa mère se remet à pleurer et me serre dans ses bras en me remerciant de lui avoir offert la possibilité de participer à ce stage.

Ils forment une famille géniale et semblent à peu près s'en sortir, pour le moment. Je ne sais pas si leur situation changera une fois que le traitement de Michael aura vraiment commencé. C'est un gamin. Il pourrait avoir besoin de soins permanents pendant des mois, ce qui veut dire que l'un de ses parents devra rester à la maison au lieu de travailler. Il faut que je cherche à savoir si ça risque de leur poser problème. Je prends leurs coordonnées pour qu'on puisse rester en contact. Je sais exactement comment j'ai envie de mener ma collecte de fonds, à présent. Vi et Amber tiennent absolument à ce que les médias soient présents ? Elles vont voir ce qu'elles vont voir.

Une fois que tous les gamins sont partis, je jette mes sacs sur la banquette arrière de ma voiture de location et vérifie mes messages. J'espère que Sunny m'a répondu ; sinon ça va être galère de remonter sa piste jusqu'au trou du cul du monde. Elle m'a envoyé cinq messages au cours de l'heure qui vient de passer.

Le premier n'a aucun sens :

Riboloud prutain bor.

Le suivant est extrêmement clair.

Ne va pas à Chapleau.

C'est un vrai coup de pied dans mes pauvres couilles. Par chance, le suivant est moins pénible à lire.

On est ds le cottage d'Alex. Préviens-moi quand tu arrives.

Elle me fait suivre le lien d'un site qui détaille tout l'itinéraire. En découvrant son dernier message, je me demande si elle a le moindre souvenir de notre conversation d'hier soir. Je n'ai pas besoin de l'application synthèse vocale pour le comprendre.

G hâte 2 te voir.

Je ne lui renvoie pas de message. J'ai envie de la voir, mais je lui en veux toujours pour hier soir et pour les photos postées dans la semaine. Elle n'est sans doute pas responsable de nos problèmes de communication, mais le reste n'est pas très clair.

Ils ne sont sans doute pas arrivés là-bas depuis longtemps puisqu'ils étaient encore au bar à minuit hier soir et il n'est que quatorze heures. Il semble que le cottage de Waters ne se trouve qu'à trois quarts d'heure de route du camp. Je dois attendre que Randy ait fini de consoler sa copine de la semaine pour partir. Il la serre dans ses bras pour lui dire au revoir. La fille a les yeux tout gonflés de larmes. Elle tend la bouche pour l'embrasser, mais il lui dépose un baiser sur le front. Une chose est sûre, il en a bel et bien terminé avec celle-ci. Il lutte un moment pour qu'elle le lâche et monte dans la voiture.

Une fois que nous sommes sur la route, il baisse sa vitre et pousse un soupir de soulagement.

– Tu as fait le mauvais choix avec celle-là, pas vrai ?

– La galère, t'imagines même pas. Par contre, elle était

toujours partante pour tout, si tu vois ce que je veux dire. À ce propos, comment vont tes couilles ?

– Ne t'en fais pas pour elles, va. Tu devrais peut-être t'inquiéter pour les tiennes, en revanche. J'espère que ça valait le coup de s'envoyer en l'air avec ta contorsionniste, parce qu'elle ne va plus te lâcher maintenant.

– Je l'ai déjà bloquée.

Comme il ne sourit pas, je devine que ce n'est pas une plaisanterie.

Je secoue la tête et me retiens de répliquer. J'étais aussi grave que lui il y a moins de quatre mois, alors je suis mal placé pour critiquer.

– Merci d'avoir posté la photo des couilles, au fait. Je t'avais demandé de ne pas le faire. À cause de toi, j'ai eu un tas de problèmes avec Sunny, hier soir.

– Quoi ? Mais on ne voit même pas ta tête sur la photo. Comment elle a su que c'était toi ?

– Parce que tu l'as postée en te servant de ton foutu nom.

– Oh, merde. Mais ça aurait pu être les couilles de n'importe qui. Comment elle a compris que c'était les tiennes ?

– Sunny n'est pas la seule à l'avoir deviné. Une flopée de groupies se sont mises à commenter la photo, et c'est ça qui m'a causé le plus d'ennuis. L'autre photo que tu as prise à la clinique était affichée sur ta page Facebook et le sosie de Sunny l'a postée partout où elle pouvait. Et je portais le même short sur les deux photos, évidemment. C'est comme ça que Violet et tous les autres m'ont reconnu.

– Je suis désolé, mon pote.

Randy a l'air horrifié.

– Est-ce que Waters va encore péter un câble ? Est-ce que tu veux que je lui parle ? Que je lui raconte ce qui s'est passé ? Je peux tout expliquer à Sunny, si tu veux.

Il est sincère. Je ne peux pas continuer à lui en vouloir une minute de plus. Il n'aurait pas posté cette photo s'il avait su que ça allait me créer des problèmes.

– Ce qui est fait est fait, lui dis-je en vérifiant le GPS, afin de m'assurer que nous roulons toujours dans la bonne direction. Au fait, il y a eu un changement de programme. Je ne vais plus à Chapleau.

– Tu veux dire que j'ai vraiment tout fait foirer entre vous ?

– Sunny est dans le cottage de son frère. Je suis content qu'elle ait quitté le fin fond de la jungle, ça va m'éviter de rouler pendant sept heures pour la rejoindre.

– On fait comment, alors ? Tu me déposes quand même à l'hôtel ?

Il vérifie l'heure.

– Je devrais pouvoir me présenter à temps à la réception. Je dois rester dans le coin jusqu'à demain pour ce lavage de voitures caritatif dont je t'ai parlé.

– Annule ta réservation ; tu n'en auras pas besoin. Le cottage de Waters ne se trouve pas très loin d'ici. Tu peux venir avec moi, mais ça veut dire que tu vas devoir supporter Lily et les clones barbus.

– Ça me va. J'ai l'impression qu'on va bien s'amuser. Est-ce que tu viendras avec moi demain après-midi, du coup ? On pourrait laver ta bagnole de location.

– Ça me paraît faisable. J'ai envie de parler au mec qui organise ce truc. La semaine prochaine, j'aimerais commencer à travailler sur le projet dont je t'ai parlé.

À part Vi, mon père et mon assistante, Randy est la seule personne à savoir que je veux organiser une collecte de fonds.

Randy me tapote l'épaule.

– Je trouve que c'est une super idée. Tu peux compter sur moi si tu as besoin d'aide.

En chemin, nous faisons un arrêt rapide dans une petite ville nommée Bracebridge. Le seul magasin que je parviens à trouver est un Walmart. Je choisis une pochette de six slips. Ils sont rouges. Je ne suis pas un grand fan de slips, mais ce genre de sous-vêtement maintient bien mes affaires en place et permet d'éviter toute friction, comme le pensait Debbie l'infirmière. L'enflure a diminué depuis ce matin. Disons que mes pamplemousses ont été remplacés par deux petites pommes.

Nous arrivons là-bas en moins d'une heure. Le cottage de Waters n'en est pas vraiment un. C'est plutôt une villa à étage faite de cèdre teinté, munie d'immenses fenêtres et entourée d'une terrasse en bois. Le jardin est mieux aménagé que celui de mes parents. D'immenses pins et bouleaux se dressent tout autour de la maison, l'isolant des voisins. Le van est garé devant un garage prévu pour abriter trois voitures. J'entends de la musique à l'intérieur. Je jette un œil par l'une des fenêtres. Le petit ami de Lily est en train de roupiller, torse nu. Et dire que Violet me trouve poilu ! À côté de ce mec, je suis carrément imberbe. Il a même des touffes de poils sur les épaules.

– Je vais faire semblant d'être un ours et lui filer la trouille de sa vie, chuchote Randy.

– Les ours sont probablement ses plus proches parents.

Il saisit la poignée de la porte, mais je pose une main sur son épaule pour l'arrêter.

– Plus tard. Je dois d'abord trouver Sunny.

Randy hausse les épaules et me suit tandis que je descends l'allée en direction du ponton. De là où je suis, j'ai une vue imprenable sur le lac. Bruce McBushman est assis sur le bord du ponton, les pieds dans l'eau. J'espère qu'une dolomède va grimper dans son short et mordre sa petite bite.

Je découvre Sunny allongée dans un hamac dans un coin de la terrasse. Elle porte le bikini que j'adore. Son haut est dénoué, les bretelles rentrées dans les bonnets afin qu'elle n'ait aucune trace blanche sur sa poitrine hâlée. Elle est profondément endormie, les lèvres légèrement écartées. L'arête de son nez est devenue toute rose à force d'être exposée. Elle a des égratignures sur les bras, des croûtes sur les genoux et un tas de piqûres d'insectes, ainsi qu'un certain nombre de taches violettes sur les tibias. Tous ces bleus et ces bosses ne me plaisent pas du tout. Elle a l'air innocente, vulnérable. Mais tout à coup, je ne suis pas sûr qu'elle le soit vraiment. La frustration que j'ai ressentie toute la semaine fusionne avec un besoin troublant de la toucher.

Randy me donne un coup de coude.

– Je file dans la maison chercher où sont les toilettes.

Je hoche la tête et m'accroupis à côté de Sunny. Je suis toujours contrarié, mais ça me fait quelque chose de la revoir. Surtout après avoir passé la semaine avec un gamin dont la vie est en suspens. Je passe le bout du doigt sur ses cils blonds. Elle secoue la tête et agite la main devant son visage.

– Réveille-toi, Sunny Sunshine.

Elle marmonne, mais ne bouge pas.

Je suis le contour de sa mâchoire du bout du doigt, puis descends sur le côté de son cou, passe sur sa gorge et poursuis mon chemin vers sa clavicule. Le son qui s'échappe de sa bouche ressemble plus à un gémissement qu'à un marmonnement. Sunny bat des paupières et cligne des yeux à cause de la lumière du soleil. La surprise se peint sur ses traits délicats. Dans son regard, j'aperçois une lueur de reconnaissance, un véritable soulagement, et enfin, une certaine prudence.

Malgré tout, Sunny tend la main et caresse ma barbe. Je ne me suis pas rasé depuis mon départ pour le camp, alors elle a pas mal poussé en une semaine.

– Te voilà.

– En effet.

Elle se lèche les lèvres et promène ses yeux sur mon visage.

– Je suis contente.

– Moi aussi.

– J'étais fâchée contre toi, hier soir, dit-elle d'un air endormi.

Je hoche la tête.

– C'est ce que j'ai cru comprendre. Je n'y suis pour rien si ces photos se sont répandues partout.

– Tu as toujours des explications pour tout.

Elle me caresse toujours la barbe. Ses doigts se promènent sur mes lèvres.

– Je pensais que tu voudrais savoir ce qui s'était passé. Entendre ma version des faits, peut-être.

– Oui. Tout à fait.

Histoire de pouvoir la toucher, je prends sa main dans la mienne et joue avec ses doigts. Ses ongles, d'habitude arrondis à la lime, sont abîmés et cassés.

– J'ai détesté te voir pleurer et me sentir aussi impuissant.

– J'étais vraiment bourrée.

– Je n'ai pas aimé ça non plus. Il y a d'autres choses qui ne m'ont pas plu. Le fait que tu sois coincée dans les toilettes pour hommes afin d'échapper à Bushm… Kale. Et puis les photos de toi qu'il a postées toute la semaine. Quand êtes-vous arrivés ici ?

Elle me répond en regardant mon menton.

– Vers huit heures ce matin. Apparemment, j'ai insisté pour qu'on vienne ici et Lily en avait marre de Benji. Je crois que c'est elle qui a conduit du début à la fin. Je ne sais pas où elle est.

– Dans la maison, je suppose.

Ou alors c'est la pleine lune et elle s'est transformée en ours-garou.

– Sans doute.

Sunny pose la main sur ma nuque et essaie de m'attirer vers elle.

Lorsque mes lèvres sont à un centimètre des siennes, je résiste.

– Il faut qu'on parle.

– En effet.

Sa voix est douce, presque essoufflée.

Je n'ai aucune envie de casser l'ambiance, mais les rapports que nous avions avant tout le sexe et les orgasmes me plaisaient bien. J'avais l'impression de vivre une vraie relation.

– Avant qu'on commence à se rouler des pelles.

– Je ne suis pas d'accord. On devrait s'embrasser d'abord, et parler ensuite.

– Pourquoi ça ?

– Parce que tu m'as manqué cette semaine et que tu as promis de m'aider à me sentir mieux quand on se verrait.

Elle se rappelle clairement notre conversation d'hier soir, ce qui me surprend beaucoup.

– Et tu crois qu'un baiser va t'aider à te sentir mieux ?

Elle étudie mon expression.

– On peut toujours essayer pour voir.

Lorsqu'elle sort la langue pour humecter sa lèvre inférieure, je craque. J'effleure ses lèvres avec les miennes. Sa main se resserre sur ma nuque. Sunny suce ma lèvre inférieure, puis glisse la langue dans ma bouche. Elle est presque agressive dans sa façon de m'embrasser, comme si elle était à la fois excitée et en manque d'affection. Je décide de laisser de côté toute pensée rationnelle pour le moment.

J'ai envie de la déshabiller sur-le-champ, mais Bushman est toujours dans les parages. Randy et Lily ne sont pas loin non plus, puisqu'ils se trouvent dans le cottage. Et il faut vraiment qu'on parle avant de se déshabiller. Je choisis d'approfondir notre baiser.

Un cri perçant retentit quelque part dans le cottage. Sunny se redresse brusquement, mettant fin à ce que nous venons de commencer. Le haut de son bikini tombe et ses seins apparaissent juste au moment où la baie vitrée coulisse et Randy sort en trébuchant sur la terrasse. Ses mains sont posées sur sa tête comme s'il se protégeait.

Lily, qui le poursuivait à toute allure, s'immobilise. Elle brandit un de ces bâtons sur lesquels on enfile les rouleaux de papier toilette. Trois rouleaux se déroulent dans la brise, leur papier rose flottant derrière elle. Elle porte une serviette de bain à bretelles. Ses jambes sont couvertes de crème dépilatoire.

– Quelqu'un vient d'essayer de…

Elle se tait en me voyant. J'ai posé les mains sur les seins de Sunny pour éviter que Randy ne les mate.

– Je suppose que ce pervers est un de tes copains !

Elle agite le tube métallique dans ma direction, puis le dirige vers Randy.

– Je cherchais juste les toilettes, chérie.

– Ne m'appelle pas comme ça, espèce de… espèce de… il a essayé de… il s'apprêtait à…

Randy hausse les sourcils en souriant.

– Que penses-tu que j'allais faire, au juste, ma belle ?

Lily brandit le tube en l'agitant comme si c'était une épée. Elle semble avoir du mal à s'exprimer. Et son visage est rouge écarlate. Je ne l'avais encore jamais vue aussi troublée. Sunny remonte les bonnets de son maillot de bain sur mes mains. Je serre ses seins une dernière fois avant de les lâcher.

– J'étais en train de m'épiler les jambes, quand tu as fait irruption dans la salle de bains ! Je suis toute nue sous cette serviette !

– Oh, je suis tout à fait conscient de ce qui se trouve sous cette serviette.

Randy sourit d'un air suffisant.

– Je ne serais pas tombé nez à nez avec ta foufoune, si tu avais verrouillé la porte.

– Tu… je… tu me dégoûtes !

Au moment où elle pivote sur ses talons, les deux pans de sa serviette s'écartent et permettent à tout le monde d'apercevoir sa foufoune.

– J'aime bien ton style nature, dit Randy.

Elle lui fait un doigt d'honneur par-dessus son épaule et s'éloigne rageusement.

– Mon esthéticienne était malade.

– Je me ferai un plaisir de t'aider, si tu veux, lui crie Randy.

– Connard.

La porte-moustiquaire se referme en claquant.

– Bon… je vois que tu as rencontré Lily.

Sunny balance les jambes par-dessus le bord du hamac et prend appui sur mes épaules pour se lever.

– Elle n'est pas toujours comme ça. Benji et elle ont rompu hier soir. Encore une fois. C'est la quatrième fois en une semaine, alors elle est un peu sur les nerfs.

– C'est le mec qui dort dans le van ? demande Randy en regardant fixement la porte-moustiquaire.

Il enlève sa casquette et la fait tourner au bout de son doigt. Il fait ça quand il réfléchit. Autrement dit, il évalue le niveau de la compétition et cherche un plan d'attaque. Je lui souhaite bonne chance. Je parie que le vagin de Lily a des dents – aussi énormes que celles du requin des *Dents de la mer*.

– Hm-hm.

Sunny glisse distraitement ses doigts dans mes cheveux.

– Il est enfermé à l'intérieur depuis qu'on est arrivés ici.

J'aperçois un mouvement dans mon champ de vision. Levant les yeux vers le lac, je vois Bushman nous observer depuis le bout du ponton, une main au-dessus des yeux pour se protéger du soleil. Je me lève en effleurant les flancs de Sunny du bout des doigts. Un agréable frisson la parcourt.

– Il faut qu'on trouve un endroit pour parler. Réglons nos problèmes une bonne fois pour toutes.

– D'accord.

Ses mains sont toujours posées sur mes épaules. L'une d'elles se pose sur ma nuque, puis Sunny se hisse sur la pointe des pieds pour m'attirer vers elle et m'embrasser. Je devrais l'en empêcher puisque je continue à douter de ses motivations, mais comme Bushman se dirige vers l'escalier, je la laisse faire volontiers.

19

Raté de mes deux

Bushman grimpe les marches, ses jambes maigres se dérobant presque sous son corps quasi inexistant. Bon d'accord, il n'est pas si maigre que ça, mais je suis costaud, alors il a l'air minuscule à côté de moi. Du moins, c'est comme ça que j'ai envie de le voir, puisqu'il a essayé de se faire ma meuf. Il va falloir que Sunny me raconte tout en détail pour que je puisse déterminer si, oui ou non, il doit prendre mon pied dans les couilles.

Sunny soupire.

– Et voilà, il va encore piquer une crise.

– Je croyais que c'était réservé aux filles de moins de douze ans.

– Et à Kale. C'est l'une des nombreuses raisons pour lesquelles j'ai rompu avec lui.

Elle s'éloigne légèrement de moi.

– Je crois qu'il ne s'attendait pas à ce que tu viennes ici.

– C'est un problème ?

Je n'aime pas le fait qu'elle ait mis une légère distance entre nous. Son corps exprime des choses qu'elle ne me dit pas. Je crois comprendre qu'elle accorde une certaine importance aux sentiments de son ex.

– Non. Bien sûr que non.

Elle glisse ses doigts entre les miens.

– C'est… compliqué.

Je déteste ce mot. J'ai passé ma vie entière à gérer toutes sortes de complications. Ma scolarité était compliquée. La mort de ma mère a été compliquée. Ma carrière rend notre relation compliquée.

– Euh, vous pourriez l'éviter en allant vous cacher quelque part dans la maison, suggère Randy.

J'avais oublié qu'il était avec nous sur la terrasse.

– Je suis sérieux. Allez-y. Je vais m'occuper de ce petit maigrichon.

Il fait craquer ses articulations et sourit.

– Je crois que je vais bien me marrer.

Sunny m'attrape par la main. J'entre avec elle dans la maison et nous traversons un immense salon au plafond en forme de voûte. Je découvre une cheminée en pierre dans laquelle on peut faire brûler un vrai feu. Nous traversons ensuite la cuisine. Sur la table est posé un centre de table qui ressemble à une bite géante. Elle s'arrête brièvement près de la porte d'entrée et glisse ses pieds dans une paire de Birkenstock avant que nous retournions dehors. Nous dépassons le van, tournons à droite, nous glissons entre quelques arbres et arrivons sur un chemin.

– On va où ?

J'aimerais bien savoir pourquoi nous évitons Bushman et pourquoi nous ne disons pas tout simplement à ces crétins branchouilles de se barrer d'ici avec leur van de merde.

– Il y a un sentier par là ; il mène jusqu'au lac. C'est un chemin privé, nous pourrons parler sans être interrompus. Fais bien attention de rester sur le sentier, il y a plein de sumac vénéneux par ici.

– Je suis immunisé, mais merci quand même de m'avoir prévenu.

– Immunisé ? Comment le sais-tu ?

– Je suis tombé dedans un jour, quand j'étais petit. Et il ne s'est rien passé.

– Ouah, t'en as eu de la chance !

– Ouais. Carrément.

Le gamin avec qui j'étais a dû aller à l'hôpital. Il était couvert de boutons.

Sunny marche tellement vite que je la suis presque en trottinant.

– On est si pressés que ça ?

Mes couilles vont beaucoup mieux que ce matin, mais elles ne sont pas totalement guéries. À force de bouger, je recommence à avoir des douleurs et des démangeaisons. Et puis l'apparition des seins de Sunny il y a quelques minutes m'a à moitié fait bander.

– Quoi ? Oh, non. Bien sûr que non.

Sunny ralentit un peu, mais son allure reste vive.

– Tu boites ?

– Non, ça va.

– Mais si ! C'est à cause de la morsure d'araignée ?

Sunny ralentit finalement le pas.

– Ça va beaucoup mieux, je suis nettement moins enflé.

Pas la peine de lui dire qu'il a fallu vider la poche de liquide. Je préfère oublier cet épisode à tout jamais.

– T'en fais pas pour moi. J'ai reçu une bonne dose d'antibiotiques et d'antihistaminique. Je suis en pleine forme.

– Je pourrai te préparer une compresse antiseptique quand on sera de retour au cottage.

– Avec plaisir, si tu penses que ça peut me faire du bien.

Comment refuser une proposition aussi aimable ?

Une minute plus tard, les arbres s'espacent et nous arrivons au bord du lac. Au loin, sur la rive opposée, j'aperçois des hangars à bateaux et d'autres « cottages » plus grands que des maisons. C'est un peu excessif comme style, mais l'endroit est tranquille. On entend juste le ronronnement des moteurs de bateaux. Sunny s'assied sur un tronc d'arbre couché près de l'eau et m'invite à la rejoindre. Je m'assieds à califourchon pour pouvoir la regarder. Les oiseaux gazouillent au-dessus de nos têtes. Il ne nous manque plus que de la musique ringarde et une licorne broutant à proximité pour que la scène soit romantique à souhait. Un détail, cependant : nous sommes toujours fâchés l'un contre l'autre.

Elle glisse ses cheveux derrière son oreille. Si elle se souvient de notre conversation d'hier soir, comme je le crois, elle sait que je suis aussi en colère qu'elle.

J'ai toujours envie de glisser mes doigts dans ses cheveux, cependant. J'aimerais bien qu'on laisse tomber cette conversation et faire en sorte qu'elle se sente mieux par des actes. La dernière fois que nous l'avons fait, c'était moi qui devais lui présenter des excuses. C'est différent aujourd'hui. Chacun de nous a quelque chose à se faire pardonner.

Sunny change de position pour pouvoir me regarder aussi. Elle ne porte qu'un bikini, alors elle doit avoir mal aux fesses à cause de l'écorce. J'enlève mon T-shirt, le plie en deux et le lui offre. Elle le pose sur le tronc et s'assied dessus.

Je me penche en avant et pose les coudes sur les genoux.

– Venons-en tout de suite aux faits.

– Lily pense que je ne devrais pas sortir avec toi.

Je le sais déjà. Sunny me l'a déjà dit hier soir.

– Et toi, qu'en penses-tu ?

– Je n'en sais rien, Miller. Je vais être honnête ; pour moi, tout était fini entre nous avant que tu débarques chez moi la semaine dernière… Et puis, nous avons…

Elle rougit.

– Disons que les choses ont changé. Ensuite, il y a la façon dont se comporte Kale. Je suis perplexe.

– Tu es en train de me dire que tu as envie de ressortir avec ce mec ? Tu te planquais à cause de lui, hier soir.

J'ai une drôle de sensation dans la gorge, comme si quelqu'un appuyait sur ma trachée.

– On est juste amis, Kale et moi.

– Dans ce cas, pourquoi es-tu perplexe ? Je comprends que Lily et toi soyez proches, mais tu ne devrais pas la laisser prendre des décisions à ta place.

Bien qu'elle me complique sérieusement les choses, je pense que Lily ne veut que le bonheur de Sunny.

– Il ne s'agit pas seulement d'elle, mais d'Alex aussi.

– Ton frère me hait parce que je lui ai cassé le nez.

– Ce n'est qu'une toute petite raison parmi tant d'autres, et tu le sais parfaitement, Miller. Il croit toujours que tu ne t'intéresses à moi que pour te venger parce qu'il sort avec Violet.

Elle tire sur un bout d'écorce couvert de mousse.

– Mais ce n'est pas vrai, bien évidemment. Tu dois bien t'en rendre compte à ce stade, non ?

– Est-ce que tu y as songé une seule fois depuis qu'on se connaît ?

– Songé à quoi ?

– À me larguer dès que tu aurais couché avec moi ?

Sunny avale péniblement sa salive.

Quelle cruelle conversation ! Le fait qu'elle puisse s'imaginer une chose pareille me blesse profondément.

– Tu me prends vraiment pour ce genre de personne ?

– Lily pense…

Ma frustration reprend le dessus.

– Mais on s'en fout de ce qu'elle pense ! Elle ne sort pas avec nous, que je sache. Elle ne m'a pas laissé une seule chance de lui prouver que j'étais un mec bien. Elle s'est contentée d'aller fouiner sur les réseaux sociaux et a pris toutes ces conneries pour parole d'Évangile. Est-ce que je t'ai donné l'impression une seule fois de vouloir seulement te sauter depuis qu'on sort ensemble ?

– Non, mais…

– Mais quoi, Sunny ? Combien de fois encore vais-je devoir m'excuser pour des choses que je ne maîtrise pas ? Je me suis fait mordre les couilles par une foutue araignée, alors que j'essayais de te joindre.

Je prends sa main dans la mienne avant qu'elle commence à entortiller une mèche autour de son doigt.

– Je ne vais pas te mentir ; j'étais énervé contre Waters quand il a baisé ma sœur dans le vestiaire. Tout ce que je savais à l'époque, c'était que sa réputation était aussi mauvaise que la mienne, et je pensais qu'il jouait avec les sentiments de ma sœur. Comme il pense que je le fais avec toi.

Je lève les yeux vers elle. Elle est aussi nerveuse que moi.

– Je n'aurais jamais cherché à coucher avec toi pour me venger de lui. Ça aurait été dégueulasse de ma part. Mais je dois avouer que j'étais assez content de voir sa tête au moment où il a compris qu'un de ses pires ennemis courait après sa sœur.

« Je voulais simplement t'offrir un verre ou deux, puis te ramener chez toi en tout bien tout honneur. Mais ensuite, on a commencé à discuter. Tu étais marrante, gentille, magnifique – et tu n'as pas essayé de me mettre la main au paquet trois secondes après qu'on s'est rencontrés. J'avais envie de te revoir, même si Waters risquait de me casser les couilles. Il aurait été plus simple de te sauter et de te larguer, mais ce n'était pas ce que je voulais à l'époque et ce n'est toujours pas ce que je veux aujourd'hui.

Sunny reste silencieuse un long moment.

– Je crois qu'au fond de ma tête, j'avais peur que tu ne sortes avec moi que pour l'embêter.

– C'est Lily et Waters qui t'ont mis cette idée dans la tête ?

– Je n'en sais rien. Peut-être. Mais j'avais moi-même un doute.

Elle lève vers moi des yeux humides.

Cette phrase est comme un poignard en plein cœur.

– Qu'est-ce que je dois faire de plus pour te convaincre que tu es la seule qui m'intéresse ? Il faut que tu arrêtes de t'imaginer le pire. D'autant plus que tu sais combien il est facile de déformer les choses, Sunny. Je ne peux pas contrôler tout ce qui circule sur moi, ni empêcher les groupies de réagir comme elles le font. Ce que je peux contrôler, en revanche, ce sont les choses que je dis et que je fais. Il faudra bien que tu me fasses confiance un jour ou l'autre.

– C'est difficile avec ces photos qui apparaissent sans arrêt, même quand tu ne vas pas à des fêtes.

Je hoche la tête.

– Le plus difficile pour moi est de faire en sorte que

mon passé ne gâche pas le présent et qu'il ne te pourrisse plus la vie.

Je ne peux rien changer à ce qui est arrivé et ça craint.

– C'est pour ça que tu es partie camper avec Lily et ton ex, même si on s'était réconciliés ?

– Ce n'est pas la seule raison.

– C'est marrant que tu aies oublié de préciser que Kale et toi êtes sortis ensemble pendant quatre ans.

Elle redresse brusquement la tête, les yeux écarquillés.

Je réponds à la question qu'elle n'ose pas me poser.

– J'ai discuté avec Vi après ton départ. J'étais évidemment inquiet à l'idée que tu passes la semaine avec lui. Je voulais savoir à quoi m'en tenir.

– Comment ça ?

– Ce mec a la trique dès qu'il te voit.

– Ce n'est pas vrai. Nos rapports ont toujours été difficiles. C'est le meilleur ami de Benji. On est obligés de se croiser.

– Tu veux que je sois honnête avec toi ? Alors ça doit marcher dans les deux sens, poussin. Tu es sûre de ne pas chercher à ressortir avec Bushm… Kale ? Tu avais l'air très proche de lui sur toutes les photos qu'il a postées cette semaine.

Pas la peine de tourner autour du pot plus longtemps. C'est étrange ; je pensais que c'était elle qui allait se mettre en colère, pas moi.

Sunny se mord la lèvre, ses dents blanches s'enfonçant dans sa chair rose et pulpeuse. Sa bouche me manque. Tout chez elle me manque, même si elle est juste devant moi. C'est peut-être ça, l'amour. Si c'est le cas, je ne suis pas sûr que ça me plaise. J'ai l'impression d'avoir reçu un palet dans les couilles, sauf que j'ai mal à l'intérieur, pas à l'extérieur.

– Je n'ai pas envie de ressortir avec Kale.

– Est-ce qu'il est au courant ? Pourquoi tu l'as fait marcher toute la semaine ? Pour voir si tu ressentais toujours quelque chose pour lui ? Pour me rendre jaloux ?

– Tu imagines un peu ce que c'est que de sortir avec toi ? Tu sais que je dois sans arrêt me justifier depuis qu'on est ensemble ? Combien de fois je suis tombée sur mon propre nom associé au tien et à celui d'une autre fille en surfant sur les réseaux sociaux !

– Est-ce que c'est moi qui avais posté une seule de ces photos ?

– Non, mais j'ai l'air tellement stupide chaque fois qu'apparaissent de nouvelles photos de toi avec d'autres filles !

Voilà la colère que j'attendais.

– Les gens pensent que tu couches avec elles parce que c'est ce que tu as toujours fait ! Parfois, j'ai du mal à ne pas me demander si c'est vrai. Et voilà qu'hier, je te découvre en compagnie d'une fille qui me ressemble. Alors la réponse à ta question est *oui*, Miller. Je voulais te rendre jaloux, parce que je le suis tout le temps quand nous ne sommes pas ensemble. Satisfait ?

– Non. Ça ne me satisfait pas ; je me sens encore plus nul. C'était une photo de groupe avec les moniteurs du camp. Pas une fête. Il ne s'est rien passé de honteux.

– Je sais.

– Ah bon ? À t'entendre, on s'est tous foutus à poil dès que l'appareil photo a disparu – même s'il y avait plein de gamins dans les parages, même si je m'étais fait mordre par une araignée, et cetera.

Sunny regarde fixement le tronc d'arbre. Elle se tripote les cheveux.

– Elle me ressemblait.

– C'était une monitrice du camp. Ce n'était pas *toi*.

Je me rapproche d'elle jusqu'à ce que mes genoux se glissent de chaque côté des siens et que je puisse entrer dans sa bulle.

– Comment notre histoire pourra-t-elle marcher si tu ne me fais jamais confiance ?

– J'ai peur, chuchote-t-elle.

Je relève son menton jusqu'à ce que nos yeux se rencontrent.

– De quoi, bébé ?

Son menton tremble.

– De ce que je ressens pour toi.

Cet instant de vulnérabilité tombe à pic. Certes, je ne sais pas très bien ce que je suis censé faire, mais j'ai vu suffisamment de comédies romantiques, grâce à Skye et Violet, pour avoir une idée de ce qui pourrait marcher. J'aime bien ces films, soit dit en passant. Mais je ne risque pas de le révéler à qui que ce soit.

Je pose ma main sur sa joue. Ensuite, je fais comme dans les films. J'essuie ses larmes avec mon pouce. Ce n'est pas aussi efficace qu'au cinéma. En fait, je parviens surtout à les étaler sur sa peau. Je fais pareil avec l'autre main, mais les larmes ne cessent de couler sur ses joues, alors ma paume et son visage sont tout mouillés. En fait, Sunny sanglote de plus en plus fort.

– Pourquoi faut-il que tu sois aussi gentil ? Si seulement tu étais un vrai connard !

– Tu aimerais que je sois un connard ?

Les femmes sont difficiles à comprendre, dès qu'il ne s'agit pas que d'une histoire de sexe entre elles et nous.

Tout en reniflant, elle laisse échapper un grognement mi-frustré mi-amusé. Ensuite, elle se rapproche de moi et enfouit son visage dans mon cou. Je ne peux donc plus essuyer ses larmes.

Je glisse mes bras autour d'elle et la serre contre moi, pas trop brusquement car il ne faudrait pas que je l'écrase, mais suffisamment fort pour qu'elle comprenne que je ne veux pas la laisser partir. J'enfouis mon nez dans ses cheveux. Ils sentent plus le grand air que le shampoing et sont parsemés d'aiguilles de pin, alors je pose le menton sur le sommet de sa tête et la tiens tout contre moi.

Je comprends sa peur, puisque je ressens exactement la même. Rien à voir avec la peur qu'on éprouve devant un film d'horreur ou quand on se fait mordre les couilles par une araignée. C'est plutôt quelque chose qui me prend aux tripes. Je me rends compte que c'est ce qu'on ressent quand on tient vraiment à quelqu'un.

– Je suis désolé de t'avoir rendue jalouse. Ce n'était pas intentionnel, mais je comprends ta réaction. J'ai failli devenir dingue cette semaine en voyant toutes ces photos de toi avec Bush… Kale. C'était horrible de ne pas pouvoir te parler, de ne pas savoir ce qui se passait. Je n'ai pas aimé ce que je ressentais, et je ne veux pas que tu ressentes la même chose.

Je sens la chaleur de son souffle dans mon cou lorsqu'elle expire et se blottit davantage contre moi. Elle promène ses mains sur mes bras. Je suis extrêmement conscient du peu de vêtements qu'elle porte et j'ai une envie irrésistible de toucher partout ce corps presque entièrement nu.

Je baisse la tête au moment où elle lève la sienne. Ses doigts se promènent sur mes lèvres.

– Est-ce qu'on a fini de parler ?

Elle hoche la tête.

– Tout est donc réglé entre nous ?

– Je crois.

Elle se penche vers moi, clairement impatiente que je l'embrasse. Mais j'ai encore deux ou trois questions à lui poser.

– Est-ce que tu me feras confiance à partir de maintenant ?

– Oui.

– Tu ne te serviras plus de Kale pour me rendre jaloux ?

– Non, plus jamais.

Je pose la main sur le côté de son cou et sens le battement rapide de son pouls. Son cœur bat presque aussi vite que le mien et ma bite se durcit au même rythme. Lorsque nos lèvres se rencontrent, un feu d'artifice explose dans mon pantalon.

Sa langue est douce et chaude, comme toutes les parties de son corps que j'adore. Et elle est humide, tout comme la partie de son corps que je préfère. Je suis obligé de me répéter qu'il ne s'agit que d'un baiser et que nous sommes au milieu des bois, juste au bord du lac, afin de me calmer.

Je trouve l'idée de faire ça ici en pleine nature extrêmement séduisante, mais ce n'est peut-être pas son cas.

Sunny répond à cette question non formulée en grimpant sur mes genoux et en m'enveloppant dans ses bras.

– Je déteste être aussi jalouse chaque fois que je vois ces photos.

– Pareil pour moi.

– Je suis vraiment désolée, Miller. Les choses sont devenues intenses si rapidement entre nous ! Je ne savais pas comment gérer la situation.

– Je sais, bébé. Je suis désolé aussi. Mais je pourrai essayer de me faire pardonner dès que tu le voudras.

Elle se frotte contre moi en agitant les hanches. L'intérieur de mon short est hypersensible. Mes couilles sont toujours endolories, je n'ai pas eu beaucoup l'occasion de me branler cette semaine et puis la peau hâlée et nue de Sunny touche enfin la mienne.

Elle passe ses doigts dans mes cheveux et les empoigne violemment. Sa langue se frotte agressivement contre la mienne. Plutôt que de prendre le contrôle ou de calmer le jeu, je la laisse faire tout ce qu'elle veut.

C'est tellement excitant ! Elle tente de se débarrasser de son haut de bikini en tirant sur la ficelle nouée sur sa nuque, puis sur le nœud dans son dos. Le soutien-gorge tombe sur le sol à côté de nous.

Je prends ses seins dans mes mains. La première chose que je remarque, c'est l'absence presque totale de marques de bronzage. Sa peau est couverte de taches de rousseur.

– Tu ne te serais pas fait bronzer les seins nus, par hasard ?

Sunny se mord la lèvre.

– Peut-être que si.

– Peut-être ?

– On était perdus dans la nature. Personne ne pouvait nous voir.

Elle me masse le cuir chevelu comme pour essayer de me distraire.

– Et Kale alors ?

– Il avait déjà vu mes seins. Ce n'était pas vraiment nouveau pour lui.

Elle fait la moue en me voyant écarquiller les yeux.

– Ton pénis se promène partout sur Internet. Le monde entier peut le voir.

Comme je ne dis toujours rien, elle ajoute :

– Je n'enlevais mon haut que quand il faisait la sieste.

– Tu dis ça pour éviter que je lui casse la gueule ?

Je passe mes pouces sur ses tétons.

– Non.

Elle est essoufflée, à présent.

– En plus, il les trouve trop petits.

– Ce mec est vraiment un abruti.

Je dépose un petit baiser sur son téton gauche.

Je laisse échapper un bruit semblable à un grognement et referme mes lèvres sur sa peau chaude et rose. Ensuite, je le mordille doucement.

Sunny écarquille les yeux.

– Miller !

– Je m'amusais simplement, bébé.

Je recommence à sucer son téton.

– Tu peux recommencer.

Elle se cambre et propulse sa poitrine en avant.

Je libère son téton.

– Recommencer quoi ?

– À faire ce bruit et à me mordiller.

Elle passe les mains sur mes biceps, sur mes avant-bras, puis les pose sur les miennes.

– T'aimes ça, hein ?

J'émets le même son grave et prends son téton entre mes dents, mais sans les serrer. Lorsque je sens qu'elle s'impatiente, je prends son téton entier dans ma bouche et le mords très, très doucement.

Je suis récompensé par un incroyable gémissement. Effrayés, les oiseaux s'envolent au-dessus de nous. Je recommence, puis passe à l'autre sein et lui prodigue la même attention. Je ne sais pas très bien jusqu'où on va aller, mais je trouve très amusant de faire en sorte que Sunny se sente mieux.

Après quelques minutes de roulage de pelles, Sunny descend de mes genoux en se dandinant et ouvre le bouton de mon short. Je lui tiens les hanches pour la maintenir en place, même si elle n'a pas besoin de mon aide pour ça, car le corps ferme de Sunny est musclé à la perfection. Son équilibre est impressionnant.

– Tu portes un sous-vêtement.

– J'ai eu envie de nouveauté.

– Hmm. J'aime bien sa couleur…

Elle tripote l'élastique rouge.

J'attrape sa main avant qu'elle la glisse à l'intérieur.

– Euh… vas-y doucement, d'accord ? Mes affaires sont un peu sensibles après ma rencontre avec l'araignée.

– Mon pauvre chéri.

Sunny pose la main sous mon menton, comme elle aime bien le faire, et le talon de sa main se pose au-dessus de ma pomme d'Adam. Ensuite, elle dépose un léger baiser sur mes lèvres. C'est bizarre comme j'adore ça.

– Préviens-moi si je vais trop loin.

– Tout ira bien si tu restes douce.

Elle tire sur l'élastique et regarde à l'intérieur de mon slip. Je bande.

– Il a l'air d'aller bien.

– Tu peux le toucher si tu veux t'en assurer.

Elle caresse mon gland du bout du doigt. Ça me procure une sensation incroyable – c'est tellement mieux que les quelques fois où je me suis branlé sous la douche cette semaine. Et ce n'est que le bout de son doigt ! J'ai hâte que sa paume entière se referme autour de ma queue. Ou la partie de son corps qu'elle voudra. À part son aisselle. Il y a des limites, quand même.

– Je crois que ce serait plus facile si tu étais nu, dit-elle, sa langue pointant entre ses lèvres humides.

– Bien sûr. Ça me va.

Sunny s'écarte de moi et se réinstalle à cheval sur le tronc d'arbre. Je retire mon short et le pose sur le tronc pour éviter que l'écorce égratigne mes couilles déjà endolories. Elle est couverte de mousse, mais quand même. Je n'ai aucune envie qu'une autre araignée me morde au même endroit. Mes couilles risqueraient d'exploser, cette fois.

Je glisse les pouces sous l'élastique de mon slip. Sunny lève les mains en l'air et les agite.

– Oh ! Attends !

L'espace d'un instant, je me demande si elle a changé d'avis.

– J'aimerais l'enlever moi-même.

Elle se mord le bout du doigt.

– Si tu n'y vois pas d'inconvénient.

Cette femme peut me demander ce qu'elle veut, je suis prêt à obéir à tous ses caprices. C'est pire que si elle avait enfilé un collier autour de ma bite et la promenait en laisse.

– Fais exactement comme tu en as envie, poussin.

Je me place à califourchon sur le tronc et me lève face à elle, les mains le long des flancs. Sunny prend une profonde inspiration, impatiente de revoir ma queue, j'imagine. Je ne vois pas très bien pourquoi ce moment est aussi important à ses yeux. Elle l'a déjà vue avant. Et touchée. Et sentie en elle. Toutes les images qui accompagnent ces pensées réveillent ma bite, qui se met à lutter contre le tissu trop serré.

Sunny pousse un cri perçant.

Je cligne des yeux.

– Je crois que Popaul est tout excité.

– Hm-hm.

Elle hoche vigoureusement la tête.

– Tu peux te retourner une seconde ?

Comme j'ai hâte de voir ce qu'elle va faire, j'obéis. Les mains de Sunny se posent sur ma taille, puis effleurent l'extérieur de mes cuisses. En les remontant, elle prend mes fesses dans ses paumes et les serre.

– Tu as les plus jolies fesses du monde, dit-elle.

Je ris.

– Merci. Je ne savais pas que c'était un détail important.

– Hm. Il l'est, pour moi.

Elle baisse un côté de mon slip. Je sens ses lèvres, puis ses dents sur mes fesses.

Je regarde par-dessus mon épaule. Elle sourit.

– Tu es vraiment en train de me mordre le cul ?

Elle hoche la tête, recommence, puis relâche l'élastique de mon slip. Elle me donne ensuite une petite tape.

– C'est bon. Tu peux te retourner.

Elle est si excitée qu'elle ne tient plus en place. J'adore ce nouvel aspect de sa personnalité. Enfin, il n'est pas si nouveau que ça. Elle a toujours été drôle, mais jusqu'à maintenant, c'était moi qui prenais les choses en main quand une partie de jambes en l'air s'annonçait. Avec précaution, Sunny baisse mon slip en tirant la langue. Ma queue se dresse à l'air libre. Sunny descend mon slip plus bas, jusqu'à ce qu'apparaissent mes couilles. Elles sont vraiment moins rouges et enflées qu'avant.

– Oh, Miller. Tu es sûr…

Je ne la laisse pas terminer sa phrase.

– Je vais parfaitement bien.

Elle enroule ses doigts chauds autour de ma queue et la presse contre mon ventre. Elle prend doucement mes couilles dans ses mains. Je suis bien incapable de décrire ce que je ressens. Je ne devrais certainement pas la laisser faire. C'est extrêmement agréable, mais j'ai tout de même une sensation de gêne. J'ai bien envie de poursuivre, cependant.

– Est-ce que ça va ?

Je lui réponds par un grognement.

Les doigts de Sunny se desserrent. Je referme ma main sur la sienne.

– C'est bon. Je t'assure. Tu n'es pas obligée de t'arrêter.

– Tu es sûr ?

– Absolument.

– D'accord.

Elle reste immobile quelques instants.

– Tu peux me lâcher la main, tu sais.

– Oh, pardon.

Je lui caresse la joue. Elle me sourit, puis recommence à contempler ma bite. Elle est au même niveau que son visage. Inutile de mentir, j'ai bien envie qu'elle la mette dans sa bouche. Ce serait si chaud, si humide, si…

Sunny se relève. Je suis bien évidemment déçu. Se faire tailler une pipe au beau milieu de la nature me semblait être le scénario idéal. Mais je me contenterai de ses caresses si c'est tout ce qu'elle m'offre. Tenant toujours ma bite, Sunny la caresse lentement et embrasse mon épaule. Ensuite, sa bouche se déplace un peu plus bas et s'arrête sur mon téton. Elle se met à le sucer et à le mordiller comme je l'ai fait tout à l'heure. C'est agréable et je me demande si cette sensation est plus puissante pour les femmes puisque leurs tétons ne sont pas simplement là pour faire joli.

Ensuite, Sunny descend plus bas. Je n'ai pas envie de me remettre à fantasmer pour rien, mais chaque fois que la bouche d'une femme descend plus bas que mes tétons, elle poursuit généralement son chemin jusqu'à mon paratonnerre. Si seulement je m'étais préparé ! Je ne me suis pas rasé les couilles depuis plus d'une semaine. Ce n'est pas la jungle, mais le paysage pourrait être plus agréable à regarder. Une chance que je me sois douché avant de quitter le camp. Je n'ai pas les couilles humides, mais comme je n'ai pas eu l'occasion de me branler, tout risque d'aller très vite.

– Poussin…

Je me demande bien pourquoi je suis autant sur la réserve. Ma queue est passée par un grand nombre de bouches différentes au fil des années, mais cette fois, c'est différent. Je crois pouvoir dire que Sunny est ma petite amie, à présent. Les petites amies taillent des pipes à leurs mecs – tout comme les mecs lèchent la chatte de leurs petites amies jusqu'à ce qu'elles jouissent partout sur leurs visages. Sur mon visage. Il faut qu'elle me suce.

Elle lève les yeux vers moi. Encore trois ou quatre centimètres et elle me léchera le gland.

– Tu n'en as pas envie ?

Il m'est presque impossible de déchiffrer son expression. Je n'arrive pas à deviner si elle est inquiète, blessée, déçue, effrayée ou quoi que ce soit d'autre.

– Tu plaisantes ? J'en rêve depuis le jour où je t'ai rencontrée.

Je tends la main et suis le contour de sa lèvre inférieure boudeuse du bout du doigt. Elle lève le menton et mord le bout de mon pouce, puis le suce doucement.

– Est-ce que ça te gêne encore ?

Elle fait le tour de mon gland du bout du doigt, encore et encore. C'est une sensation incroyable. Suffisamment agréable pour que je la laisse continuer, même si la douleur sourde dans mes couilles augmente brutalement de temps en temps.

– Je ne veux pas que tu te sentes obligée, ni quoi que ce soit.

– Ce n'est pas le cas.

Elle m'embrasse sous le nombril, à une dizaine de centimètres de la base de ma queue.

– Mais je préfère te prévenir, je ne suis pas très douée pour ça.

– Pas très douée ? Qu'est-ce que ça veut dire ?

Mes premières pensées ne sont pas franchement courtoises.

Sunny rougit.

– Je n'ai pas beaucoup de pratique.

– Oh.

Je souris. J'en suis ravi, et tant pis si ça fait de moi un connard.

– Tu peux t'entraîner sur moi autant que tu veux.

Malheureusement, cette phrase ne produit pas l'effet que j'espérais – autrement dit, ses lèvres ne se referment toujours pas autour de ma queue. Sunny semble continuer à hésiter.

– Mais seulement si tu en as envie.

– J'en ai envie. Tu me diras si je fais quelque chose de travers ?

À moins qu'elle me grignote la bite comme un épi de maïs, je vois mal comment elle pourrait rater sa pipe.

– Tu vas très bien t'en sortir.

Ce ne sont pas des conneries. Il suffit de la regarder ; Sunny est une magnifique blonde à l'air angélique, aux lèvres pleines et aux splendides yeux verts. Elle embrasse aussi bien qu'elle baise et je suis sûr qu'elle va mettre autant d'enthousiasme à me sucer.

Elle baisse sa bouche vers ma queue. Mais elle ne se contente pas de foncer droit vers elle. Non. Sunny est toujours généreuse. Elle embrasse le bout de mon gland et le promène un moment sur ses lèvres, comme elle le fait avec ses mèches de cheveux. Ensuite, elle embrasse mon sexe de haut en bas, puis de bas en haut, avant de passer sa langue autour de mon gland.

Je garde les poings le long de mes flancs et contemple cette magnifique vue tout en savourant les sensations qu'elle me procure. C'est incroyable. Lorsqu'elle engouffre mon gland dans sa bouche, elle le suce goulûment, comme si ma queue était une sucette et que quelqu'un essayait de la lui voler.

Je grogne et glisse la main dans ses cheveux, prêt à guider sa bouche.

– Ça va ? demande-t-elle, les mots déformés par la présence de ma queue dans sa bouche.

– Bien mieux que ça.

Dès que ces mots sortent de ma bouche, je sens la pression très nette de ses dents sous mon gland. Mes doigts lui agrippent instinctivement les cheveux.

– Que…

Sunny lève les yeux et caresse le dessous de ma queue avec sa langue. Étrangement, j'ai beau paniquer à l'idée qu'elle puisse me mordre la bite, cette sensation est agréable.

– Doucement, fais-je en murmurant.

Elle sourit et une douce succion remplace la sensation de ses dents sur ma peau. Sunny ne me quitte pas du regard pendant ce temps-là. Je ne peux pas imaginer un seul instant que quelqu'un lui ait reproché d'être nulle en pipe.

Comme je suis sur le point de jouir, je l'oblige à reculer la tête, préférant accomplir cet acte particulièrement égoïste dans un autre endroit, si elle me le permet.

– Est-ce que c'était bien ? Tu n'as pas joui.

Je m'assieds sur mon short, qui est étalé sur le tronc, puis je soulève Sunny et la repose à califourchon sur mes genoux. Ma queue humide est posée contre l'intérieur de sa cuisse, le gland pressé contre son maillot de bain.

– Je n'ai pas joui parce que je ne le voulais pas.

– Pourquoi ça ?

J'embrasse ses lèvres gonflées et humides.

– J'ai envie de le faire en toi. J'ai envie que ta bouche soit collée à la mienne quand je jouirai.

– Mais c'était bien ?

– Mille fois mieux que bien.

Son sourire est plus radieux que le soleil.

Je défais les nœuds sur chacune de ses hanches et l'avant de son maillot tombe, exposant sa fente rose. Je fais glisser l'articulation de mon doigt vers le bas de son ventre, puis la frotte sur son clitoris tandis que nous nous embrassons. Lorsque Sunny commence à gémir doucement, je glisse un doigt en elle, puis un deuxième pour m'assurer qu'elle est prête.

Puis je me souviens que je n'ai pas de préservatif sur moi. Encore une fois.

Non mais quel raté je suis !

20

Chevauchée sur un tronc

Je continue à remuer les doigts et à l'embrasser en essayant de trouver un moyen de m'en sortir convenablement. J'ai une de ces envies de la pénétrer ! Je sens son odeur ; mes doigts sont en elle et elle mouille. J'ai bien envie d'aller lui lécher le cookie, mais l'écorce est rugueuse et il y a des insectes, alors je vais devoir remettre ça à plus tard.

Je pourrais me retirer au dernier moment.

Pourquoi pas.

Non. Impossible.

Se retirer au dernier moment est une mauvaise idée. C'est comme ça que les gens se retrouvent avec quatorze gamins sur les bras, alors qu'ils pensaient vraiment « avoir fait attention ! ». Sauf que Sunny m'a dit qu'elle prenait la pilule. Et j'ai vu la boîte dans le placard de sa salle de bains quand j'étais chez elle le week-end dernier – entre son dentifrice et sa lotion pour le visage.

Sunny est une jeune femme responsable. Elle ne passe pas son temps à oublier des choses, comme moi. Tout de même, ce serait plus sûr de la lécher. Je pourrais peut-être continuer avec les doigts et la faire jouir, puis on n'aurait qu'à retourner au cottage et se faire une partie de jambes en l'air toute douce, histoire de ne pas ralentir la guérison de mes couilles.

– Miller.

La main de Sunny se pose sur la mienne. Elle enfonce mes doigts plus profondément et agite les hanches pour m'aider.

– C'est agréable, bébé ?

– Hm-hm.

Elle passe son autre bras autour de mon cou et me mord le long de la mâchoire. Comme elle est couverte de poils de barbe broussailleux, je sens à peine ses dents.

– J'ai envie que tu me pénètres.

Voilà l'une des choses que j'apprécie chez Sunny. Elle ne passe pas son temps à employer des mots vulgaires, contrairement aux groupies qui semblent vouloir essayer de m'impressionner avec leur dévergondage. Sunny est égale à elle-même et n'essaie pas de se comporter comme une star du porno au lit – ou sur un tronc d'arbre dans la forêt.

– Moi aussi.

Faisant tout mon possible pour la faire jouir, je remue les doigts plus rapidement et décris des cercles autour de son clitoris avec mon pouce. Je n'ai pas envie de la laisser sur sa faim en lui proposant de retourner au cottage pour finir le travail. Je décide de lui dire des choses très légèrement cochonnes, parce que ça pourrait lui permettre d'atteindre l'orgasme plus vite.

– Cette semaine, je n'ai pas arrêté de penser au moment où j'allais pouvoir poser mes mains sur toi. Le goût de ta peau me manquait.

Elle gémit et se frotte plus fermement contre ma main.

– J'adore les petits bruits que tu fais quand tu es proche de l'orgasme et ta bouche est tellement douce. Et j'aime ce truc que tu fais avec la langue quand on s'embrasse. Si seulement tu voyais combien tu es magnifique, nue comme ça, prête à jouir sur mes doigts. Quand on sera rentrés au cottage, je vais te manger la…

Sunny gémit et écrase sa bouche contre la mienne. Chaque muscle dans son corps vibre de tension. Elle continue à remuer, à chevaucher mes doigts jusqu'à ce qu'elle se détende, puis s'effondre contre moi. Je lui frotte le dos et embrasse son épaule en souriant discrètement de satisfaction.

Sunny lève la tête et me sourit d'un air endormi.

– Je crois que tu es mon âme sœur orgasmique.

– Je veux bien être toutes les âmes sœurs qui te plaisent, Sunny Sunshine. Je t'avais bien dit que je t'aiderais à te sentir mieux, non ?

– Hm-hm.

Je retire lentement ma main, désolé de ne pas pouvoir enfiler une autre partie de mon corps dans cet antre serré, chaud et humide. D'habitude, je m'essuie discrètement les doigts sur les draps ou je me sers de ce jus comme lubrifiant avant d'enfiler une capote, si on s'apprête à passer à l'étape suivante. Ici, je vais devoir me contenter de l'écorce du tronc et d'un peu de mousse, mais ce ne sera pas très discret. Une fois qu'on sera rhabillés, je pourrai toujours aller me rincer les doigts dans le lac, après tout. Sunny a manifestement une idée très différente en tête. Elle attrape ma queue d'une main et s'appuie avec l'autre sur mon épaule pour se relever. Je ne comprends ce qu'elle s'apprête à faire que lorsqu'elle passe mon gland sur son clitoris.

– Il va falloir qu'on attende d'être rentrés au cottage pour aller plus loin, poussin.

– Pourquoi ? Tu n'as pas encore joui et j'ai l'impression que tu en as besoin.

C'est vrai. J'ai incontestablement besoin de jouir. Mon gland est presque violet. À force d'attendre et de me retenir, mes couilles sont sur le point d'exploser.

– Je n'ai pas de préservatif sur moi.

– Oh.

Son visage s'assombrit.

Ce qui me donne envie de prendre une mauvaise décision.

– Mon stock se trouve dans mon sac, dans la voiture.

Elle me dit ce que je sais déjà.

– Je prends la pilule.

– Je sais bien…

– Et je n'oublie jamais de la prendre.

– C'est super, mais…

– Tu pourrais te retirer au dernier moment ? Comme ça, tu n'auras pas besoin de t'inquiéter.

Peut-être que nous sommes vraiment des âmes sœurs

orgasmiques, parce qu'elle vient de lire dans mes pensées. Il est difficile de rester rationnel alors que Sunny frotte mon gland sur son clitoris. C'est comme un avant-goût de l'effet que ça me ferait si elle le promenait un peu plus bas.

– Ou alors, tu pourrais me sodomiser, dit-elle avec désinvolture, sans un soupçon de sourire ni de lueur perfide dans le regard.

Voilà le problème avec ce genre de proposition : n'importe quel mec, quel qu'il soit, a envie d'entrer par la porte que personne n'a franchie avant lui – ou que, dans le cas de Sunny, son ex-petit ami, que j'ai bien envie de tuer, a essayé de franchir un certain nombre de putains de fois. Mais il s'agit là d'une activité qui exige quelques préliminaires. Toutefois, je ne me fais aucune illusion : impossible que ça arrive. Contrairement à ce qu'aiment croire les hommes, la sodomie n'est pas un acte aussi fréquent dans la vraie vie que dans les films porno.

– Euh…

Un tic agite l'œil gauche de Sunny ; soudain, elle éclate de rire.

– Oh mon Dieu ! Si tu voyais ta tête, Miller. C'est génial.

– Tu sais…

Je serre ses fesses dans mes mains.

– Tu parles un peu trop souvent de sodomie, à mon goût.

– C'était la première fois que je plaisantais là-dessus. L'autre jour, j'ai cru que tu essayais de me pénétrer par surprise.

Elle recommence à faire glisser mon gland sur son clitoris. Cette fois, elle le fait descendre quelques centimètres plus bas. Je regarde mon gland disparaître en elle.

– Sunny.

Ce n'est même pas un avertissement ; je prononce simplement son nom.

– Tu m'as fait du bien. Tu ne veux pas qu'on se sente bien ensemble ?

Je devrais me montrer plus responsable, mais je n'en ai aucune envie. Je la laisse enfoncer ma bite jusqu'au bout, jusqu'à ce que ses fesses soient posées sur mes genoux. Elle commence à agiter les hanches. J'aimerais dire que c'est génial, parce qu'il s'agit de Sunny, mais j'ai encore mal aux couilles, alors je ressens un peu de gêne en même temps que du plaisir. J'enveloppe Sunny dans mes bras et la garde tout contre moi pour l'empêcher d'aller et venir trop vigoureusement. Tout ira beaucoup mieux de cette façon.

– Pourquoi est-ce que c'est toujours aussi agréable avec toi ?

Elle enfonce ma langue dans sa bouche, si bien que je suis incapable de répondre. Je vois exactement ce qu'elle veut dire. Faire l'amour avec Sunny, c'est mille fois mieux que tout ce que j'ai vécu avant, même si les choses ne fonctionnent pas toujours parfaitement.

Ses mains se promènent dans mes cheveux et sur mon visage. Son souffle chaud inonde mes lèvres à chaque lent coup de reins. Lorsqu'elle est de nouveau proche de l'orgasme, je change de position pour être sûr qu'elle obtienne la friction suffisante.

Je me retiens, faisant tout mon possible pour attendre qu'ait lieu l'instant magique avant de laisser cracher mon canon. Sunny ouvre la bouche et écarquille les yeux d'un air qui m'est familier, avant de battre des paupières. Je lui tiens les hanches pour l'aider à garder le rythme, tandis que ses muscles se resserrent. Dès que je les sens se détendre autour de ma queue, je la soulève. Ses seins sont juste au niveau de mon visage. J'ai envie de lui sucer un téton, mais je suis trop occupé à diriger ma bite sur le côté pour faire plusieurs choses en même temps. J'écrase donc mon visage contre sa poitrine et tiens son corps fermement.

Mon orgasme ressemble à l'explosion d'une bombe atomique. J'évacue ainsi le stress d'une semaine d'incertitude, de colère, de frustration et de séances de branlette ratées, bouclée par une dispute et une réconciliation. Sans oublier la morsure d'araignée. Ça fait du bien et un mal de chien en même temps. Je halète et transpire, mais je me sens beaucoup mieux une fois que c'est terminé. Sunny se réinstalle sur mes genoux et m'enveloppe de ses bras comme une couverture humaine.

– Est-ce que le sexe est toujours aussi génial ?

– Je n'en sais rien. Je suppose que ce ne sera plus aussi génial quand on aura quatre-vingts ans, mais en ce moment, il l'est incontestablement.

– Maintenant, je comprends pourquoi les gens ont tout le temps envie de faire l'amour.

Je lui frotte le dos. Je suis désolé que la vie sexuelle de Sunny ait été aussi merdique avant qu'on se rencontre. Mais je suis ravi qu'elle me prenne pour son sauveur orgasmique. Je marmonne dans son cou :

– On devrait peut-être rentrer au cottage avant que Lily ne massacre Randy, ou que Randy ne massacre Bushman.

– Qui ça ?

– Kale, pardon.

– Oh.

Sunny rit. Elle se penche en arrière et redevient sérieuse. Elle tient mon visage entre ses mains.

– Encore une fois, je suis désolée de m'être servie de lui pour te rendre jaloux. C'était immature et stupide de ma part. J'ai juste…

Elle déglutit péniblement.

– Je t'aime beaucoup, Miller. Vraiment beaucoup. Nous allons bien ensemble et ça me fait peur, parfois.

Je prends le bout de la fine tresse qui tombe devant son visage et le passe sur mes lèvres en méditant.

– J'ai envie que notre relation soit amusante, pas effrayante.

Je pose une main sur son cœur. Ça veut aussi dire que je lui touche le sein.

– Je vais faire de mon mieux pour que tu te sentes en confiance avec moi.

Je préfère ne pas lui révéler la profondeur de mes sentiments pour elle. Pour le moment.

21

Cette fille est un vrai poison

J'aide Sunny à renouer les liens de son bas de maillot de bain avant de renfiler mon short. Elle ramasse son haut et le secoue.

– Ce n'est pas du sumac vénéneux, j'espère ?

Je pointe du doigt la plante sur laquelle était tombé son haut.

Elle y jette à peine un œil.

– C'est juste de la vigne vierge. Ces deux plantes se ressemblent beaucoup.

Le boyscout en moi en doute un peu, mais Sunny a suffisamment crapahuté dans la nature pour pouvoir les différencier. Elle noue le lien de son haut derrière son dos et ajuste les bonnets afin de couvrir ses tétons.

Grâce à la mousse, je n'ai pas trop sali mes vêtements. Mon short est humide – le mélange de nos jus, sans doute – même si on y est allés plutôt doucement. Il faudra de toute façon que je me change quand on sera rentrés au cottage. Mon T-shirt est bien plus sale que mon short. Lorsque j'ai voulu balancer la purée loin de Sunny, je me suis débrouillé pour gicler sur mon T-shirt au lieu d'arroser la végétation environnante. Je le rince dans le lac, en même temps que mes mains. Nous reprenons le même chemin qu'à l'aller pour rentrer au cottage, mais je garde mon T-shirt trempé et taché de sperme dans ma main, au lieu de le renfiler.

– Quand sont censés partir Bushman et Benji, au fait ? fais-je en apercevant le van au loin, toujours garé dans l'allée. Ils n'ont pas besoin de rester ici. On pourra vous ramener à Guelph, Lily et toi, dès que vous serez prêtes à partir.

– Benji ne s'en ira pas tant que Lily n'aura pas accepté de ressortir avec lui.

– Et combien de temps ça devrait lui prendre ?

Sunny hausse les épaules.

– Comment le savoir avec ces deux-là ?

J'attrape mon sac dans ma voiture de location.

– Et ça leur arrive souvent de rompre ?

– Tout dépend de ce que tu entends par « souvent ». Ils rompent trois ou quatre fois par an.

Moi, j'appelle ça « très souvent ».

– Pourquoi ne pas rompre pour de bon, dans ce cas ?

– Lily dit qu'il est super doué au lit.

Même si ma partenaire était « super douée », je ne pourrais jamais supporter une situation aussi merdique. Toutefois, je ne dis rien. Lily est la meilleure copine de Sunny. Et si je sais une chose, c'est qu'il ne faut jamais critiquer les copines de sa petite amie.

Je jette un œil à l'intérieur du van en passant. Benji semble enfin s'être bougé le cul. La question est de savoir où il se trouve maintenant et quand il va se décider à partir. Je comprends enfin où il est lorsque nous entrons dans le cottage. Lily et Benji sont dans la cuisine et se hurlent dessus. En fait, c'est surtout Lily qui hurle. Benji est appuyé contre le plan de travail pendant qu'elle l'engueule.

Randy est assis à la table de l'autre côté de la pièce et mange un bol de céréales tout en feuilletant un magazine, comme si de rien n'était. La sculpture bizarre en forme de bite vêtue d'une cape de superhéros est toujours posée sur la table. Il faudra que j'y jette un œil plus tard. Bushman est invisible, quant à lui.

– C'est terminé, Benji ! Je ne veux plus de cette relation avec toi ! Combien de fois il va falloir que je te dise que c'est fini pour que tu le comprennes ?

– Tu dis ça à chaque fois, et ensuite, on ressort ensemble.

Comme un crétin, il lui lance un sourire super insolent.

– Pas cette fois !

Elle est furieuse, mais bien que je sois à l'autre bout de la pièce, je devine qu'elle retient ses larmes à la façon dont tremble son menton.

Benji rigole. C'est sans doute parce qu'il a des spectateurs. Ou alors peut-être que ce mec est vraiment un abruti fini.

– Si je pars, on sait toi et moi que tu m'appelleras en pleurant dans deux ou trois heures, comme d'habitude. Alors je te suggère de fermer un peu ta grande gueule.

On peut dire que Lily m'emmerde vraiment depuis le début de mon histoire avec Sunny. Mais j'ai beau trouver son ingérence insupportable, j'ai un vrai problème avec les mecs qui parlent sur ce ton à leurs copines. C'est dégradant. Nous sommes là, en plus, alors je me demande bien ce qu'il peut lui dire quand ils sont seuls. Je m'apprête à intervenir, mais Randy me coupe l'herbe sous le pied.

Il les regarde, la cuillère en suspens devant sa bouche.

– Qu'est-ce que tu viens de lui dire ?

– Mêle-toi de tes oignons, lui répond Benji.

Randy hausse un sourcil et laisse tomber sa cuillère dans son bol. Du lait jaillit sur la table, sa barbe et son T-shirt. Il recule sa chaise, comme s'il n'avait rien vu ou qu'il s'en moquait.

– Tu veux que je me mêle de mes oignons ?

Randy traverse la cuisine et se plante devant Benji, qui paraît soudain tout petit. Randy est grand, mais pas aussi costaud que moi. Je le traite tout le temps de maigrichon. Sur la patinoire, il fait partie des joueurs minces ; face aux gens ordinaires, il est intimidant. Il fait au moins vingt kilos de plus que Benji.

Randy agite le pouce par-dessus son épaule en direction de Lily.

– Tu la suis partout dans la maison comme un clébard depuis vingt minutes et t'arrêtes pas de la provoquer juste sous mon nez. Quand est-ce que tu vas comprendre qu'elle veut que tu te barres ?

– Je n'irai nulle part.

– Tu en es sûr ?

Randy fait craquer les articulations de ses doigts.

– Je suis ceinture marron au karaté.

– Et je suis ceinture noire au bottage de cul.

Soudain, il se produit la chose la plus étrange au monde. Lily empoigne l'épaule de Randy, le fait pivoter et colle sa bouche à la sienne. Je demande à Sunny, qui a l'air aussi choquée que moi :

– C'est la pleine lune ou quoi ?

Elle ne réfléchit même pas une seconde.

– Non, pas avant la semaine prochaine.

Randy lève les mains en l'air. Il écarquille les yeux aussi largement que Sunny – et que Benji. Je pourrais trouver cette situation comique, sur le coup, elle me paraît plutôt complètement dingue.

– Va te faire foutre, Lily ! hurle Benji avant de quitter la pièce d'un pas lourd.

Lily décolle sa bouche de celle de Randy, lui couvre les oreilles avec ses mains, puis s'écrie :

– Va te faire foutre toi-même, Benji !

Celui-ci se retourne pour lui répondre, mais Lily écrase de nouveau sa bouche sur celle de Randy. Benji sort de la maison en claquant la porte.

À ce stade, Lily pourrait cesser d'embrasser Randy, mais il semblerait qu'elle n'en ait pas l'intention. Finalement, mon pote prend son visage entre ses mains et détache sa bouche de la sienne. Sunny et moi les regardons toujours, bouche bée.

– Je pense qu'il a compris, chérie.

Lily cligne des yeux.

– Quoi ?

– Le message est passé. C'est bon.

Elle secoue la tête.

– Oh ! Je suis désolée. Je ne voulais pas…

Elle s'écarte de lui comme s'il tenait une grenade dégoupillée.

– Mais on peut continuer si tu veux. Je t'ai déjà vue toute nue, alors on a déjà fait la moitié du chemin, non ?

Il sourit et lui lance un clin d'œil.

– Raaah. Non mais quel porc !

Randy rigole lorsqu'elle se dirige vers les escaliers et le bouscule au passage. Le visage de Lily a soudain pris une intéressante teinte rouge.

Randy croise les doigts des deux mains, tend les bras au-dessus de sa tête pour s'étirer et regarde Lily monter les marches en courant.

– Je crois que je vais aller piquer une tête.

Il fait chaud et je sens le sexe, alors il me paraît judicieux de l'accompagner.

– Moi aussi. Tu viens ?

Sunny se gratte sous le sein.

– Je vais d'abord changer de maillot de bain. On dirait que des aiguilles de pin se sont glissées dans celui-ci. Ça me gratte.

– T'as besoin d'un coup de main ?

Je glisse un doigt sous le tissu et effleure son téton.

– J'aurai certainement besoin d'aide plus tard. Je vais d'abord aller voir comment va Lily.

– Pas de problème, poussin.

Je l'embrasse, puis attends qu'elle soit arrivée en haut de l'escalier et ait disparu de ma vue pour commencer à chercher un caleçon de bain dans mon sac. Je me déshabille au milieu du salon et me change pendant que Randy essuie le lait sur la table. Comme il est déjà en caleçon de bain, nous descendons ensemble jusqu'au ponton.

Le van a disparu de l'allée. Ça veut peut-être dire que Bushman est parti pour de bon. Les choses s'améliorent enfin.

* * *

Nous passons le reste de l'après-midi sur le ponton. D'après Sunny, les jumeaux branchouilles sont rentrés chez eux pour de bon. Elle a appelé Bushman et lui a laissé un message lui expliquant que lui et elle ne seraient jamais plus que des amis et qu'elle espérait ne pas lui avoir donné de fausses impressions. Je le plaindrais presque si ce mec n'était pas un tel connard.

Lorsque le soleil commence à descendre derrière les arbres et que mon estomac commence à gronder, nous retournons au cottage pour préparer le dîner. Pendant que Sunny farcit des poivrons, je cherche de la nourriture animale dans le frigo pour les accompagner. J'aurais dû m'en douter : il est rempli de tofu et de produits frais.

Le seul aliment non végétal est un succédané de crème et, franchement, ça ne me dit rien. Si nous restons ici quelque temps, Randy et moi allons devoir nous trouver du bacon et des steaks hachés au minimum. Lorsque je regarde dans le congélateur, je trouve des queues de homards et des pinces de crabe. Si je dois manger la bouffe de Waters, autant que ce soit les trucs les plus chers.

Le dîner ne commence pas avant vingt et une heures, ce qui, d'après Sunny, est typique de la vie au cottage. Je me fiche de l'heure, tant qu'il y a plein de bouffe à manger et qu'elle est bonne. Lily descend et examine la table. On peut facilement caser huit personnes autour, mais la seule chaise inutilisée se trouve à côté de Randy. Aucun de nous – à part Sunny – ne l'a vue depuis la branlée qu'elle a mise à Benji et la pelle qu'elle a roulée à Randy. Elle ne lui adresse pas un regard, mais son visage est de nouveau rouge et je la trouve anormalement silencieuse.

Elle siffle son verre de vin, le remplit de nouveau à ras bord, puis contemple son contenu pendant que la conversation se poursuit autour d'elle. Par chance, Sunny et Randy s'entendent bien. Si je pouvais trouver un terrain d'entente avec Lily, tout serait parfait. Je devine qu'elle rêve de s'échapper, mais qu'elle reste avec nous par politesse.

– C'est quoi ce truc, au fait ?

Elle saisit la sculpture orange posée au centre de la table. La cape autour de son cou ressemble à celle de Superman, car un S est imprimé dessus. La sculpture a deux yeux protubérants et une moustache.

– Fais-moi voir ça.

Randy tend la main et Lily la lui donne. En soulevant la cape, il est pris d'un tel fou rire qu'il en tombe presque de sa chaise.

– C'est une bite superhéros.

– Je vous parie un million de dollars que c'est l'œuvre de Violet, dis-je.

– Il y a même un S sur la cape, ajoute Randy.

– Je suppose que ça veut dire « Superpénis »… Violet n'arrête pas de parler de la « queue monstre » de Waters.

Tout le monde cesse de manger.

– Elle adore me raconter sa vie. Dans les moindres détails.

Randy s'esclaffe.

– Waters n'est pas si bien membré que ça.

– C'est ce que je pensais, jusqu'à ce que Sunny découvre tout un stock de capotes XL dans sa chambre, réponds-je. Elle peut témoigner.

– Sans déconner. Elle doit être super impressionnante en érection.

Randy plante sa fourchette dans un haricot vert et en croque la moitié.

– Cette conversation est insupportable.

Lily laisse tomber sa fourchette sur la table et s'empare de la sculpture en forme de bite. Sunny et elle décident de la prendre en photo partout dans le cottage. Toutes deux gloussent comme des idiotes en la cachant derrière des coussins, puis en la posant sur la cheminée et dans le frigo. C'est la première fois que Lily sourit depuis que Randy et moi sommes arrivés. Lorsqu'elles ont terminé, Lily et Randy s'occupent de la vaisselle, pendant que Sunny et moi sortons pour allumer un feu de camp. Elle se donne des tapes sur la nuque et se gratte sous le col de son T-shirt.

– Tout va bien ? Ça te démange encore ?

– Non, ça va. Je pense que c'était un moustique. Je vais mettre de la lotion répulsive quand on aura allumé le feu.

J'attends qu'on soit loin du cottage pour lui parler de nos amis qui se trouvent toujours à l'intérieur.

– Tu devrais peut-être prévenir Lily au sujet de Randy.

– C'est déjà fait.

– Ouais, mais…

Sunny pose une main sur mon épaule et se hisse sur la pointe des pieds pour déposer un baiser sur mes lèvres.

– Ils sont adultes.

– Ouais, mais elle risque de prendre la mauvaise décision, parce que Randy sait y faire quand il veut.

– Comme toi ?

Il y a une différence entre Randy et moi. C'est aussi un beau parleur, mais d'un autre genre. Il peut sortir avec une groupie jusqu'à ce que leur histoire devienne sérieuse, puis couper totalement les ponts sans prévenir. Je l'ai vu ignorer des filles du jour au lendemain. C'était comme s'il leur claquait la porte au nez. Je sais pourquoi il fait ça ; il ne veut pas finir par faire subir à une fille ce que son père a fait subir à sa mère. Malheureusement, il a blessé un tas de groupies sans défense en se comportant de cette façon.

On avait onze ans quand les parents de Randy se sont séparés pour de bon. Son père n'a joué que quelques saisons en NHL et il est surtout resté sur le banc de touche. Il avait beaucoup de mal à garder sa bite dans son pantalon quand il était en déplacement. La mère de Randy a fait avec pendant un moment, et puis elle a craqué. Je pense que Randy a peur de suivre le même chemin. Alors dès que les choses deviennent trop sérieuses, il se casse.

J'ai toujours été franc avec les groupies, histoire qu'elles ne se fassent aucune illusion. Je voulais seulement m'amuser, je ne cherchais pas de relation à long terme. Jusqu'à ce que je rencontre Sunny. Elle m'a fait comprendre ce que je pouvais gagner en m'ouvrant à quelqu'un d'autre. Parfois, la régularité vaut mieux que la variété.

Toutefois, sa réflexion me fait l'effet d'une gifle.

Elle semble lire sur mon visage. Ses doigts se posent sous mon menton.

– Ne le prends pas comme ça, Miller. Ce n'est pas ce que je voulais dire. Enfin, un peu, mais tu sais toujours quels mots prononcer pour obtenir ce que tu veux. Tu sais exactement ce qu'il faut faire et comment le faire, mais je n'ai jamais l'impression que tu me dis simplement ce que je veux entendre.

– C'est parce que je suis sincère.

– Je sais. Lily est sortie longtemps avec Benji et ça fait un moment qu'elle est malheureuse. Je crois qu'elle a compris que les choses ne s'arrangeraient jamais, cette semaine.

Elle ramasse une brindille et la fait tourner entre ses doigts.

– C'est aussi pour ça que je ne voulais pas faire faux bond à Lily en partant avec toi. Benji a des… problèmes. Parfois, il peut être vraiment méchant. Enfin bref, une amourette ferait sans doute du bien à Lily.

– Tant qu'elle sait que ça ne durera pas.

– Elle vous connaît parfaitement, tes copains hockeyeurs et toi.

Elle m'attrape par la main et m'emmène vers la forêt.

– Allez, viens, allons chercher du petit bois.

Nous finissons par nous rouler des pelles contre un arbre dans la forêt. Au bout d'un moment, je pousse le short de Sunny sur le côté et la prends par-derrière. J'accroche le préservatif usagé à la branche d'un arbre quand elle a le dos tourné. J'adore le sexe en plein air. Plus tard, Sunny nous montre à quel point elle est douée pour allumer un feu de camp. Elle parvient à produire une superbe flambée sans arroser le bois d'essence ou d'alcool.Une fois que les branches flambent, je vais chercher des chamallows et des pics à brochettes à l'intérieur du cottage. Un feu de camp digne de ce nom exige quelques grillades. Je compte également empêcher Randy et Lily de faire une connerie.

C'est trop tard, cependant. Je les trouve dans la cuisine, Lily prise en sandwich entre Randy et le plan de travail. Elle empoigne son T-shirt et Randy a posé les mains de chaque côté d'elle. L'un de ses genoux se trouve entre ses jambes et frotte sa cuisse contre son pubis tout en lui roulant une pelle.

Je referme la porte-moustiquaire en la faisant claquer plus fort que nécessaire. Lily repousse brutalement Randy et pivote sur ses talons, avant de plonger les mains dans la mousse. Ses épaules se soulèvent et se baissent au rythme de son souffle. Randy s'essuie la bouche avec sa manche, puis jette un œil par-dessus son épaule.

– Quoi de neuf, Miller ? Vous avez allumé le feu de camp ou quoi ?

– C'est l'heure des chamallows.

Je sors un sachet de guimauves du garde-manger, ainsi que des crackers. Comme je ne trouve pas de barres de chocolat, je me rabats sur un pot de Nutella.

– Vous nous rejoignez ou vous comptez vous envoyer en l'air sur le sol de la cuisine ?

Randy glisse un bras autour de la taille de Lily et enfouit le nez dans son cou.

– J'opterais bien pour la deuxième proposition, mais je vais laisser Lily décider pour nous deux.

– On arrive tout de suite, répond-elle d'une voix rauque.

Randy s'esclaffe. Je secoue la tête et referme la porte-moustiquaire derrière moi. Moi qui croyais que Lily détestait les coureurs ! Elle a pourtant l'air bien partie pour s'en faire un. Je me demande à quelle vitesse elle va le regretter.

* * *

Je découvre bientôt que Sunny ne mange pas de chamallows. La gélatine est faite de moelle osseuse et la moelle vient des animaux, alors pas question pour elle d'en avaler. Le végétalisme semble être une vraie torture. À quoi bon se priver des bonnes choses ?

Nous restons dehors quelques heures, mais Sunny se gratte toujours, même après s'être aspergée de lotion. Au moment où nous décidons d'aller nous coucher, nous sommes tous plus ou moins bourrés. Sunny installe Randy dans la chambre qui se trouve juste à côté de celle de Lily. À mon avis, c'est une mauvaise idée, mais comme ils n'ont pas arrêté de se peloter près du feu, ces deux-là s'enverront en l'air, quelle que soit la distance qui sépare la chambre. J'espère que Sunny a raison et que Lily ne fait que prendre du bon temps après sa rupture.

La chambre de Sunny a été spécialement décorée pour elle. Les murs sont peints en jaune pâle. La couette est couverte de tournesols. En bref, c'est une chambre de fille. En la contemplant, je comprends à quel point son frère et elle sont proches.

– Il faut que je prenne une douche ; mes cheveux sentent la fumée, dit Sunny après avoir refermé la porte.

Je glisse mes bras autour d'elle en me plaçant derrière elle et enfouis le nez dans ses cheveux blonds ondulés.

– Tu sens le chamallow grillé. J'aime bien ça.

– Je sens la fumée et la lotion anti-moustiques. Et ça me démange.

– Dans ce cas, je t'aide, d'accord ?

Elle se retourne, le menton tombant et le regard trouble à cause de tous les mojitos qu'elle a bus.

– J'adore ça ; tu as de plus en plus l'accent canadien.

– J'aime bien quand tu déteins sur moi.

Je l'embrasse. Même ses lèvres ont un goût de fumée. Je fais glisser mes mains le long de ses flancs et lui serre les fesses. En les remontant, je tire son T-shirt par-dessus sa tête. Elle ne porte pas de soutien-gorge. Je songe sérieusement à en profiter, mais soudain, je remarque une éruption sur sa peau. De grandes traînées rouges couvrent sa poitrine. Je repousse ses cheveux sur le côté et remarque qu'elle a les mêmes sur la nuque, comme si l'éruption suivait la bretelle de son bikini.

– Tu as des allergies ?

Elle baisse les yeux, pousse un cri et lève les mains pour toucher ses seins. Je lui attrape les poignets avant que ses doigts entrent en contact avec sa peau.

– Tu es sûre que c'était juste de la vigne vierge dans la forêt, poussin ?

Sunny lève brusquement les yeux vers moi, au bord des larmes.

– Oh mon Dieu ! J'ai été touchée par du sumac vénéneux ?

Sunny ne semble pas vouloir y croire.

Je ne peux pas lui mentir. La preuve est là : une belle éruption, rouge et boursouflée, étalée sur sa poitrine. Même ses pauvres petits tétons ont des boutons.

– Est-ce que ça te gratte ailleurs ?

J'espère juste que le poison ne s'est pas répandu ailleurs.

– Non. J'ai pris une douche juste après notre promenade dans la forêt.

Elle tend la main vers le bouton de mon short.

– Qu'est-ce que tu fais ?

– Je veux jeter un œil à ton paratonnerre.

– Je pense que je m'en serais rendu compte si ma bite avait été touchée, Sunny. Je t'ai dit que j'étais immunisé, rappelle-toi.

– Et si tu t'étais trompé ? Pourquoi est-ce que je ne suis pas immunisée ?

Je repousse ses mains, déboutonne mon short et le baisse en même temps que mon slip – histoire de lui faire plaisir. Mes couilles ont presque retrouvé leur taille normale et je bande à moitié.

– Tu vois ? Aucune éruption.

La porte s'ouvre à toute volée.

– Est-ce que tout va bien ? J'ai entendu Sunny hur…

Lily se tait brusquement.

– La vache ! Tu n'exagérais pas.

Son regard est fixé sur mon paratonnerre à moitié dressé.

Randy se trouve juste derrière elle. Il est en boxer et je m'aperçois que Lily porte son T-shirt. Ça ne leur a pas pris longtemps. Je remonte mon slip, mais laisse mon short où il est, en tas autour de mes chevilles, lève les mains pour masquer les seins de Sunny. Randy a déjà détourné les yeux.

– Joli string, Butterson.

– Jolis poils sur ton torse, Ballistic. T'en as combien, maintenant, trois ou quatre ? Ce n'est pas un string, mais un slip.

– Vous voulez bien arrêter tous les deux ? Qu'est-ce que je vais faire, Miller ? J'ai des boutons sur les seins et ça gratte !

Lily ferme la porte au nez de Randy et me pousse du coude. Elle emmène Sunny dans la salle de bains et appuie sur l'interrupteur. Je serais tout émoustillé à l'idée de voir une fille toucher ma copine – je l'appelle comme ça, maintenant –, si celle-ci ne pleurait pas et n'avait pas les seins couverts de boutons. Et puis je n'ai aucune envie de la partager. Avec qui que ce soit. Pas même sa meilleure amie.

Lily sort la tête de la salle de bains.

– Va me chercher du bicarbonate de soude, s'il te plaît.

– C'est parti.

Le bicarbonate de soude est l'une des rares choses qui calment les démangeaisons dues au sumac vénéneux. Je l'ai appris chez les scouts.

Je pars à la recherche du bicarbonate dans la cuisine, pendant que Lily calme Sunny. Je mets une éternité à le trouver. À mon retour, j'entends la douche couler et Lily a rejoint Randy dans le couloir. Ils se parlent à voix basse et sont si absorbés par leur conversation qu'ils ne me remarquent même pas quand je me faufile à côté d'eux et entre dans la chambre. Je fouille dans mon sac jusqu'à ce que je trouve ma boîte de préservatifs. Je la lance à Randy.

– C'est bon, je m'occupe de Sunny. Prenez vos précautions, vous deux.

Ensuite, je referme la porte et la verrouille.

Je fabrique une pâte avec le bicarbonate, et lorsque Sunny sort de la salle de bains en reniflant, je lui demande de s'allonger sur le lit et l'étale sur sa poitrine.

Plus tard, je lui mange le cookie pour lui faire oublier ses démangeaisons.

Et ça marche. Deux fois.

22

Lavage de voitures style porno

Les distractions ont plutôt bien fonctionné la nuit dernière, mais elles ne sont plus aussi efficaces ce matin. L'éruption s'est aggravée pendant la nuit.

– Mais qu'est-ce que je vais faire ? C'est affreux ! s'exclame Sunny en désignant sa poitrine nue.

– Ce n'est pas si grave, bébé.

Je ne lui dis pas tout à fait la vérité. Ça semble vraiment grave.

Elle le devine.

– Tu plaisantes ? Je dois donner un cours de yoga dans trois jours. Je ne pourrai jamais le faire dans cet état !

– Mais tu porteras un T-shirt. Les gens ne verront rien !

– Je porte des débardeurs. Il n'y aura pas assez de tissu pour couvrir tout ça !

Elle fait un geste vers son cou et ses clavicules.

Il a fallu que Randy vienne frapper à ma porte et me rappelle que nous devions filer pour que je me souvienne du lavage de voitures caritatif qui a lieu cet après-midi. Il est déjà midi moins le quart. Il faut que je prenne une douche et que je m'habille, mais d'abord, je dois aider Sunny à se calmer.

J'ai eu beau lui assurer que je m'en fichais et que son éruption n'était pas contagieuse, elle a refusé de faire l'amour avec moi sans porter un T-shirt, ce matin. Elle est complexée.

Pendant la nuit, son éruption s'est répandue sur son cou et les boursouflures atteignent presque son visage à présent.

Je me sens super coupable. Si on n'avait pas fait l'amour dans la forêt, elle n'aurait pas eu ce problème. Le seul point positif, c'est que je n'ai pas besoin de trouver une excuse pour qu'elle ne nous accompagne pas au lavage de voitures. Dans d'autres circonstances, j'aurais voulu qu'elle m'accompagne pour me protéger des groupies – et puis parce qu'elle est géniale –, mais comme je vais avoir besoin des lumières du mec qui organise l'événement pour faire avancer un projet dont je n'ai pas encore parlé à Sunny, cette éruption tombe à pic.

– Peut-être que tu seras déjà guérie.

– Dans trois jours ? Je suis couverte de cloques ! Et tu sais ce qui va arriver ensuite ? Elles vont être remplacées par des croûtes. Je vais être couverte de croûtes. Ce sera dégoûtant !

Elle a raison, mais sa réaction est un peu extrême.

– Tu pourras les cacher avec du maquillage, ou quelque chose comme ça.

– Je ne me maquille pas. En plus, il ne faut rien mettre sur des plaies ouvertes.

Je passe une main dans ses cheveux en essayant de trouver une solution, si jamais il y en a une.

– Tu veux qu'on aille faire un tour à la clinique ?

Sunny semble se calmer.

– Les médecins ne pourront rien y faire.

Elle soupire.

– Je voulais venir avec toi au lavage de voitures, mais je ne peux pas y aller dans cet état.

– Je te trouve toujours magnifique.

Du moins, les endroits qui ne sont pas couverts de boutons sont toujours magnifiques. Et elle l'est toujours à l'intérieur.

– On dirait que j'ai une maladie de peau. Tu imagines un peu si les gens prennent des photos et les postent sur Internet ? Les rumeurs seront horribles. Aucun de nous n'a besoin de ça.

Si Sunny et moi ne sommes pas beaucoup sortis ensemble en public, les rares photos de nous prises pendant mon week-end chez elle sont maintenant suivies des hashtags #groupie et #lesbarbieetkenduhockey. Le fait que les gens reconnaissent que nous sommes en couple est une chose, mais ces surnoms ne sont pas tout à fait à mon goût – et pas non plus au goût de Sunny. Si on la photographie avec toutes ces cloques, le hashtag risque d'être bien pire.

Je l'attire vers moi pour la serrer dans mes bras.

– Je n'aurais pas dû me servir de ce tronc d'arbre comme lit.

– Je suis tout aussi responsable que toi. C'était marrant sur le coup. La nature me donne envie de faire l'amour.

– Moi aussi. La prochaine fois, on emportera des couvertures.

– La prochaine fois ?

– Si tu veux qu'il y en ait une. Autrement, on se contentera de faire l'amour à la maison.

Parler de sexe me fait de nouveau bander.

– Je suis désolé que tes seins te démangent.

– Moi aussi.

– Je te rapporterai de la lotion à la calamine. Heureusement que ce n'est pas ton cookie qui a été touché.

Je l'embrasse le long de la mâchoire.

– Oh, bon sang. Ne m'en parle pas ! On aurait fini dans un sale état tous les deux !

Elle tapote mes burnes et mon sexe à moitié en érection recouverts par le tissu de mon short.

– Je suis tellement soulagée que tout soit presque redevenu normal.

Ma couille gauche est encore un peu enflée, mais elle guérit convenablement. Sunny continue à tapoter mon entrejambe ; nous cessons de parler et commençons à nous embrasser. À part le T-shirt de Sunny, tous nos vêtements finissent par valser. Nous faisons l'amour lentement, doucement sur sa couette à tournesols. Si je ne me lançais pas dans ce projet afin que Sunny partage durablement ma vie, je laisserais tomber le lavage de voitures et mes recherches et je resterais au lit avec elle toute la journée.

* * *

Randy frappe à la porte de la chambre une dizaine de minutes après que j'ai donné à Sunny son deuxième orgasme.

– On ne sera partis que deux ou trois heures, Miller. Laisse un peu ta copine tranquille.

Sunny lève la tête de mon torse et sourit.

– Tu devrais y aller. Comme ça, on aura une bonne raison de fêter ton retour.

– Bien vu.

J'enfile un polo et un short, puis je me coiffe rapidement. Pelotonnée sous la couette, Sunny lit l'un des livres qu'elle étudiera en cours cet automne. Elle a envie de prendre de l'avance. Sunny a une intelligence bien à elle – comme moi. La lecture est pénible pour elle aussi ; elle et moi, nous préférons l'action. Nous nous ressemblons à bien des points de vue. Je l'embrasse sur le front, puis sur les lèvres. Elle semble triste lorsque je m'écarte d'elle.

– Est-ce que ça va ?

Je glisse quelques mèches de cheveux derrière son oreille.

– C'est tout ce sport qui m'a fatiguée.

Elle s'étire et pose le livre sur son ventre avec un sourire insolent.

Tandis que je la regarde, un sentiment étrange et troublant me serre la poitrine.

– Je ne suis pas obligé d'y aller, si tu préfères que je reste.

– C'est pour la bonne cause, tu ne peux pas rater ça.

J'ai un peu l'impression qu'elle me dit ce que je veux entendre.

– Je vais sans doute faire une sieste, et puis me vernir les ongles avec Lily. Ou alors on fera d'autres trucs de filles, pendant qu'elle me racontera ce qui s'est passé hier soir.

Je vais aussi essayer d'obtenir quelques informations pendant le trajet.

– Tu es sûre et certaine que ça ira ?

– Ouaip. Allez, cours faire ta bonne action.

– D'accord.

Je dépose un autre baiser sur ses lèvres en glissant un peu ma langue dans sa bouche, avant de me diriger vers la porte.

– Miller.

Je me retourne et découvre Sunny en train d'enrouler une mèche de cheveux autour de son doigt.

– Oui, poussin ?

Elle hésite, puis me demande :

– Il n'y aura aucune groupie, dis-moi ?

Je retourne vers le lit, m'allonge à côté d'elle et retire la mèche qu'elle tient entre ses doigts.

– Cet événement n'a rien à voir avec une fête chez Lance. C'est une collecte de fonds pour la recherche contre le cancer du sein. Je ne sais pas du tout qui sera là, mais les gens vont prendre des photos. C'est inévitable. C'est dans ce genre de moment que tu vas devoir me faire confiance, Sunny. Il s'agit d'un événement ouvert au public. Je vais participer à cette collecte de fonds et revenir directement auprès de toi, parce que tu comptes pour moi. Contrairement aux groupies. Tu pourras essayer de garder ça en tête quand les photos commenceront à défiler ?

Elle hoche la tête.

– Je devrais m'asperger de lotion anti-groupies pour être sûr qu'elles me laissent tranquille, pas vrai ?

Je saisis ses chevilles et la tire vers le bord du lit, jusqu'à ce que ses jambes pendent dans le vide.

– Qu'est-ce que tu fais ?

J'accroche mes pouces dans l'élastique de son short et le baisse en même temps que sa petite culotte.

– C'est ça, ma lotion anti-groupies.

Je me laisse tomber à genoux sur le sol. Son livre est toujours ouvert sur son ventre.

– Je penserai à toi tout le temps que je serai là-bas. Dès mon retour, j'appliquerai de cette lotion rose sur tes cloques.

– Tu as raison, c'est super excitant.

– Tu ne trouves pas ?

Je l'embrasse sous le nombril. Je n'ai pas le temps pour les préliminaires.

Randy frappe à la porte.

– Il faut qu'on y aille, Butterson. On ne va pas y passer la journée !

– Une minute !

Je pose la bouche sur son sexe et fais disparaître son air triste à l'aide d'un nouvel orgasme.

* * *

Le lavage de voitures a lieu à une demi-heure de route du cottage. Nous ne prenons pas ma voiture de location, parce qu'elle est un peu naze, et empruntons l'une des voitures de Waters. Il en a deux dans son garage. L'une est un 4x4 aux magnifiques jantes, l'autre une Iroc Z dont le capot est orné d'un aigle.

– Waters est un vrai tordu, non ?

Randy examine les bagnoles.

– Carrément, puisqu'il se marie avec ma sœur.

– Enfin, on peut pas se plaindre.

Il se glisse sur le siège en cuir rouge. L'intérieur a été entièrement réaménagé pour ressembler à celui d'une voiture de course.

Je pense que nous ne serons pas partis très longtemps. Nous n'avons qu'à signer un chèque, faire laver la voiture, faire un peu de relationnel avec l'organisateur et rentrer au cottage. Il ne nous reste qu'une nuit ou deux avant que Randy reparte à Chicago. Je n'ai pas besoin de rentrer tout de suite, mais Sunny doit retourner travailler. Nous rentrerons donc ensemble à Guelph. Je passerai quelques jours là-bas avec elle, même si je dois pour ça souffrir en silence, discuter avec son père et dormir dans la chambre d'amis.

Dès que nous sortons de l'allée, je commence à interroger Randy.

– Alors, quoi de neuf ?

– Hein ?

Randy est occupé à taper un message sur son portable. Il s'arrête et renifle. Il soulève le bas de son T-shirt, l'approche de son nez, puis sent ses doigts.

– C'est quoi, cette odeur ?

– De la lotion anti-groupies.

– Pardon ?

Il hausse un sourcil.

Je répète ma phrase, mais sans m'expliquer.

– Ça ressemble beaucoup à une odeur de chatte.

Il baisse un peu sa vitre et se remet à taper sur son portable.

– En parlant de ça, qu'est-ce qui s'est passé avec Lily ?

Elle est passée chercher du café dans la cuisine pendant que je coupais des pêches pour Sunny et moi. Elle portait le T-shirt de Randy. Et puis elle s'est montrée amicale. C'était surprenant de sa part.

– On s'est amusés. Plusieurs fois.

Il continue à tapoter sur son écran.

– J'espère bien remettre ça ce soir.

– Ah ouais ?

J'essaie de voir ce qu'il y a sur son écran, mais il m'est impossible de lire et de conduire en même temps.

– Il est pour qui, ce message ?

– Personne.

– Je t'en supplie, dis-moi que tu n'as pas l'intention de retrouver une groupie cet après-midi.

Je préférerais éviter un nouveau psychodrame. J'ai eu ma dose la semaine dernière, merci bien.

– Mais non, mon pote. Je ne suis pas un connard fini.

Il envoie un message de plus et range son portable dans sa poche. Environ trois kilomètres plus loin, je repère un van à moitié caché dans les buissons. Je ralentis.

– Ce serait pas Bushman et Benji ?

Randy fronce les sourcils au moment où nous le dépassons.

– Peut-être ? Difficile à dire.

Comme il y a une voiture derrière nous, j'accélère.

– Si ce van est toujours là à notre retour, je m'arrêterai. Ces mecs sont aussi tenaces que des groupies.

– Sans blague. Cette tête de nœud a envoyé des SMS à Lily toute la nuit. Heureusement, j'ai fini par la convaincre d'éteindre son portable. Sinon, je crois que je l'aurais balancé par la fenêtre. Ou je serais allé trouver cet enculé et je lui aurais cassé ses dix doigts un par un.

Il cherche une station de radio en pianotant sur son genou.

– Alors ?

Il cesse de tripoter le bouton pour me regarder.

– Quoi ?

– C'est tout ce que tu me racontes ? Vous vous êtes amusés.

– Plusieurs fois, ne l'oublie pas.

– J'imagine que son vagin n'a pas de dents, si tu as réussi à y pénétrer plus d'une fois.

– Des dents ?

– Ouais. Comme elle était assez hargneuse, je me suis dit que son vagin avait peut-être des dents, lui aussi.

Randy secoue la tête.

– Parfois, t'es un vrai malade, Butterson.

Il baisse son pare-soleil, vérifie son reflet dans le miroir et lisse sa courte queue-de-cheval. Randy a décidé de suivre la mode du chignon masculin. Je trouve qu'il a l'air d'un con, mais les femmes semblent apprécier.

– Elle ne s'est jamais montrée hargneuse avec moi.

– Normal, puisque tu te la tapes.

– En fait, Lily est super marrante.

Un sourire distrait se dessine sur ses lèvres. Il remonte le pare-soleil.

– Son cousin était à Camp Beaver Woods la semaine dernière.

– Avec nous ?

– Ouais.

– Sans déconner.

– D'après elle, il joue au hockey depuis qu'il est en âge de tenir une crosse, mais son oncle et sa tante ont genre six gamins et ils ne peuvent pas lui payer les cours. Mais ne lui dis pas que je te l'ai raconté. Je crois que c'est l'un des gamins dont tu as financé le stage.

– Ah.

– Je ne pense pas qu'elle te déteste autant que tu le crois.

Son portable sonne dans sa poche et il vérifie son message, ce qui met fin à la conversation.

J'essaie de déterminer si Lily s'est comportée différemment avec moi depuis notre arrivée hier. Franchement, je n'en suis pas sûr. Difficile à dire, avec toutes les conneries de Benji et la mésaventure de Sunny.

Le lavage de voitures a lieu dans une propriété au sommet d'une colline. L'allée est bordée de rochers et décrit un virage, si bien qu'il est impossible de voir la maison. Les voitures – bagnoles de luxe et véhicules relativement chers – serpentent lentement le long du chemin. Vu leur nombre, nous allons devoir patienter un moment. On dirait un mini-salon de l'automobile. Ma voiture de location aurait été assez craignos dans cet environnement. J'ai bien fait de prendre celle de Waters.

Randy sort son portable et envoie quelques messages de plus pendant que nous attendons. Je décide de faire pareil et en profite pour prévenir Sunny que nous avons vu un van garé au bord de la route, à deux ou trois kilomètres du cottage.

Sunny me répond. J'ai du mal à comprendre ses messages sans les écouter, mais le dernier contient un cœur et une petite bouche qui m'embrasse, alors tout va bien.

Randy montre notre invitation sur son portable aux vigiles en costard qui montent la garde au portail. Un mec me tend un écriteau sur lequel sont fixés plusieurs formulaires à signer. Je le donne à Randy pour qu'il y jette un œil, sinon nous allons bloquer la file un moment.

– Ce sont quelques autorisations à signer pour qu'on puisse utiliser notre image. Comme d'habitude.

Il me rend l'écriteau, je signe et nous avançons.

Dès que nous franchissons le virage, le cottage apparaît devant nous. La baraque d'Alex a aussitôt l'air d'un taudis, et ce n'est pas peu dire. La maison à deux étages faite de verre, de bois et de pierre est posée sur le flanc abrupt et rocheux d'une colline. La vue est spectaculaire. Le dernier étage est le seul accessible depuis l'allée. J'adorerais admirer un peu plus longtemps l'architecture de cette maison, mais je me rends soudain compte que nous allons avoir un problème. L'allée est bordée de voitures de luxe. Aucune d'elles ne coûte moins d'un quart de million de dollars. Parmi mes préférées, il y a deux Ferrari – l'une rouge, l'autre jaune –, une Mercedes noire et une Lamborghini orange.

Je suis un mec, donc les voitures me font bander. Si je ne possède aucun véhicule au prix aussi exorbitant que ceux-ci, c'est seulement parce que Violet m'interdit d'en acheter. J'ai les moyens, mais elle veut que j'attende encore quelques années avant de faire des conneries avec mon argent – comme m'acheter une voiture dans laquelle je ne pourrai jamais m'installer confortablement.

Mais le vrai problème, ce ne sont pas les voitures. C'est ce qui se passe autour : des mannequins en bikini sont allongées sur les capots ou enlacent leurs propriétaires, qui tiennent les faux chèques symbolisant leurs dons. Je n'arrive pas à lire leurs montants d'où je suis, mais vu le prix de leurs voitures, ces mecs-là peuvent aligner un certain nombre de zéros.

L'un des mannequins s'approche d'un pas nonchalant de notre véhicule, une éponge mouillée et pleine de mousse dans une main, un seau à moitié plein d'eau dans l'autre.

Randy et moi nous échangeons un regard.

– La vache.

J'évite de regarder le capot de la voiture.

– Est-ce qu'elle a les seins nus ?

Randy jette un œil à la fille.

– Elle m'en a tout l'air.

La fille plonge son éponge dans le seau, puis la frotte sur sa poitrine déjà luisante de savon.

– On est foutus.

Randy lève les pouces en adressant un sourire hypocrite à la fille.

– On devrait peut-être signer un chèque et repartir.

Si Randy me suggère un truc pareil, c'est que ça craint vraiment. Un photographe poursuit le mannequin en la mitraillant. Elle se dirige vers le côté passager et s'allonge sur le capot. Tenant l'éponge au-dessus de sa poitrine, elle la presse dans ses mains. Un jet d'eau blanc et mousseux gicle sur sa poitrine, puis les gouttes d'eau atterrissent sur le capot et le pare-brise. Ensuite, elle frotte ses seins partout sur l'aigle. On se croirait dans un film de série B.

– Je ne suis pas sûr que ta lotion anti-groupies suffise, dit Randy, lorsqu'elle arrive de mon côté de la voiture.

Elle laisse tomber l'éponge dans le seau et prend la serviette que tient l'un des hommes alignés au bord de l'allée. Ensuite, elle prend un écriteau et un stylo, puis elle se dirige vers moi en se pavanant.

J'essaie de ne pas la regarder ailleurs que dans les yeux. Mais c'est impossible. Je découvre avec soulagement que son haut de bikini est couleur chair et se confond avec la couleur de sa peau. Malgré notre discussion d'hier et nos multiples réconciliations, je ne crois pas que Sunny supportera de voir des photos de moi en compagnie d'un mannequin aux seins nus, alors que nous sommes à un événement caritatif.

Le mannequin s'appuie à la carrosserie de la voiture.

– Super bagnole, les garçons ! Vous pouvez aller vous garer là-bas. Remplissez ce formulaire en indiquant le montant de votre don et quelqu'un s'occupera de vous pendant que les filles lavent la voiture. Vous avez déjà signé l'autorisation pour les photos ?

– Ouais. On est fin prêts.

Je fais en sorte de la fixer dans les yeux pour ne pas laisser mon regard errer plus bas.

Elle nous guide vers un emplacement comme si elle s'apprêtait à donner le départ d'une course de dragsters. Sa queue-de-cheval se balance au rythme de sa démarche.

– Tu savais qu'il y aurait des mannequins ?

– Ben ouais, mais je pensais pas que ça se passerait de cette façon.

Randy se passe nerveusement la main dans les cheveux et défait en partie sa queue-de-cheval.

– Qu'est-ce qui t'inquiète ?

– J'en sais rien. Y a beaucoup de filles.

– C'est ton truc, d'habitude ! Personne n'a dit que tu étais obligé de t'en faire une.

– Va te faire foutre, Miller. Ce n'est pas ce que je voulais dire. C'est mauvais pour notre image.

– Sans blague.

Il n'y a plus moyen d'échapper à ce désastre, vu le nombre de voitures qui nous suivent au compte-gouttes. J'ai cru qu'il s'agirait d'une manifestation civilisée, puisqu'elle était organisée en faveur d'une cause que je soutenais. J'aurais dû me méfier.

On dirait le décor d'un porno merdique. Les mannequins aux seins prétendument nus nettoient les voitures avec des éponges mousseuses, puis se frottent les nibards contre les capots pour les couvrir de mousse, pendant que des photographes professionnels les mitraillent. Apparemment, un magazine profite de l'événement pour constituer son numéro annuel spécial « mannequins en bikini ». Dommage que je ne l'aie pas su avant. Je remplis rapidement mon formulaire de don, pendant que Randy fait pareil avec le sien. Je suis distrait par la façon dont les filles se pendent au cou des donateurs, pendant que les photographes prennent des photos.

Randy se penche vers moi et relit mes documents pour être sûr que j'ai signé aux bons endroits.

– Miller, c'est…

Un autre mannequin approche le visage de ma fenêtre.

– Vous êtes prêts ?

– Absolument.

Je lui tends mes formulaires, puis ceux de mon pote.

– C'est bon, t'en fais pas pour ça, dis-je à Randy, qui semble franchement stressé.

Le mannequin vérifie les informations inscrites sur nos documents et nous adresse un sourire éblouissant.

– Je reviens tout de suite.

– D'accord.

J'ai envie d'envoyer un message à Sunny pour la prévenir que je suis coincé ici et que ce n'est pas ce qu'elle croit, mais je n'en ai pas le temps. Une foule de mannequins entoure bientôt la voiture.

Elles ouvrent les portières ; Randy et moi n'avons d'autre choix que de sortir. L'une des filles nous tend de faux chèques sur lesquels sont inscrits les montants de nos dons. Elles forcent Randy à poser avec moi.

– La vache, siffle-t-il entre ses dents. J'aurais donné plus si j'avais su que tu débourserais cinq mille dollars.

Je ne voulais en donner que deux mille.

– Désolé, mon pote, je me suis trompé de chiffre.

Deux autres mannequins – celles-ci portent des hauts de bikini normaux et des mini-shorts – se placent de chaque côté de nous, puis deux autres s'installent à nos pieds en se contorsionnant bizarrement. Nos voisines posent leurs mains sur nos épaules et s'approchent de nous en faisant semblant de nous embrasser. Je me tourne vers la mienne dans l'intention de protester et découvre que ses lèvres rose vif se trouvent à deux petits centimètres des miennes – grâce à ses talons vertigineux. Et le flash choisit ce moment-là pour se déclencher. Je suis arrivé depuis moins de cinq minutes et je suis déjà dans la merde.

Dès qu'elles ont terminé, j'essaie de sortir mon portable de ma poche pour pouvoir prévenir Sunny, mais les filles glissent leurs bras dans les nôtres et nous entraînent vers la maison. J'ai envie de me débarrasser de cette masse de mannequins en bikini, mais j'ai peur de paraître impoli ou d'attirer davantage l'attention sur nous. Je les laisse m'emmener derrière l'immense cottage et les suis le long d'un escalier en pierre qui mène à une vaste terrasse. Celle-ci est composée de différents niveaux, dont le dernier s'étend jusqu'à une piscine aux bords de pierre aussi grande qu'un bassin olympique. Je ne vois pas bien pourquoi le propriétaire a besoin d'une piscine, puisqu'il y a un lac juste en bas. Ça me paraît excessif et peu économique. Sunny n'approuverait pas.

Des haut-parleurs crachent de la musique bruyante et d'autres mannequins en bikini nous tendent des plateaux couverts de boissons et d'amuse-gueules en se pavanant. Elles prennent la pose devant les photographes, chaque fois qu'elles proposent un en-cas à quelqu'un. Je passe mon tour lorsque l'une d'elles m'offre un verre d'alcool. Il se passe exactement ce que j'avais promis à Sunny d'éviter. Sans le vouloir, Randy m'a encore foutu dans la merde.

Mais puisque je ne peux pas m'échapper, autant me tenir à carreau. Je pars à la recherche de Gene, notre hôte. J'ai l'intention de l'interroger sur la logistique qu'exige l'organisation d'un événement caritatif – dépourvu de toute nudité – et de lui proposer un rendez-vous afin qu'on en reparle plus tard, un jour où il ne sera pas entouré de centaines d'invités. Ensuite, il faudra que je mette la main sur Randy, qui a disparu dans la nature, pour qu'on rentre au cottage – et que je puisse retrouver Sunny.

Je parviens à localiser Gene et fais en sorte qu'on nous présente. C'est un grand fan de hockey, alors nous finissons par discuter de la saison qui approche et de l'entraînement. Ensuite, il me parle pendant une heure de promotion, de durée de carrière et d'activités philanthropiques. Il s'y connaît en affaires. Apparemment, il sait tout de mon implication dans ces stages d'été, y compris celui que j'ai quitté hier. L'interview que j'ai donnée a déjà paru dans le journal local. Un exemplaire est posé sur la table basse de son salon, ouvert sur une photo de moi en compagnie de Michael et sa famille.

Mon portable sonne plus d'une fois dans ma poche pendant que nous parlons. Conscient de ne pas pouvoir laisser filer cette occasion de m'entretenir avec lui, je ne l'interromps pas. Au bout d'un moment, Gene et moi échangeons nos coordonnées, ce qui est exactement ce que j'espérais.

Je cherche un moyen de mettre un terme à la conversation – ce mec est vraiment bavard –, lorsque Randy réapparaît enfin. Un étrange sourire affecté lui étire les lèvres. Gene le serre dans ses bras et nous invite à rester dîner.

– Ce serait avec plaisir, mais nous devons rentrer. La petite amie de Butterson est malade.

Randy ne cesse de sourire bizarrement.

– Vous m'en voyez désolé.

Ayant compris le signal, je me lève.

– Ce n'est pas très grave, mais je ne voudrais pas la laisser trop longtemps.

Gene hoche la tête et Randy me conduit vers la sortie. Cependant, il nous faut encore une demi-heure pour rejoindre la voiture, à cause de toutes les poignées de main et conversations qui s'imposent à nous en chemin.

– Il faut qu'on rentre au cottage *tout de suite*, dit Randy en se glissant sur le siège passager.

Je vérifie mes messages. J'ai reçu des tonnes de SMS de Sunny et plusieurs de Violet. Il va me falloir une éternité pour les lire. À en juger par l'expression affolée de Randy, il n'y a pas de temps à perdre. Je lui lance mon portable.

– Qu'est-ce qui se passe ? Il faut que tu me lises tous ces trucs.

– Waters et ta sœur ont débarqué au cottage il y a un moment. D'après Lily, Waters est furax. Lily est aussi très énervée. Elle m'a traité de petit péteux suceur de couilles.

– Quelle inventivité. Waters nous en veut parce qu'on a pris sa voiture ?

– Sans doute. Difficile à dire, les messages de Violet ne sont pas clairs. Elle parle de sumac vénéneux et d'un mec végétal. Le correcteur automatique a dû transformer quelques trucs.

Randy fait défiler mes messages. Certains sont sans doute personnels, mais je n'ai pas beaucoup de secrets pour lui, de toute façon. Il passe un moment sur mon portable et le sien.

– Putain.

– Quoi ?

– Les ex sont de retour au cottage.

Il appuie sur une touche et approche le portable de son oreille en pianotant nerveusement sur son genou. Je ne sais pas ce qui se passe, mais c'est sans doute grave.

– Salut ! Merde. Je suis content que tu décroches enfin. Je commençais à m'in…

Il s'interrompt brutalement en fronçant les sourcils.

– Holà. Attends une seconde. Pourquoi tu te barres ? Il n'a pas le droit de faire ça… tu peux gagner du temps ? On arrive dans une minute.

J'entends la voix haut perchée de Lily à travers l'appareil. Randy se frappe la tête contre l'appuie-tête.

– Arrête, Lily. Il ne s'agit pas de ça.

Après un bref silence, il éloigne le portable de son oreille et jette un œil à l'écran.

– Putain.

– Mais qu'est-ce qui se passe à la fin ?

– Elle a raccroché.

– Quoi, exprès ?

– Peut-être. J'en sais rien. J'entendais la voix de Waters dans le fond. Je crois qu'il se disputait avec Sunny, mais c'était difficile à dire avec tous ces hurlements. Il faut qu'on se magne. Je crois qu'un tas de conneries circule déjà sur nous. On va encore passer pour des connards.

Je me masse le front, prends un virage trop vite et manque d'érafler la bagnole. Waters m'arrachera les couilles si je la bousille. Randy vérifie si j'ai de nouveaux messages toutes les deux minutes, mais Sunny a cessé de m'en envoyer il y a une heure. Le dernier que j'ai reçu disait que Waters avait débarqué au cottage et qu'il était furieux.

Lorsque j'entre dans l'allée, je manque d'emboutir le van avec la voiture de Waters. Le conducteur est en train de reculer au moment où j'arrive. Le sentiment perturbant que j'ai éprouvé plus tôt me prend à la gorge quand je m'arrête et leur bloque le passage. Bushman sort sa gueule en broussaille par la fenêtre ouverte. Je coupe le moteur. À travers le pare-brise arrière, je vois Sunny qui s'entortille les cheveux autour du doigt.

– Bouge ta caisse de là avant que je te rentre dedans, connard ! hurle Bushman.

– Vas-y, te gêne pas, p'tite bite !

D'un bond, je sors de la voiture en laissant la portière grande ouverte et me dirige vers le van. Bushman manque de me renverser en faisant marche arrière. La porte du cottage s'ouvre à toute volée avant que je puisse parler à Sunny.

La carrure de Waters occupe presque entièrement l'ouverture.

– Je vais te casser la gueule, Butterson !

Nous sommes presque de la même taille. Je suis un peu plus large et il se peut que je pèse quelques kilos de plus que lui. Il est centre, moi défenseur, alors sa relative légèreté joue en sa faveur sur la glace. Je crois que cette petite différence de corpulence deviendra assez insignifiante une fois que la bagarre aura commencé. Il a l'air très énervé.

L'espace d'un instant, j'envisage de retourner à la voiture à toutes jambes et de m'enfermer à l'intérieur. Il ne risque pas de malmener sa voiture. Enfin, je crois. De toute façon, il a sans doute un double de ses clés, alors il finira par ouvrir la portière. Et puis je passerai pour une lavette, alors que je n'en suis pas une.

– Alex !

Violet le rattrape et se pend à son bras.

Il se calme une seconde et baisse les yeux vers elle.

– Je vais juste lui parler, chérie.

– Tu as dit que tu allais lui casser la gueule !

– C'était une façon de parler.

Il l'oblige à lui lâcher le bras et se remet à marcher vers moi d'un air enragé. Comme il porte des tongs, ses semelles claquent sur le sol et font voler le gravier à chacun de ses pas. Il n'adresse pas un regard à Randy au moment où celui-ci sort de la voiture. Visiblement, il n'en a qu'après moi.

Randy décide que c'est le moment de prendre ma défense, et de se défendre lui-même.

– Je crois qu'il y a un malenten…

Sunny ouvre la portière du van avant qu'il ait fini sa phrase. Elle n'a pas dû s'apercevoir que j'étais aussi près du véhicule ; je prends la portière en pleine poire et le coin pointu s'enfonce dans mon front.

– Oh, bon sang !

– Ne fais pas ça, Alex ! hurle Lily.

Je n'ai pas le temps de me remettre du choc : le poing de Waters s'écrase sur mon visage.

J'entends un craquement à l'intérieur de ma tête. Une douleur fulgurante m'emplit le crâne et tout devient blanc autour de moi.

– Alex ! Mais c'est quoi ton problème, à la fin ? s'écrie Violet.

– Tu n'avais pas besoin de lui envoyer ton poing dans la figure ! Il était déjà blessé ! hurle Lily.

Je ne sais pas pourquoi ce coup de poing était aussi inattendu. Waters mourait d'envie de me casser la gueule depuis que je lui ai cassé le nez, le soir où il a entubé Violet. Je tombe en arrière comme un tronc d'arbre qu'on vient de scier. Des pins et des bouleaux se dressent autour de moi, surmontés d'un ciel bleu parsemé de nuages blancs cotonneux. Ma tête heurte le gravier. Le soleil est comme une boule brillante au milieu du paysage. Il gonfle, grignote le bleu et éclipse les nuages jusqu'à ce que tout devienne jaune vif. Je cligne des yeux. Les nuages ont disparu. Il n'y a que du blanc et un point noir au centre. J'essaie vainement de m'asseoir. J'ai comme l'impression que l'impact a été violent.

J'entends des hurlements. Des hurlements féminins.

– Bon sang, mais tu ne pouvais pas lui parler au lieu de le frapper ?

Violet s'égosille de nouveau.

– Calme-toi, chérie. Il va très bien.

– Tu plaisantes ! Il est complètement KO !

Une main désincarnée apparaît dans mon champ de vision. Je crois que c'est la mienne. Je la passe sur mon visage. Ma paume est tout humide. Mon crâne est douloureux à plus d'un endroit et les points noirs se multiplient dans mon champ de vision. Le blanc devient rouge lorsque je lève la main devant mes yeux. Puis ces points noirs prennent de plus en plus de place.

Le gravier s'enfonce dans l'arrière de ma tête et il y a une énorme pierre sous mon épaule droite. J'ai envie de bouger, mais j'ai le souffle coupé. Il se peut que j'aie une commotion.

La voix de Sunny traverse le brouillard.

– Oh mon Dieu ! Il saigne !

J'ai envie de demander à quelqu'un de l'empêcher de s'approcher de moi ; Sunny et le sang ne font pas bon ménage.

– Tu devrais t'asseoir, Sunny, dit Lily.

Elle doit savoir ce qu'il se passe lorsque Sunny voit du sang.

– Rattrape-la !

C'est Randy qui vient de parler. Et dire qu'il surveille ma petite amie ! C'est vraiment un pote.

C'est moi qui devrais la rattraper. Je me démène pour m'asseoir, mais Alex est rapide. Il l'atteint avant qu'elle s'effondre sur le sol.

Je me redresse brusquement en sentant un liquide froid couler sur ma tête. C'est Bushman, il tient une bouteille de soda. Connard. Bordel, Waters a un sacré crochet. Bushman vide le reste du soda sur mon visage.

– Si tu continues comme ça, Bushman, je t'enfonce cette bouteille dans le trou de la bite ! hurle Randy.

Maintenant que Waters est là pour jouer les gardes du corps, le petit enculé agit enfin comme s'il avait une paire de couilles. Il fait couler les dernières gouttes sur le sol à côté de moi et recule.

– Fais-la monter dans le van, ordonne Waters.

Bushman soulève péniblement Sunny toujours inconsciente et grimpe les deux marches pour pénétrer dans le véhicule. Lorsqu'elle est à moitié à l'intérieur, Lily le bouscule et se laisse tomber à genoux à côté d'elle. J'essaie de me relever, mais perds sans arrêt l'équilibre. Waters doit jubiler.

Je parviens à me redresser au moment où Bushman allume le moteur.

Randy me tend un T-shirt pour que je puisse m'essuyer le visage. Il est tout collant de soda. Et plein de sang, à cause de mes blessures.

Je fais un pas hésitant vers le van.

– Tu ne peux pas le laisser ramener Sunny chez elle.

Waters pose une main sur mon torse et me pousse. Je tombe directement sur les fesses.

– Ça suffit, Alex !

Violet s'interpose entre nous. Ça me rappelle ce qu'elle a fait dans le vestiaire, quand j'ai découvert Waters en train de la sauter – sauf que cette fois-là, elle défendait Alex.

– Tu te rends compte que tu te comportes comme un vrai hypocrite ? Tu ne me plais plus du tout quand tu es comme ça !

– Il saute ma sœur depuis des mois ! hurle Alex.

Elle lève les mains en l'air.

– Mais pas du tout !

Toujours assis sur le sol, je lui crie :

– Arrête de te prendre pour le centre du monde, Waters. Je te jure que je t'en mets une, si tu continues à hurler sur Violet.

– Tu ne tiens même pas debout, Butterson.

– Alex ! Tu vas arrêter ?

Violet semble aussi énervée que lui.

Un vacarme provenant de l'intérieur du van met un terme à nos cris, ce qui n'est pas plus mal car j'ai un horrible mal de crâne. Sunny rouvre la portière, en prenant plus de précautions, cette fois. Lily se trouve juste derrière elle, comme si elle se préparait pour son deuxième évanouissement. Sunny pousse Bushman du coude et s'accroche au cadre de la portière, toujours chancelante.

Au moment où je la vois, je me sens merdique. Son visage n'exprime qu'une pénible résignation.

Lily pose une main sur son épaule et regarde Randy derrière moi.

– Sunny, peut-être…

Sunny secoue l'épaule.

– Allons-y, Alex.

– Tu plaisantes ? Arrête, Sunny. Je comprends rien à ce qui se passe.

Son regard se pose lentement sur moi.

– Trop de mélodrame, Miller. On en reparlera plus tard, quand tout le monde sera calmé.

– Plus tard ?

Je fais un geste vers le van.

– Tu es sur le point de partir. Qu'est-ce que tu entends par « plus tard » ?

– Je t'appellerai ce soir.

– Mais pour quoi faire ? Tu n'arrêtes pas d'écouter ce que te disent les autres. Tout ce que je t'ai demandé, c'était d'avoir un tout petit peu confiance en moi et de bien vouloir croire que je n'allais pas tout faire foirer. Et qu'est-ce qui s'est passé ? Ton frère a débarqué, t'a fait un caca nerveux à cause de photos qui ne lui ont pas plu, et du coup, tu as décidé de rentrer chez toi avec ce putain de bouffon !

– Il ne s'agit pas de ça, Miller. Alex est inquiet.

Je me tourne vers Alex.

– Je ne sors pas avec Sunny pour me venger de toi, sale con prétentieux.

Je tends une main à Sunny.

– Viens, poussin, sors de là. Je te ramènerai à Guelph, si c'est ce que tu veux. Il faut vraiment qu'on parle.

– Miller, je…

Cet instant d'hésitation est la goutte qui fait déborder le vase. C'est le coup de pied dans les couilles de trop.

– Tu sais quoi ? Laisse tomber. Rentre à Guelph avec P'tite Bite et son connard de clone.

Je me tourne vers Waters.

– Tu as gagné. Félicitations. J'espère que t'es content.

Sunny descend les marches du van.

– Miller, attends.

– Qu'est-ce que tu veux que j'attende, Sunny ? Que tu

acceptes enfin de croire que je ne suis pas en train de t'entuber ? Je n'en peux plus. J'ai l'impression d'être un foutu hamster dans sa roue. Tu peux partir ou rester, Sunny, ça m'est égal. Fais ce que tu veux. Moi, je me casse.

Je retire le T-shirt de mon front pour vérifier si le saignement s'est arrêté. Sunny s'évanouit de nouveau et Lily la rattrape juste à temps. J'ai envie de revenir sur ma décision, mais ça ne servirait à rien. Je ne peux pas obliger Sunny à me faire confiance, je ne peux pas laisser tomber mon boulot, je ne peux rien changer à la folie qui m'entoure et je ne peux pas empêcher Waters de me casser les couilles.

Je longe le van, puis me rappelle que ce n'est pas ma voiture, mais celle d'Alex, qui est garée derrière. Tous ces véhicules me bloquent le passage, impossible de sortir. J'ai envie de faire crisser mes pneus et gicler le gravier, et puis de faire quelques queues-de-poisson et rouler à toute allure pour me calmer.

– On te libère tout de suite le passage.

Waters a l'air beaucoup trop content de lui à mon goût.

– Je rentre faire mes bagages.

– Je t'interdis de mettre les pieds dans mon cottage, dit-il.

Je n'en crois pas mes oreilles.

– T'es sérieux, mec ?

– Tu joues vraiment au con, Alex, dit Violet. Tu peux entrer, Buck.

– Laisse tomber. J'attendrai dans ma voiture jusqu'à ce que ce con soit parti.

Je monte dans ma bagnole de location et verrouille toutes les portes, content que les vitres soient teintées. J'attrape une casquette de baseball sur la banquette arrière et l'enfonce sur mon front en serrant les dents lorsque le tissu entre en contact avec l'entaille sur ma tête. Je jette un œil dans le rétroviseur. Randy tient la portière du van ouverte. Je suppose qu'il parle avec Lily, ou qu'il essaie. On s'est mis dans une telle merde, lui et moi, que cette conversation ne doit pas être très productive.

Vi et Waters s'engueulent en agitant les mains devant le van. Lorsque Waters essaie de la serrer dans ses bras, elle pose les mains sur son torse et le repousse.

Il l'attire contre lui quand même et les mains de Vi sont coincées entre eux. Lorsqu'il essaie de l'embrasser, elle lui tend la joue. Malgré moi, je me sens responsable de cette dispute. Il prend les mains de Vi dans les siennes et l'oblige à les poser sur sa nuque. Ensuite, il lui relève le menton. Et dire que je suis en train de les espionner ! Waters lui parle d'un air sincère, le nez presque collé au sien. Finalement, Violet se laisse embrasser, mais son corps est toujours raide.

Elle enfonce ses mains dans les poches de son short, en attendant que Waters déplace sa voiture. Randy sort du van d'un air sombre. Il secoue la tête lorsque Bushman tente un pathétique demi-tour, visiblement incapable de sortir en marche arrière. Waters saute dans le van avant qu'il quitte l'allée.

Des nuages de pluie arrivent et cachent bientôt le soleil. J'ai l'impression qu'on me perce un trou en pleine poitrine, lorsque le van disparaît au loin en emportant ma Sunshine.

23

Si tu casses, tu payes

Je pourrais sortir de la voiture à présent, mais je ne le fais pas. Je reste assis à contempler l'espace vide où se trouvait le van il y a une minute dans mon rétroviseur. Je ne sais pas si je préférerais retirer ce que j'ai dit ou bien modifier l'issue de cette histoire. Violet frappe à ma vitre d'un air stoïque. Comme le moteur n'est pas en marche, je ne peux pas baisser ma vitre. Je dois ouvrir ma portière à la place.

– Je suis désolée, Buck.

Je détache mon regard du rétroviseur. Sunny ne reviendra pas. Je le sais.

– Pourquoi ?

– Tout ça...

Elle a l'air triste. Je ressens exactement la même chose au fond de moi.

– Et si tu sortais pour que je jette un œil à ta tête ?

Je dois fournir de gros efforts pour me lever de mon siège. Mon visage me fait mal et j'ai la tête qui tourne.

– J'essayais de faire une bonne action en allant à cette collecte de fonds.

– On ne savait pas que ça se passerait de cette façon, dit Randy derrière elle.

– Tu veux bien nous laisser une minute, Balls ? Peut-être que tu devrais aller chercher tes bagages. Et ramasser toutes tes capotes usagées, ce genre de chose.

Elle n'agite même pas les hanches en le disant.

Randy baisse la tête et se frotte la nuque.

– Pas de problème, Vi.

Ses semelles crissent sur le gravier de l'allée lorsqu'il s'éloigne. La porte-moustiquaire se referme en claquant. Un oiseau gazouille quelque part au-dessus de nos têtes et un écureuil fait son drôle de bruit. Tous ces petits sons joyeux de la nature m'emmerdent. Vi est fâchée. Et émotive. Elle est au bord des larmes. J'ai vu beaucoup de filles pleurer ces derniers temps. Et ce n'est pas agréable d'être la cause de toutes ces larmes. Je m'excuse par réflexe.

– Je suis désolé.

– Pourquoi ? Tu n'as aucune raison de l'être. Enfin, tu peux peut-être t'excuser pour l'éruption sur les seins de Sunny, mais ce n'était même pas ta faute non plus. Tu ne l'as tout de même pas forcée à se déshabiller en pleine forêt pour baiser.

– Euh, non. Elle a enlevé son haut toute seule.

Vi hoche la tête et garde une main près de mon coude tandis que nous nous dirigeons vers la terrasse. Je ne sais pas ce qu'elle espère faire au moment où je tomberai. Elle aura du mal à me rattraper. Je pèse deux fois plus lourd qu'elle.

Je m'assieds sur le bord de la terrasse et la laisse examiner mon front.

– Il va te falloir quelques points de suture et je crois que ton nez est cassé.

– C'est ce que je pensais.

– Il faut que je t'emmène à l'hôpital.

– Je sais.

Je pose les coudes sur mes genoux et presse le talon de mes mains contre mes tempes dans l'espoir de calmer les pulsations.

– Je n'avais pas du tout imaginé que cette journée se passerait de cette façon.

– Dans ce cas, on est deux.

– Ça va aller, avec Waters ?

Vi hausse les épaules.

– On finira bien par se réconcilier. Au bout d'un moment. Mais il n'a toujours pas digéré le coup des nichons et je n'ai pas du tout aimé sa façon de réagir.

Je ne lui demande pas ce qu'est le coup des nichons. Je crois comprendre de quoi il s'agit.

– Les mannequins ne se promenaient pas seins nus, même si on l'aurait cru. On a essayé de se barrer le plus vite possible, mais ça nous a pris un temps fou, et maintenant, on est carrément dans la merde.

– En effet, ce que j'ai vu n'était pas terrible.

– On serait repartis si on avait pu.

– Je sais bien, Buck.

Vi me montre une photo sur son portable, sur laquelle un mannequin aux seins nus semble m'embrasser, tandis qu'un autre frotte ses nibards contre le bras de Randy.

– Voici ce que tout le monde a vu aujourd'hui. Tu as laissé Sunny ici avec Lily, qui ne sait toujours pas quoi penser de toi, pour aller à cette collecte de fonds avec Balls. Qui, comme par hasard, semble incapable de maîtriser sa bite partout où il va.

– Sunny avait prévenu Lily. Je lui en ai parlé.

– C'est toi qui aurais dû prévenir Lily, et tu aurais dû dire à Balls de ne pas poser ses sales pattes sur elle. Enfin bref, Balls et Lily sont le cadet de tes soucis pour le moment. Qu'ils se débrouillent tout seuls. Tu n'étais pas obligé d'aller à cette collecte de fonds. Il fallait laisser tomber. Ta petite amie faisait une réaction allergique ! Tu avais tous les droits de rater ce lavage de voitures porno.

– Je pensais faire une bonne action et je voulais parler au mec qui s'en occupait. J'ai seulement compris mon erreur en arrivant là-bas et à ce moment-là, il était trop tard. Sunny et moi avions même parlé du fait qu'il y aurait sans doute des photos. Je savais qu'elle les détesterait, mais je ne pensais pas que ça se passerait de cette façon.

Violet se passe une main sur le visage.

– Je suis dégoûtée que les choses se soient passées comme ça. Alex a intérêt à empêcher Kale de s'approcher d'elle.

Cette tête de nœud serait bien du genre à profiter de sa vulnérabilité.

Je lève la tête pour voir si elle est sérieuse.

– Tu ne penses pas qu'elle va ressortir avec lui, quand même ?

– J'en sais rien, Buck. J'espère que non, évidemment. Je comprends que cette situation te contrarie, mais tout le monde était sur les nerfs et je pense que chacun a pris de mauvaises décisions.

Elle donne un coup de pied dans le gravier.

– Sunny n'avait pas tort en disant qu'il valait mieux attendre que tout le monde soit calmé. Il aurait été préférable que tu puisses lui parler, mais Alex ne t'aurait jamais laissé faire et elle le savait. Elle essayait simplement de ne pas aggraver la situation.

– Mais pourquoi est-ce que l'opinion de Waters lui importe autant, putain ?

À cause de lui, les choses sont encore plus compliquées.

– C'est son frère. Il te voit traîner avec des mecs qui semblent se foutre de passer pour des queutards. Ensuite, il arrive au cottage et la retrouve couverte de cloques pendant que tu participes à une collecte de fonds, dont l'ambiance rappelle celle d'un porno.

– Il sait bien que les choses sont tout le temps sorties de leur contexte.

– En effet. Mais tu as vu ce que j'ai subi quand Alex a nié sortir avec moi sur une chaîne nationale. Tu lui as même cassé le nez à cause de ça. Pourtant, ça ne semble pas te déranger de faire passer Sunny pour une groupie, en sortant tous les soirs faire la fête.

– Mais je n'étais pas…

– Je sais. Tu n'étais pas en train de faire la fête, mais c'était à ça que cette collecte de fonds ressemblait. Je te crois parce que je te connais. Mais il va falloir te retrousser les manches si tu veux convaincre Alex.

– Tout ce que je veux, c'est organiser ma propre collecte de fonds. Ce truc a simplement mal tourné.

– Ça, tu l'as dit.

Son portable bipe. Elle le sort de sa poche. Une photo de Waters et elle, la langue dans sa bouche – prise avant même qu'ils sortent officiellement ensemble – s'affiche sur l'écran. Elle range aussitôt son portable dans sa poche.

– Tu ne veux pas savoir pourquoi il t'appelle ?

– Je verrai ça tout à l'heure. Il peut attendre.

Je ne suis pas sûr que le fait d'avoir la priorité sur Waters soit une bonne chose.

– Je peux te demander un truc ?

Vi pose la joue sur son genou.

– Bien sûr.

– Pour quelle raison tu es ressortie avec Alex après son démenti à la télé ?

– À part sa queue géante et le fait qu'il me fasse jouir dix fois par nuit, tu veux dire ?

– Arrête tes conneries, Vi.

Elle soupire.

– C'est compliqué. Je l'aime, même s'il me fait souffrir. J'ai eu envie de le haïr quand il a annoncé à tout le monde que nous ne sortions pas ensemble, mais je n'ai pas réussi. Les gens prennent parfois de mauvaises décisions, surtout quand ils subissent beaucoup de pression. Certaines sont pires que d'autres. Il sait qu'il a déconné à fond et je n'ai jamais minimisé le problème. Je n'ai jamais prétendu que c'était oublié, non plus.

– Tu veux dire que tu lui en veux encore ?

– J'ai mes moments de doute. Il est doué pour me faire douter.

Elle fait tourner sa bague de fiançailles autour de son doigt, si bien que le diamant est caché dans sa paume.

– La passion que j'éprouve pour Alex est dévorante quand je suis avec lui, et quand je ne le suis pas. Ce qui est rare. Notre relation n'est pas parfaite, mais elle fonctionne, et elle mérite vraiment que je me batte pour la faire durer.

– Je pensais vivre la même chose un jour avec Sunny. Mais je suppose que c'est foutu.

Je comprends combien Vi a souffert quand Waters l'a entubée. Elle a pleuré toutes les larmes de son corps pendant des semaines à cause de ce connard. Et puis du jour au lendemain, ils sont ressortis ensemble. J'en veux à Sunny de ne pas me faire confiance et de laisser les autres influencer ses décisions. Mais j'espère encore qu'elle ne ressortira pas avec Bruce P'tite Bite McBushman.

– Vous vous êtes disputés, Miller. Tout n'est pas fini pour autant.

– Je suis tout à fait sûr que nous venons de rompre.

– Pas forcément. Je suis en colère contre Alex à cause de ce qu'il t'a fait, mais je ne le serai pas toute ma vie. Je vais simplement le laisser ruminer un moment. C'est pour ça qu'il est reparti à Guelph avec Sunny et que je suis restée avec toi.

– On a foutu vos vacances en l'air, autrement dit ?

– C'est Alex qui a tout fait foirer en dramatisant de cette façon. Je suis sûre qu'il pourrait devenir acteur s'il le voulait. On pourra repartir une fois que tout sera rentré dans l'ordre, toi et moi. Sunny était prête à discuter avec toi. Je suis sûre qu'elle l'est encore. Je crois qu'il faut que tu te demandes maintenant si votre relation vaut tous ces efforts. Les histoires d'amour exigent beaucoup d'énergie de la part de chacun. Je comprends que tu veuilles qu'elle te fasse confiance, mais tu dois lui laisser du temps. Une seule conversation ne suffira pas à l'apaiser. Aimer quelqu'un, ça représente beaucoup de travail, Buck.

– Peut-être que je ne suis pas doué pour les histoires d'amour.

Je n'ai pas envie de passer toute ma vie à me faire des groupies. Ce n'est pas ce que je souhaite. Je veux quelque chose de consistant. Mais quand on tient autant à quelqu'un, ça donne beaucoup de pouvoir à cette personne, et c'est une chose qui me rend nerveux. Le pouvoir des uns fait souffrir les autres. Soudain, je comprends ce qui me tracasse depuis que je suis allé voir Sunny à Guelph et que nous avons sauté le pas.

– Je crois que je suis amoureux d'elle.

– Dans ce cas, il faut que tu lui parles, Buck.

– J'ai besoin de réfléchir avant.

J'essuie une trace de sang sur l'arête de mon nez.

– Si seulement on pouvait appeler un genre de conseiller pour résoudre ses problèmes sentimentaux.

Vi rit, mais sans le moindre enthousiasme.

– Ça nous arrangerait tous.

Elle se lève et époussette le fond de son short.

– Viens. Allons voir ce que fait Balls. Ensuite, il faudra que je t'emmène à l'hôpital. Tu as sans doute une commotion cérébrale et, s'il t'arrive quelque chose, je ne le pardonnerai jamais à Alex. Ensuite, mon avenir tout entier sera réduit à néant, j'aurai la chiasse pendant toute une année et je me mettrai sans doute à sortir avec Balls après avoir rompu mes fiançailles. Je sais qu'elle plaisante, ou qu'elle espère m'en convaincre, mais je sens qu'elle tente de me cacher son inquiétude. Son portable sonne de nouveau. C'est la chanson qui parle de paons.

– Il faut que je décroche.

Elle s'éloigne jusqu'à ce que je ne puisse plus l'entendre, mais Vi ignore que son corps parle pour elle. Elle se passe une main dans les cheveux, bloquée par sa queue-de-cheval. Ensuite, elle se met à contempler le ciel.

La mâchoire de Violet est crispée ; ses yeux brillent. Je connais ce visage. Elle refoule ses larmes. Elle lève la main lorsque le soleil traverse les nuages, puis elle regarde son diamant briller et projeter toutes les couleurs de l'arc-en-ciel sur son visage. Ensuite, elle le tourne du côté de sa paume et referme les doigts dessus. Enfin, elle porte son poing fermé à sa bouche.

Il vaudrait peut-être mieux que j'en reste là avec Sunny, même si cette idée me fait plus mal qu'un palet dans les couilles après avoir été mordu par une foutue araignée. Je ne suis pas sûr de vouloir aimer quelqu'un autant que Vi aime Waters. Ça semble franchement douloureux.

* * *

Apparemment, Lily n'a pas beaucoup aimé les photos de Randy avec les mannequins à la collecte de fonds. Le mot CONNARD est écrit au marqueur partout sur ses vêtements, dans différentes couleurs. L'avertissement ATTENTION : PETITE BITE est inscrit sur l'avant de son boxer. Ce serait drôle s'il s'agissait du sous-vêtement de quelqu'un d'autre.

D'habitude, ce genre de chose les fait rire, Lance et lui. Mais pas cette fois. Randy a l'air sincèrement effondré, comme si tout était foutu. Il lance son dernier vêtement tagué dans son sac et tire sur la fermeture.

– Il faut qu'on t'emmène à l'hôpital. Tu as besoin de points de suture.

Il pointe mon front du doigt.

– Vi a décidé de m'y emmener.

– Je peux vous suivre avec la voiture de location.

Il prend un bout de papier sur la table de chevet, l'ouvre, puis le range dans sa poche.

Vi apparaît dans l'entrée.

– Pas la peine. Ça risque de durer un moment. Tu peux repartir à Toronto si tu veux, j'y déposerai Buck plus tard.

– Mais l'aéroport n'est pas vraiment sur ta route, si ?

– Pas de problème. Ça ne me dérange pas.

J'ai trop mal à la tête pour protester, alors je laisse Randy s'occuper de la voiture de location. Je me demande évidemment s'il va faire un arrêt à Guelph. Si c'est le cas, il ferait mieux de s'arrêter dans un magasin d'équipement sportif et s'acheter une coque, au cas où.

Une fois que la voiture est chargée, Violet retourne en courant dans le cottage pour aller chercher un truc qu'elle a oublié. Elle revient avec la sculpture orange en pâte à modeler qui porte une cape de superhéros. Elle la serre contre elle, puis la pose soigneusement sur la banquette arrière, emmitouflée dans un sweat-shirt.

– Tu veux bien m'expliquer ?

Elle tapote le gland.

– Je te présente Superpénis. C'est une sorte de souvenir.

Je ne devrais pas lui poser la question suivante. Je suis presque sûr que je ne veux pas entendre sa réponse.

– Un souvenir de quoi ?

– Du jour où j'ai failli étrangler la queue monstre d'Alex en la transformant en superhéros. C'est une longue histoire. Il vaut mieux que tu ne l'entendes pas, mais quelqu'un pourrait bien la raconter le jour de notre mariage – si nous finissons par nous marier un jour. J'espère que je réussirai à le convaincre de m'épouser.

J'avais raison. Je ne veux surtout pas en savoir plus.

* * *

Nous parvenons à trouver un hôpital à Bracebridge. Il est petit comparé à ceux de Chicago, mais les gens sont gentils là-bas, comme partout ailleurs au Canada. Quelqu'un reconnaît mon nom et Violet dit exactement ce qu'il faut pour qu'on s'occupe de moi sur-le-champ. Les traumatismes crâniens ont la priorité. J'ai bel et bien une commotion, mais elle est légère. Mon nez est cassé et on referme la plaie sur ma tête à l'aide de six points de suture. Jusqu'à maintenant, je m'étais toujours débrouillé pour ne rien me casser sur la figure, depuis qu'on m'avait brisé les dents au lycée. Mais c'était sans compter Waters et ses poings.

J'ai droit au baratin habituel – il faut que quelqu'un me réveille toutes les deux ou trois heures. Puis un médecin me remet le nez en place et le plâtre. Je n'ai pas encore les yeux au beurre noir, mais ils vont bien finir par apparaître. En attendant qu'on me donne des antidouleurs et qu'on me permette de partir, je vérifie mes messages. J'ai reçu des e-mails d'Amber qui, si je les avais lus hier, m'auraient fourni les informations dont j'avais besoin sur la collecte de fonds. Si seulement je les avais ouverts plus tôt ! Ou si j'avais écouté les messages sur ma boîte vocale, puisque j'ai aussi raté plusieurs de ses appels. Parfois, j'ai l'impression d'être aussi con que le pensent les gens. Je n'ai aucun message de Sunny. J'espère que Bushman n'est pas en train de la consoler. J'ai à la fois envie et pas envie de lui en envoyer un. Je suis partagé, et ça craint. Nous quittons l'hôpital et roulons vers Toronto. Le rectangle bleu pâle parsemé de boules de coton blanc rosit sur les côtés, lorsque le soleil commence à descendre derrière les arbres qui bordent l'autoroute. Il est déjà tard ; il fera nuit à notre arrivée à Toronto. Je suis désolé que Vi soit obligée de conduire. J'ai pris un puissant antidouleur, alors il vaut mieux que je m'en abstienne.

– Je vais appeler la compagnie aérienne pour voir si je peux obtenir un billet de retour pour ce soir.

– Pourquoi tu ne viendrais pas à Guelph avec moi ?

– Je n'en vois pas l'intérêt. Ça ne changera rien. Sunny ne me fera pas plus confiance, et Waters et Lily me détesteront toute leur vie.

– Lily ne te déteste pas.

– Randy est du même avis. Mais j'ai un peu de mal à vous croire.

– Elle aussi a essayé de calmer Alex. Quant à Randy, c'est une autre histoire. Je ne sais pas ce qui s'est passé entre ces deux-là, mais purée, elle a la rage. Tu as aussi de la chance que ce soit moi qui ai traversé ta chambre, et non Alex. Sunny et toi avez une idée de ce qu'est une poubelle ?

– Pourquoi es-tu entrée dans la chambre de Sunny ?

– Alex voulait voir ses cloques. La pauvre. Ses seins étaient dans un état !

Vi saisit son propre sein comme si elle souffrait pour Sunny.

– Enfin bref, je n'ai aucune envie d'aller porter des oranges à Alex en prison. S'il avait trouvé ces capotes après avoir découvert les photos de la collecte de fonds, tu aurais beaucoup plus que le nez cassé.

J'ai bien envie de lui reprocher sa partialité, étant donné la scène à laquelle j'ai assisté à cause de Waters et elle, mais je comprends que la situation est différente et que mes conneries surpassent les siennes.

Lorsque nous approchons de Toronto, j'insiste pour qu'elle me dépose à l'aéroport.

– Tu es sûr ? Tu devrais peut-être prendre une chambre à l'hôtel pour ce soir. La nuit porte conseil.

– Il faut que je m'occupe de certaines choses à Chicago.

– Tu comptes toujours organiser une collecte de fonds ?

– Je n'en sais rien. Peut-être.

Je repense à Michael et à sa vie tellement plus difficile que la mienne.

– Ouais. J'en ai toujours envie.

– Tant mieux. Il est grand temps que tu fasses quelque chose pour prouver ta générosité aux gens.

– Je déteste les interviews.

– Il va falloir que tu dépasses ça.

– Je dois tout le temps mémoriser des trucs. Tu n'imagines pas combien c'est galère d'être dyslexique.

– Non, tu as raison. Je ne suis jamais dans le pétrin à cause de toutes mes boulettes.

– Ça n'a absolument rien à voir. J'ai souffert le martyre pendant les cours de rhétorique au collège.

– Ah bon ? Tu crois que c'était plus facile d'être l'intello de service en maths ? La vache, quelle merde. Comme si je n'avais pas déjà l'air totalement ringarde. Les autres intellos ne se lavaient jamais. Et puis il a fallu que je commence à « t'aider ».

Elle mime des guillemets avec les doigts.

– À l'époque, tu baisais tout ce qui avait des seins et tu pensais que tout le monde était à tes ordres. Ça m'a fait bien chier d'être ta demi-sœur au lycée, tu peux me croire. Mais je m'en suis remise. Alors tu devrais faire pareil.

– Ouais, mais tu es super intelligente et tout est facile pour toi.

– Facile ? Parce que je suis douée en maths ? Tu oublies que je travaille soixante heures par semaine pour gagner moins de deux pour cent de ce que tu te fais en un an !

– Moins de deux pour cent ?

– Eh ouais, même si j'ajoute mes quelques primes.

– Ouah.

– Pas de problème. Je vais bientôt épouser un millionnaire

qui adore m'acheter des choses ridiculement chères. Tout bien réfléchi, je suis sûre que je supporterai sans mal de gagner un salaire de misère. Mais il ne s'agit pas de moi. Je comprends que tu travailles dur, toi aussi, mais franchement ! Tu as un talent énorme qui te permet justement de compenser tes prétendues faiblesses en lecture. D'ailleurs, si tu décidais de parler aux gens de ton problème, ça te rapporterait certainement des points.

– Personne n'a envie d'entendre parler de mes faiblesses.

– Tu plaisantes ? Tout le monde a envie de savoir ce qui pose problème aux autres. Ça leur montre que tout est possible. Et certains se sentent ainsi mieux dans leur peau. Si tu le voulais, tu pourrais aller dans les écoles et expliquer aux enfants quel mal tu t'es donné pour ne pas redoubler, que tu y es arrivé en persévérant. Évidemment, il ne faudrait pas leur dire que tu as baisé toutes tes profs particulières et que ta pauvre demi-sœur devait écouter de la musique à fond dans la chambre voisine pour éviter de tout entendre. Mais tu pourrais donner de faux espoirs à des millions de gamins et, aux plus doués, l'ambition nécessaire pour réaliser leur rêve.

J'ignore sa phrase sur mes profs particulières. Pas la peine de discuter de ça maintenant.

– J'en sais rien, Vi. C'est un peu… personnel.

– Personnel ? Tu plaisantes ? Ce n'est pas toi qui as laissé tes amis prendre des photos de tes couilles et les poster partout sur Internet ?

– Je ne les ai pas *laissés* faire. Et puis c'était pour savoir quelle espèce d'araignée m'avait mordu. Personne n'était censé savoir qu'il s'agissait de mes couilles.

– C'est vrai que ça change tout.

Elle fait tourner sa bague autour de son doigt.

– Je ne comprends pas pourquoi c'est si chouette de passer pour un queutard. Quand je pense que tu as surmonté un tas d'obstacles, que tu fais du bénévolat et que tu aides même des gamins à se payer des stages de hockey ! C'est tellement plus valorisant.

– Je n'essaie pas de passer pour un queutard. J'ai essayé

de devenir le petit ami de Sunny et regarde comment ça s'est fini. J'ai passé mon adolescence à tenter de prouver aux autres que je n'étais pas un abruti ; je n'ai aucune envie de revivre ça.

– Qui a dit que tu le devais ? Allez, Buck. La vie est dure. L'adolescence, ça craint à mort. Mais tu gagnes cinq millions de dollars par an maintenant. Tu n'es pas un abruti. Tu es peut-être incapable de vivre une relation durable avec une fille, mais tu n'es absolument pas un abruti. Si tu veux changer le cours des choses, il faut que tu fasses quelque chose d'égoïste par altruisme.

– Cette phrase n'a aucun sens.

– Laisse-moi t'expliquer. Tu savais que ton nom était récemment apparu dans un article qui ne mentionnait pas quelles groupies tu avais sautées ?

– La seule personne que j'ai sautée ces derniers temps, c'est Sunny. Enfin, avec qui j'ai fait l'amour. Je ne saute pas Sunny. Ce n'est pas ce qu'on fait avec la personne à laquelle on tient.

– Parfois, ça ne peut pas faire de mal de sauter quelqu'un, même si c'est la personne qu'on aime. Enfin bref, je ne te parle pas de la façon dont les médias perçoivent la personne que tu sautes. Je te parle du camp auquel tu as participé. Tu as répondu à une interview et c'était génial. Les gens sont déjà en train de tomber amoureux de toi. Essaie de montrer des choses plus positives. Arrête de faire la tournée des bars, arrête d'aller aux fêtes de Lance et arrête de te mettre dans le pétrin. Cherche à savoir à quoi ressembleront les soirées auxquelles tu prévois de mettre les pieds. Ce sera un changement positif, quoi qu'il se passe entre Sunny et toi. C'est la version de toi que tout le monde doit découvrir, à partir de maintenant.

C'est drôle. Le fait de perdre quelqu'un d'important vient de me faire changer de direction. J'ai enfin décidé de quitter ma zone de confort. Si seulement je l'avais fait plus tôt…

24

Ch-ch-changes

Après avoir vainement tenté de me convaincre de passer la nuit à Toronto, Vi me dépose à l'aéroport.

– Tu vas vraiment pouvoir conduire jusqu'à Guelph ?

Je suis inquiet. Il est presque vingt-deux heures et la journée a été longue.

– Oui, ça ira. Je vais m'arrêter quelque part pour prendre un café.

J'attrape mes sacs dans le coffre.

– Merci de m'avoir soutenu aujourd'hui.

Vi passe les bras autour de ma taille et se serre contre moi.

– C'est à ça que servent les sœurs, non ?

Je laisse tomber mes sacs sur le sol et la serre dans mes bras. Nous ne sommes pas vraiment de la même famille, mais Vi et moi sommes aussi proches que peuvent l'être un frère et une sœur.

– Envoie-moi un message quand tu seras arrivée à Guelph pour que je ne m'inquiète pas, d'accord ?

– Promis. Et fais la même chose quand tu seras arrivé à Chicago.

J'attends qu'elle remonte dans sa voiture et s'éloigne pour entrer dans l'aéroport. Je parviens à trouver un siège dans un avion qui décolle dans moins de deux heures. Je prends un billet en première pour pouvoir traîner dans le salon VIP et peut-être faire une petite sieste.

Vi m'envoie un message juste après mon passage au contrôle des bagages pour me dire qu'elle est bien arrivée chez les Waters. Je ne lui demande pas de nouvelles de Sunny, bien que j'en aie envie. En revanche, je lui demande comment ça se passe avec Waters et s'il va falloir que je lui casse de nouveau le nez. Elle m'envoie un message vocal pour me dire que c'est elle qui lui cassera quelque chose s'il va encore trop loin. Elle a l'air triste. Je n'aime pas ça, mais il ne s'agit pas de mon couple et Violet se débrouille bien mieux que moi avec Waters.

Je programme une alarme sur mon portable pour ne pas rater mon vol, puis je m'allonge sur l'un des canapés. Tenant mon portable près de ma poitrine, je ferme les yeux. J'ai l'impression de ne m'être assoupi que quelques minutes lorsqu'une vibration me réveille. Il me faut un moment pour comprendre qu'il ne s'agit pas de l'alarme, mais d'un appel. Ouvrant péniblement les yeux, je lève mon portable devant mon visage et attends que ma vue s'éclaircisse.

Le visage de Sunny apparaît sur l'écran. Son sourire éclatant assombrit mon humeur. Je la laisse tomber sur mon répondeur. Je ne suis pas capable de lui répondre pour le moment. Néanmoins, j'attends de voir si elle va me laisser un message. Moins d'une minute plus tard, la sonnerie de mon portable m'indique que j'en ai reçu un.

Je tape mon mot de passe et hésite un moment à appuyer sur la touche *Play*. Finalement, je craque et écoute le message. La voix de Sunny me réconforte et me fait souffrir en même temps.

Salut Miller. Je suppose que tu n'as pas envie de répondre pour le moment. Ou peut-être que tu ne veux pas me répondre.

Sa voix se brise.

Je sais que je n'aurais pas dû partir avec Alex aujourd'hui, mais je ne voulais pas que vous vous bagarriez. Et comme Kale et Benji étaient là, j'ai eu peur que la situation devienne incontrôlable, et puis Lily était contrariée à cause de... à cause de tout. Violet est arrivée ici il y a un moment. Elle a dit qu'Alex t'avait cassé le nez et que tu avais eu des points de suture à cause de moi.

Elle hoquette.

Peut-être que je n'étais pas prête pour cette histoire. Je suis désolée de ne pas avoir été capable de te faire confiance... mais peu importe. Est-ce que tu peux me rappeler ?

Chaque fois que je me repasse ce message, je déprime un peu plus. On dirait qu'elle ne souhaite pas qu'on ressorte ensemble. On dirait qu'elle en a fini avec moi.

* * *

Le vol de retour est merdique. Une fille toute refaite occupe le siège à côté de moi. Elle a envie de parler. Il est presque minuit ; tout ce que je veux, c'est rentrer chez moi et me morfondre en paix. Je ne l'ai encore jamais fait avant, mais ça semble être le bon moment pour commencer.

De retour à Chicago, je passe les deux jours suivants à jouer aux jeux vidéo et à manger des pizzas pleines de viande et des ailes de poulet super pimentées tout en buvant du soda. J'ignore les appels de Lance et Randy. Je n'ai aucune nouvelle de Sunny et je ne la rappelle pas. Il n'y a pas grand-chose à dire, de toute façon. En revanche, j'ai plein de nouvelles de Violet. Elle me bombarde de messages, d'e-mails et d'appels en attendant que je craque.

Le troisième jour de ma période de rumination à durée indéterminée, ma sonnette retentit alors que je suis en train de me prendre une raclée à un jeu vidéo. Je n'attendais personne.

Je me lève du canapé et me dirige vers l'interphone.

– Ouais ?

– Buck ?

– Papa ?

Qu'est-ce que c'est que ce bordel ?

– Je croyais que Skye et toi étiez partis en croisière ?

– Nous sommes rentrés hier soir.

– Oh. Et c'était bien ?

– Oui. Tu veux bien me laisser entrer, fiston ?

– Je suis là aussi !

C'est Skye, ma belle-mère.

– Notre voyage était mieux que bien, mais je ne peux pas tout te raconter en détail, sinon je risque d'embarrasser Sidney !

– Ne commence pas, maman. Je suis là aussi, Buck, dit Violet. Ouvre la porte.

– Bien sûr. D'accord.

J'appuie sur le bouton et attends d'entendre la porte s'ouvrir pour le relâcher. Violet doit être à l'origine de cette petite visite familiale. Je balaie mon appart du regard. Incroyable le bazar que j'ai foutu en deux jours. Je n'ai même pas l'énergie de m'en soucier.

En plus, je suis à poil. C'est comme ça quand je suis seul et que je me morfonds, et quand je ne me morfonds pas aussi. Ma priorité est d'enfiler quelques vêtements.

Je trouve un short et un T-shirt à peu près propres sur le sol. On frappe à ma porte une minute plus tard. J'ouvre. Skye se tient sur le seuil, les bras grands ouverts. Soudain, son sourire se fige, en même temps que le reste de son corps. Mon père m'examine de la tête aux pieds en haussant un sourcil.

Vi tient un plateau couvert de sundaes. Elle fronce le nez.

– Ouah. Les ruptures ne te conviennent pas, apparemment.

Je l'ignore. Je ne pense pas que mon état soit si catastrophique que ça.

– Salut la famille. Entrez. C'est un peu le bazar, hein.

Je fais un pas de côté et leur fais signe d'entrer dans mon salon. La table basse est couverte de cartons de pizzas et de boîtes en polystyrène remplies d'os d'ailes de poulet. Des canettes de soda vides jonchent le sol.

– Oh, Buck !

Skye se défige et me serre dans ses bras. Vi et elle se ressemblent à mort, tant sur le plan physique que comportemental, sauf que Skye est plus près de ses cinquante ans que de ses vingt.

– Je suis désolée pour Sunny et toi.

Je lui tapote le dos.

– Ouais, moi aussi.

Lorsqu'elle s'écarte de moi, mon père me serre dans ses bras.

– Tu aurais dû m'appeler. Je suis toujours là pour toi, même lorsque je suis en déplacement.

– Ouais, je sais. Tout se passait bien jusqu'à ces derniers jours. J'ai eu besoin de me retrouver seul.

Mon père et moi sommes proches, mais nous parlons plus de hockey que de nos sentiments profonds.

– Je t'en prie, dis-moi que tu n'as pas mangé tout ça à toi tout seul.

Vi désigne la table basse d'un geste.

– Peu importe. À en juger par l'odeur qui règne dans ton appartement, je devine que si. Commençons par le plus important : la douche. Tu pues autant que le yeti, si tant est que cette créature existe. Ensuite, nous aurons une sérieuse discussion en famille.

– Une intervention ?

Je me passe la main dans les cheveux. Ils sont gras.

– Ça fait deux jours entiers que tu broies du noir. Voilà le résultat.

– Et toi alors, tu n'as pas broyé du noir pendant des semaines après ta rupture avec Waters, peut-être ?

– Il a un prénom, Buck. C'est Alex. Et tu as raison, mais je suis une fille. Et les filles ont le droit de broyer du noir plus longtemps que les garçons.

Elle fouille dans ma cuisine jusqu'à ce qu'elle trouve un immense sac-poubelle noir.

– Toi.

Elle me pointe du doigt.

– Tu files sous la douche. Nous allons faire le ménage pendant ce temps-là.

– Mais qu'est-ce que tu fais là, au fait ? Tu ne devrais pas aller travailler ?

– Je suis en rendez-vous avec un client. File sous la douche.

Je protesterais bien, mais c'est vrai que je pue.

Vingt minutes plus tard, je suis tout propre, mais toujours pas rasé. Je porte des vêtements qui ne sentent pas le renfermé et mon salon ne ressemble plus à celui d'un pizzaiolo devenu fou. Toutes mes fenêtres sont ouvertes et Vi a préparé du café.

– Asseyons-nous sur la terrasse.

Mon père et Skye me distraient en me racontant leur croisière. Je sais qu'ils ne sont pas venus pour ça. Ils ne m'obligent pas à parler de Sunny et je leur en suis reconnaissant. Au bout d'un moment, Skye et Vi décident d'aller faire les courses pour moi, puisque tout ce qu'il reste dans mon frigo, c'est une bouteille de soda et une brique de lait qui a tourné. Elles me laissent donc seul avec mon père.

– Alex et toi allez être capables de vous tenir à carreau quand la saison commencera ? me demande-t-il.

Je hausse les épaules.

– J'espère bien. Il a menacé d'aller voir le directeur sportif et de lui conseiller de me transférer si je déconnais avec Sunny.

– Mais tu ne l'as pas fait, alors il n'a aucune raison de s'en prendre à toi.

– Je ne suis pas sûr qu'il voie les choses de la même façon que toi.

– Vi lui a parlé, et moi aussi.

– Quand ça ? Et pourquoi ?

– Ce matin, après que Vi est passée, et avant de venir ici.

Il croise les doigts derrière sa tête.

– Il va bientôt faire partie de la famille. Et puis mes gamins sont malheureux, ma femme aussi, et cette situation ne me satisfait pas.

– Qu'est-ce que tu lui as dit ?

– Que je comprenais qu'il s'inquiète pour Sunny, mais que te donner un coup de poing dans la figure ne résoudrait rien. Et ça ne faciliterait pas non plus ses relations avec Violet. Elle ne dit rien, mais elle en souffre beaucoup. Elle a déjà mangé un foutu sundae chez nous et squatté les toilettes pendant une heure.

– Ouah. Ça veut dire qu'elle est vraiment inquiète. Est-ce que les choses se sont arrangées entre eux ?

Ses messages des deux derniers jours avaient l'air enjoués, mais ils ne mentionnaient pas du tout Waters, ni Sunny.

– Elle se confie plus à Skye qu'à moi, mais je la sens stressée. Elle aimerait que les choses se passent mieux entre Alex et toi. Tu la connais.

Il contemple l'horizon.

– Parfois, je me dis que c'est ma faute si tu as du mal à vivre quelque chose de durable avec les filles.

– Le hockey est comme une petite amie pour moi.

Mon père rit.

– Pareil pour moi. Je sais que l'arrivée de Skye dans nos vies t'a fait beaucoup de bien, mais avant elle…

– C'est bon, papa. Tu as fait du super boulot. Regarde-moi ça.

J'embrasse le paysage d'un geste. De mon balcon, j'ai vue sur la ville et les bords du lac au loin. J'habite dans un endroit génial – tout près de l'effervescence de la ville, mais pas en plein dedans.

– Ma vie me plaît.

– Mais ce serait chouette que tu puisses la partager avec quelqu'un, Miller.

– Un jour, peut-être.

Je fais tourner le fond de ma tasse de café.

– Tu as reçu mon mail au sujet de la collecte de fonds que j'ai envie d'organiser ?

– Oui. Ce gamin t'a vraiment marqué, pas vrai ?

– C'est un excellent joueur.

– Je sais. J'ai vu quelques images du camp il y a deux ou trois jours. C'était une bonne idée, cette interview.

– C'était ce que pensaient Amber et Vi. Et je crois que si je veux passer à d'autres projets, il va me falloir une publicité un peu plus positive.

Mon père sourit et hoche la tête.

– J'ai déjà commencé à parler à certains entraîneurs des ligues mineures, histoire de voir si certains de leurs joueurs auraient envie de participer. Si tu as besoin d'aide, tu peux compter sur moi – et pas seulement dans le domaine du hockey.

– Je sais, papa. C'est simplement plus facile pour moi de me concentrer sur cette collecte de fonds pour le moment.

Il n'insiste jamais, ce qui est l'une des choses que j'apprécie le plus chez mon père. Il me propose son aide, mais ne me force pas à l'accepter. Nous passons l'heure suivante à dresser la liste de nos contacts et des joueurs qui pourraient avoir envie de participer à un match amical. Si je veux que ça marche, il va falloir que je travaille vite, car celui-ci devra avoir lieu avant la reprise de l'entraînement dans un peu plus d'un mois. Ça représente beaucoup de boulot, mais j'ai besoin de m'occuper, alors ce n'est pas un problème.

* * *

La semaine suivante, Violet passe souvent me voir pour m'aider à organiser la collecte de fonds. Vi affirme que tout va bien entre Alex et elle, et je pense qu'elle me le dirait si ce n'était pas le cas. De toute façon, elle ment super mal.

– Au fait… j'ai discuté avec Daisy hier, dit-elle le mercredi, d'un ton faussement décontracté.

Je ne lève pas les yeux de mon ordinateur portable.

– Ah ouais ?

Je préférerais ne pas savoir ce qui se passe du côté de Sunny, mais ça m'intéresse. Je n'arrête pas de penser à elle. Je passe mon temps à aller voir ce qu'elle fait sur les réseaux sociaux. La seule chose qu'elle a postée récemment, c'était une citation inspirante sur le karma. Je ne l'ai pas rappelée, et maintenant qu'une semaine s'est écoulée, je ne sais même pas ce que je lui dirais si on se parlait.

– D'après elle, Sunny broie toujours du noir.

– Tu as dit que c'était normal chez les filles.

– Elle ne veut même plus accompagner Daisy au spa quand elle a du temps libre. Et elle ne mange rien.

– Pas génial tout ça.

Depuis notre discussion en famille, je vais tous les jours à la salle de sport et j'ai repris mon régime d'avant-saison. Autrement dit, je ne mange rien de ce que j'aime et je suis épuisé tous les soirs. Mais je dors mieux de cette façon. Et je ne suis jamais disponible pour sortir le soir avec Lance et les autres. Je ne bois plus, alors je ne vois pas l'intérêt de faire la tournée des bars. J'ai aussi supprimé tous les numéros de mes chéries dans ma liste de contacts. Que Sunny et moi ressortions un jour ensemble ou non, je ne veux plus de cette vie-là.

– Ce n'est pas génial pour les personnes qui doivent vivre sous le même toit qu'elle, mais pour toi, c'est parfait, m'explique Vi. Les différentes étapes post-rupture sont complexes chez les femmes. Si elle broie du noir, c'est qu'elle n'est pas satisfaite de son choix. Si elle ne veut plus aller au spa, c'est qu'elle se punit elle-même pour ne pas avoir réussi à régler ses problèmes avec toi – ou pour je ne sais quelle autre raison. Et les filles cessent de manger quand elles sont tristes.

– Tu ne fais jamais ça.

Quand Vi et Waters ont rompu plus tôt dans l'année, elle a commencé à se gaver de crème glacée, alors que son corps ne la tolérait pas.

Vi rejette sa queue-de-cheval par-dessus son épaule.

– C'est pour ça que c'est complexe. Toutes les filles ne cessent pas de manger. Certaines d'entre nous font tout le contraire. Comme moi. Je mange de la glace parce que c'est bon et que ça me tord les boyaux. Ça me donne la courante, alors c'est comme une punition. Et puis je suis sûre de ne pas prendre les cinq kilos post-rupture habituels parce que je n'arrête pas de me vider.

– C'est du grand n'importe quoi, Vi.

– Peut-être, mais ça marche.

– Tu as mangé de la crème glacée en début de semaine.

– C'était par solidarité avec toi. Parfois, je me dispute exprès avec Alex pour pouvoir me gaver de laitages. Mais tu n'as pas intérêt à le lui dire, sinon je t'épile le sommet de la tête pour que tu aies l'air de perdre tes cheveux.

Elle dessine un cercle sur son crâne.

Elle menace tout le temps d'épiler ou de raser certaines parties de mon corps. Mais elle n'est encore jamais passée à l'acte, alors je ne suis pas inquiet.

– Quelle idée de provoquer une dispute pour ça, franchement.

– Ce ne sont pas de vraies disputes. Disons que je lui reproche de ne pas avoir rempli le lave-vaisselle, de ne pas avoir fermé le bouchon du dentifrice ou d'avoir oublié d'acheter du lubrifiant pour qu'on puisse baiser toute la nuit, ce genre de chose.

Je lui lance un regard mauvais.

– Parfois, j'ai l'impression que tu as toujours été ma sœur, et soudain, tu gâches tout en te mettant à débiter des horreurs.

– C'est pour ça que notre relation est géniale, non ? Tu imagines si tu avais eu le béguin pour moi quand nos parents se sont mariés ? Sacré bordel, hein ? On aurait probablement droit à notre propre émission de téléréalité, aujourd'hui.

Je ne réagis pas. Je n'ai rien à dire à ça. Une fois, j'ai fait une remarque en passant et elle l'a mal interprétée. Elle était bourrée après avoir bu trois bières légères. Ensuite, elle a sorti ma phrase de son contexte et ne m'a plus jamais lâché avec cette histoire.

– Donc, si les choses ne marchent pas entre Alex et moi, si Sunny et toi ne ressortez plus jamais ensemble, si ta carrière est sur le déclin et que nous avons besoin d'argent parce que tu as tout dépensé en alcool et en putes, on pourra toujours proposer à une chaîne de télé de nous filmer. Je suis sûr que notre émission fera un carton.

– Les putes sont inutiles. Je n'ai jamais eu à payer pour coucher. Et si les choses ne marchent pas avec Alex, je te caserai avec Randy.

Je souris en la voyant faire la grimace. Elle pose son café sur la table, soulève l'ordinateur portable posé sur ses genoux et agite les hanches.

– Ça ne marcherait jamais entre nous. Je ne peux pas m'empêcher de mimer des coups de reins chaque fois que je le vois. Ce serait très embarrassant si on sortait ensemble.

Elle se réinstalle dans son fauteuil, croise les jambes et repositionne l'ordinateur sur ses genoux.

– D'ailleurs, j'ai une nouvelle assez excitante et importante à t'annoncer. Écoute-moi bien…

– Je ne fais que ça depuis une heure.

– Merci d'avoir ruiné mon intro.

Elle dresse le majeur en faisant semblant de tourner une manivelle fixée sur le côté.

– Apparemment, monsieur Je-trempe-mes-couilles-partout-où-je-peux a essayé de recontacter Lily après votre week-end d'orgie au cottage.

– Il n'y a pas eu d'orgie.

– C'était un test. Ravie de l'apprendre. En tout cas, ton copain couillu a tenté de revoir Lily après la débâcle du lavage de voitures. Ça n'a pas marché, mais imagine un peu : elle n'est toujours pas ressortie avec l'autre abruti, Benji. Je l'ai croisé, au fait. C'est vraiment une tête de nœud. Elle peut trouver beaucoup mieux que lui. Elle est sympa, en fait.

Essayer de suivre le fil de pensées de Violet est aussi épuisant que de regarder un tournoi de ping-pong professionnel.

– Elle ne m'a pas fait la même impression.

En voilà une nouvelle ! Ainsi, Randy a essayé de revoir Lily. Il n'a parlé d'elle qu'une fois depuis notre retour à Chicago. Il m'a accompagné à la salle de sport ces derniers jours et il est aussi venu chez moi après, au lieu de filer chez Lance. Je pensais que c'était pour me distraire ou me soutenir, puisque j'ai arrêté de sortir dans les bars avec eux. Mais finalement, il avait peut-être d'autres raisons de le faire.

– Est-ce que tu as rappelé Sunny ?

– Non.

Je recommence à fixer l'écran. Elle me pose cette question chaque fois qu'on se voit.

– Pourquoi ? Son absence te rend visiblement malheureux et elle est malheureuse sans toi.

– J'en sais rien. Qu'est-ce que je suis censé lui dire ?

– Franchement, Miller…

Elle fait une de ses grimaces préférées.

– Je n'y arrive pas. Impossible de t'appeler Miller. C'est Buck ou rien. Je n'arrête pas d'essayer de t'appeler par ton vrai prénom, mais c'est comme enfiler un sous-vêtement bon marché. Je ne suis pas à l'aise avec. Il n'est pas confortable.

– Personne n'a dit que tu devais m'appeler Miller.

– Je sais, mais Sunny le fait, et Randy aussi. Je me sens coupable de ne pas y arriver à mon tour.

– Pas de problème. Buck est un surnom pratique. Par contre, tu devrais te sentir coupable de me traiter sans arrêt de yeti.

– Si tu avais les cheveux foncés, tu ressemblerais au bigfoot.

– Arrête. Je taille soigneusement les poils de toutes les parties de mon corps. Sauf ceux de mes couilles. Elles sont aussi lisses que deux belles prunes spongieuses couleur chair.

Vi tousse comme si elle avait avalé une boule de poils.

– Merci, connard. J'adorais les prunes jusqu'à maintenant. Si tu ne taillais rien depuis trois semaines, tu ressemblerais à un loup-garou. Si on obtient notre émission de téléréalité, on n'aura qu'à teindre ta fourrure pour prouver que j'ai raison. Je propose qu'on le fasse en violet pour que tu aies l'air d'un yeti géant imbibé de vin.

Je secoue la tête et réprime un rire. Les digressions de Vi ont beau être ridicules, elles sont divertissantes et celle-ci vient de me remonter légèrement le moral. Je déteste être dans l'incertitude à propos de mon histoire avec Sunny. C'est sans doute parce que je me suis beaucoup plus investi dans cette relation que dans n'importe quelle autre, et que je ne passe pas mon temps à boire et à baiser des groupies pour digérer ma défaite.

– Tu veux bien arrêter avec tes insultes et tes rêves de téléréalité ? Il faut qu'on parle de choses réelles et importantes. De ma collecte de fonds, par exemple ? Comment ça se présente, côté finances ?

Je sors la feuille de calcul sur laquelle apparaissent tous les chiffres et la liste détaillée des choses qu'il nous reste à régler. Si les choses se passent comme je le veux, j'aurai une belle somme à remettre à la famille de Michael.

Après avoir cessé de me morfondre, j'ai examiné leur situation. Elle n'est pas terrible. La famille ne touche pas d'allocations et se ruine en médicaments. Ils ont sans doute demandé des aides, mais ils ne toucheront rien avant des mois. Apparemment, Michael va devoir arrêter le hockey parce que ses parents ne peuvent plus lui payer les leçons. Comme si ce cancer ne suffisait pas ! Le hockey est la seule chose qui lui apporte un peu de bonheur en ce moment.

– Sidney et moi avons contacté pas mal de gens et nous avons déjà obtenu d'importantes promesses de dons, m'explique Vi. Et tu as rappelé le mec du lavage de voitures porno, c'est ça ?

– Ouais. Gene est toujours prêt à donner, tant qu'on lui obtient des sièges bien placés pour les matchs de hockey.

– Aucun problème de ce côté-là.

Vi tape frénétiquement sur le clavier de son ordinateur.

– Les frais généraux sont couverts. Il ne manque que quelques milliers de dollars. Alors tout ce qu'on gagnera au-delà reviendra à la famille de Michael. Jusqu'ici, tout semble parfait. J'ai une liste de bénévoles pour la journée du match, et Sidney a trouvé une patinoire et des vigiles. L'événement aura lieu près de chez Michael pour qu'il n'ait pas de long déplacement à faire. On pourra commencer à faire de la pub pour le match dès que les équipes seront formées.

– Génial.

Je suis impressionné par les effectifs nécessaires pour organiser cet événement et par notre rapidité. Mon don au lavage de voitures caritatif et ma participation au camp m'ont beaucoup aidé. Des rumeurs plus positives se sont mises à circuler et tout est devenu plus facile. Gene a été très sympa de m'offrir autant d'informations et de m'aider à élaborer une stratégie. Il m'a même fourni de nouveaux contacts.

– J'ai commandé les T-shirts, ajoute-t-elle.

– Super. Attends. Quoi ? Mais pourquoi ? Je n'ai pas encore choisi le nom de mon projet.

– Je m'en suis chargée à ta place.

Elle appuie sur la barre d'espacement du clavier, afin de paraître occupée et de ne pas être obligée de me regarder.

– Pourquoi tu ne m'as pas laissé faire ? Maintenant, je vais devoir regarder des centaines de personnes porter des T-shirts sur lesquels est écrit Projet Sunshine en énormes lettres jaunes.

– Ces T-shirts sont super.

– Ouais, mais…

– Pas de mais. Sunny a besoin de constater par elle-même ce qu'elle a perdu. En plus, il est trop tard pour annuler la commande des T-shirts et des maillots.

Elle me lance un immense sourire idiot.

– Au fait, Alex vient à la salle de sport cet après-midi.

– Et ?

– Il te faut quelques joueurs supplémentaires, non ? Il m'en a parlé, mais ce n'est pas à moi de décider s'il a le droit de participer. Il serait peut-être bon de vous réconcilier avant le début de la saison, histoire qu'aucun meurtre n'ait lieu sur la glace.

– Chacun de nous a cassé le nez de l'autre ; je crois qu'on est quittes.

Je recommencerais bien, mais je ne le ferai pas.

– J'imagine que c'est une bonne idée de lui proposer de participer, puisque vous allez vous marier, tout ça. On n'arrêtera pas de se croiser, à l'avenir.

Vi renifle et essuie une larme imaginaire.

– Oh, te voilà enfin adulte. Je suis tellement fière de toi.

– Arrête de me casser les couilles.

– Alex a un comportement excessif. Tout est à peu près réglé entre nous, mais je n'aime toujours pas la façon dont il a agi. J'ai eu beaucoup recours à la privation ces derniers temps. Ça n'a pas été facile, mais je crois qu'il commence à comprendre.

– La privation ?

Elle pointe son propre corps du doigt.

– Il n'a pas le droit de me toucher en ce moment. Je me charge donc de me faire jouir moi-même. Ça me fait carrément chier, mais j'ai décidé de prendre position pour toi. Tu as intérêt à t'en souvenir.

J'essaie de parler, mais comment lui dire combien j'en ai marre qu'elle déballe toujours tout ou combien je lui suis reconnaissant ?

Violet agite une main en l'air.

– Alex exagère parfois quand il s'inquiète pour Sunny. Il le sait, mais il ne l'admettra jamais. Il sait aussi à quel point elle est malheureuse et il se fait du mauvais sang pour elle. Tout ce qu'il veut, c'est qu'elle soit heureuse, en fin de compte.

Ce type ne doit pas être si con que ça si Vi est prête à passer le reste de sa vie avec lui.

– Je lui parlerai quand je le verrai.

Comme je n'ai pas envie qu'elle insiste pour que j'appelle Sunny, je change de sujet.

– Et l'organisation de votre mariage, ça avance ?

Chaque fois que j'aborde le sujet, Vi pète à moitié les plombs. C'est assez drôle à voir.

Un tic agite son œil et elle se frotte les paumes sur les cuisses.

– Ah. Arrête. On vient seulement de se fiancer. Et puis vu ce qui se passe en ce moment… On a l'impression que c'est l'état d'urgence. Ce mariage rend Daisy et ma mère complètement dingues. Elles ont dressé une liste de genre deux cents personnes et ce sont juste les invités de nos fiançailles. Je n'arrête pas de dire à Alex qu'il faut qu'on parte se marier à l'autre bout de la Terre. Je ne supporterai jamais de le faire devant cinq cents personnes. On n'est même pas italiens. C'est de la folie totale.

Je ne comprends pas ces filles qui se réjouissent de jouer les princesses. Je ne veux pas être une princesse. Je veux devenir Violet Waters pour avoir un nom romantique… de princesse. Tout le reste, c'est de la poudre aux yeux. Qui croit encore qu'un mariage peut durer toute la vie ?

– Ouah. C'est fou comme tu as l'air contente de te marier, Vi.

– Je t'emmerde, Buck. Attends un peu. Ton tour viendra et ce jour-là, je rigolerai bien, moi aussi. Parler de ce mariage me donne de l'urticaire.

Au début, je pense qu'elle dramatise, mais ensuite, je vois de petits points rouges apparaître sur ses bras.

– Est-ce que Waters sait à quel point ça te stresse ?

– Si tu lui en touches un seul mot, je…

– Tu me raseras les couilles. Je sais.

– J'allais dire les aisselles, mais il fallait évidemment que tu choisisses les parties génitales.

– Tu ne devrais pas être surexcitée plutôt que stressée ? Je croyais que les filles adoraient ces conneries.

Violet gratte les plaques rouges qui s'étendent sur son bras et ignore ma question.

Le son de la porte voisine qui s'ouvre me fait brusquement revenir sur Terre. Une fille a emménagé à côté de chez moi pendant que j'étais parti. Je ne me suis pas officiellement présenté, mais nous avons bavardé de loin et j'ai aperçu le museau de son roquet à travers le trou d'évacuation des eaux de pluie dans le mur qui sépare nos terrasses. J'entends ensuite le bruit de ses griffes sur le carrelage et son petit museau brun se glisse dans le trou, puis il disparaît, aussitôt remplacé par sa patte. Il gémit, conscient de ne pas pouvoir m'atteindre.

– Kiki ! Arrête un peu !

La voisine claque des doigts et crie !

– Salut voisin !

– Bonjour, réponds-je.

Vi chuchote.

– Kiki ? Elle a choisi d'appeler son chien « zizi » ?

Je secoue la tête et lui fais signe de rentrer. Cette femme est un peu bavarde pour une inconnue, et pour une raison que j'ignore, sa voix m'est familière. Nous nous glissons dans mon appartement et terminons de planifier la phase suivante du projet Sunshine. Dans deux jours, je prends l'avion pour aller voir Michael à Toronto. Nous devons tourner une vidéo de promotion – nous avons choisi de le faire avant que sa chimio commence. Ensuite, je traînerai un peu là-bas pour lui tenir compagnie.

Vi part avant le déjeuner et je m'en vais à la salle de sport. J'évite résolument la section mixte et la poignée de groupies qui traînent dans le coin pour pouvoir discuter avec moi. Je remarque que Randy les évite aussi, ce qui ne lui ressemble pas. Après deux heures d'entraînement intensif, je prends le chemin des douches.

Waters s'y trouve déjà, mais il me tourne le dos. C'est la première fois que je le vois depuis qu'il m'a cassé le nez. Espérons qu'il se montrera poli avec moi. Je laisse une pomme de douche entre nous, tourne le robinet de la mienne, puis ajuste la température de l'eau jusqu'à ce qu'elle soit assez chaude pour décontracter mes muscles.

– Waters.

– Butterson.

Il me lance un bref regard, puis désigne mon visage d'un geste.

– Ça guérit bien, on dirait.

– Ouais.

La plupart des bleus ont disparu, il ne me reste que quelques taches vert-jaune assez moches. J'en ai fini avec le plâtre et on m'a retiré mes points il y a deux ou trois jours.

– Tant mieux.

– Ouais.

J'adore les conversations sous la douche. Bonjour l'embarras.

– Violet est passée te voir ce matin ?

– Ouaip. Nous avions rendez-vous pour parler affaires.

– Elle va souvent chez toi en ce moment.

– Nous travaillons sur un projet.

– Ouais, je sais.

Il frotte son savon sur son torse quasiment imberbe.

– Comment ça se passe, au fait ?

– Bien. Je crois que ça va bien marcher.

C'est le moment de lui proposer d'y participer. Mais il me coupe l'herbe sous le pied.

– Tu sais, je serai ravi de me joindre à vous, s'il vous faut d'autres joueurs.

– Bien sûr. D'accord.

Je ferme le robinet.

– Ce serait cool. Il reste quelques places. Vi te donnera tous les détails.

– Super. Parfait. Ce que tu fais est vraiment louable.

– Merci.

Il y a un silence gêné, puis il me demande :

– Tu trouves Vi en forme en ce moment ?

– Ma foi, oui. Pourquoi ? Il s'est passé quelque chose ?

– Skye et ma mère veulent organiser de vraies fiançailles. Je ne suis pas sûr que Vi en soit ravie.

– Elle m'en a parlé.

Waters redresse la tête. Il cesse de se laver les cheveux et me regarde.

– Elle a ajouté quelque chose ?

– Tu sais bien, elle n'aime pas beaucoup se retrouver au centre de l'attention. Il est facile de deviner combien elle est stressée à la quantité de crème glacée qu'elle avale.

– Avant-hier soir, elle a englouti un pot entier de Ben & Jerry's et a dû dormir sur le tapis de la salle de bains.

Il n'a pas l'air de trouver ça aussi marrant que moi.

Je repense à la fois où Vi m'a dit qu'elle mangeait de la crème glacée pour se punir. Je ne vois vraiment pas pourquoi elle se punirait sous prétexte que leurs fiançailles en grande pompe la stressent.

– Parfois, je remplace la crème glacée par du yaourt glacé. Les choses sont moins difficiles, ensuite. Si tu parviens à la convaincre de manger du sorbet, tu n'auras plus de problèmes.

Et dire que nous sommes en train de discuter de ça sous la douche.

– Merci pour le tuyau. Est-ce qu'elle t'a dit autre chose ?

Il est vraiment inquiet pour elle. Mais tant pis si je le laisse sur sa faim.

– Tout ce que me confie Vi est censé rester entre nous. Je t'en ai déjà trop dit, d'ailleurs.

J'attrape ma serviette.

Waters se rince en deux temps trois mouvements pendant que je ramasse ma bouteille de shampoing et mon savon.

– Allez, Butterson.

– Parle-lui. Je suis sûr qu'elle te dira ce qui ne va pas.

Waters et moi savons que ce n'est pas vrai. Vi peut ruminer un problème pendant des semaines avant de se décider à en parler. C'est sa personnalité. Vi est une ruminante.

– Je sais que vous êtes proches, tous les deux. Si tu sais

quelque chose d'important, j'aimerais beaucoup que tu me le dises, Miller.

Ça doit bien être la première fois que Waters m'appelle par autre chose que mon nom de famille. J'attache ma serviette autour de ma taille et me tourne vers lui. Voilà enfin l'occasion que j'attendais. C'est parfait. Il stresse à cause du stress de Violet. J'en suis ravi. Ça veut dire qu'il tient à elle.

– Quand Vi est partie de chez moi aujourd'hui, elle faisait de l'urticaire parce que je venais de l'interroger sur votre mariage. Des plaques se sont mises à apparaître instantanément. Elle est stressée. À ta place, je prendrais bien soin d'elle maintenant. Assure-toi qu'elle est d'accord avec tout ce qui se prépare. Je ne te souhaite pas de te retrouver dans la même merde que moi. Je me souviens que tu étais dans un sale état la dernière fois qu'elle t'a largué. Ce n'était pas beau à voir.

Je m'attends à une réponse vacharde, parce que j'y ai régulièrement droit, mais Waters reste silencieux. Je lui tourne le dos et m'éloigne.

– Miller.

– Quoi ?

– Tu penses qu'elle va bien ? Avec mes conneries…

Il fait un geste vers mon nez.

– Tu crois que je devrais…

– Être inquiet ?

Je termine la phrase à sa place.

– Ouais, mec. On n'a peut-être aucun lien du sang, mais elle fait partie de ma famille. On est proches, Vi et moi. Et je peux te dire que t'es en train de tout faire foirer.

25

Waters et son mauvais timing

Tard le lendemain soir, je reçois un appel d'un numéro que je ne reconnais pas. J'ai peur de répondre. Si c'est une groupie, je n'ai aucune envie de lui parler – les filles m'appellent plus que d'habitude depuis que je suis rentré, ou bien leurs appels me semblent plus nombreux, parce que Sunny et moi ne nous parlons pas tous les jours. Il est un peu tard pour un appel professionnel. Enfin, je ne voudrais pas rater quelque chose d'important. J'ai passé beaucoup d'appels pour le projet Sunshine cette semaine.

– Allô ?

– Salut, c'est Miller ?

Cette voix féminine m'est familière et ne m'appelle pas Buck, ce n'est donc pas une groupie.

– Ouaip. Qui est-ce ?

– Lily.

– Oh. Salut.

Un million de pensées me traversent l'esprit. Je n'en crois pas mes oreilles.

– Est-ce que Sunny va bien ? Il s'est passé quelque chose ?

– Non, elle va bien. Enfin, à peu près.

– Qu'est-ce que tu veux dire ?

Je m'apprête déjà à sortir de mon lit.

– Tu l'as larguée, rien de plus.

On dirait bien qu'elle vient de me lancer une pique. Je m'adosse à mes oreillers, légèrement moins affolé.

– Qu'est-ce qui se passe alors, si elle va bien ?

Le silence dure si longtemps que je finis par croire qu'elle a raccroché. Au bout d'un moment, elle se racle la gorge.

– Je voulais m'excuser.

Lily ne semble pas du genre à s'excuser. Elle a dû avoir beaucoup de mal à prononcer ces quelques mots. Elle est peut-être différente avec les gens qu'elle apprécie davantage.

– Pourquoi ?

– Je me suis trompée sur toi. Je me sens coupable de t'avoir traité de cette façon. J'ai juste… je ne voulais pas que Sunny souffre et j'ai tiré de fausses conclusions.

– Oh. Eh bien, merci… Est-ce que tu m'appelles juste pour ça ?

– Oui. Non.

Elle s'éclaircit la voix.

– En fait… euh… je ne sais pas si tu le sais, mais mon cousin était à Camp Beaver Woods au même moment que toi.

– Randy m'en a parlé, en effet.

Elle laisse échapper un drôle de son.

– Ouais. J'aurais dû m'en douter. Euh… enfin bref, mon cousin, Brett, ne tarit pas d'éloges à ton sujet. Michael et lui sont restés en contact grâce à Facebook. C'est génial, ce que tu fais pour lui.

Les excuses, c'était une chose, mais alors là, je suis carrément sous le choc. Nous avons lancé notre campagne de pub pour le match en grande pompe, ce matin. Demain, nous tournons le clip publicitaire.

– Ce n'est pas grand-chose.

– Bien sûr que si. Tu es vraiment un type bien. Je suis désolée de m'être montrée aussi injuste.

Elle baisse la voix et marmonne.

– Elle risque de me tuer, mais tant pis. Sunny n'arrête pas de se morfondre à cause de toi. Elle est dans un sale état. Je ne l'avais encore jamais vue aussi… triste.

Soudain, son débit s'accélère.

– Et je sais que je suis en partie responsable de cette situation. Je n'ai pas arrêté de lui dire que tu n'étais pas assez bien pour elle.

– Tu avais peut-être raison.

J'ai beaucoup réfléchi à ça et c'est la raison pour laquelle je n'ai pas rappelé Sunny.

– Non, j'avais tort. Je t'ai jugé avant d'apprendre à te connaître. Si tu veux encore sortir avec elle, tu devrais lui laisser une autre chance.

– Ouais. Franchement, je sais pas.

– Tu ne l'as même pas rappelée. Elle est dans l'incertitude totale, maintenant.

– Elle m'a fait subir la même chose quand vous êtes partis camper tous ensemble.

– Ce n'était pas intentionnel. Elle n'avait pas de réseau. Elle essayait de t'appeler tous les jours, mais son portable ne marchait pas. Écoute, il est évident que tu tiens à elle, sinon tu n'aurais pas donné son nom à ta collecte de fonds. Je ne l'avais encore jamais vue se mettre dans un tel état à cause d'un mec. Ça veut bien dire quelque chose, non ?

– Peut-être, mais ça ne signifie pas que les choses marcheront forcément entre nous.

Je me demande si la situation est vraiment aussi simple que je le voudrais. De toute façon, si nous ressortons ensemble, je serai absent la moitié de l'année et nous ne vivons pas dans le même pays. J'aurai beau me démener pour lui prouver que tout se passe bien, la distance entre nous finira par devenir un obstacle insurmontable. Notre relation ne pourra durer que si elle accepte de venir vivre plus près de moi.

– Elle vient voir Alex le week-end prochain à Chicago.

– Merci pour l'info.

Je jette un œil à l'oreiller désert à côté de moi. Il a accueilli un grand nombre de têtes de groupies ces cinq dernières années. Soudain, je me rends compte à quel point Sunny me manque. Je suis presque content qu'elle n'ait jamais dormi ici. Mes souvenirs sont un peu moins douloureux.

– J'apprécie le fait que tu m'aies appelé pour calmer le jeu. Ça signifie beaucoup pour moi.

– Si seulement j'avais été plus sympa avec toi dès le début.

– Tu voulais juste protéger Sunny. Je comprends. Tu t'es comportée comme une véritable amie.

– Je ne pense pas qu'elle soit d'accord avec toi sur ce point-là. Enfin bref, j'ai eu envie de te tenir au courant. Mais je devrais te laisser maintenant. Bonne nuit, Miller.

– Attends, Lily.

Il faut que je lui parle avant qu'elle raccroche.

– Ouais ?

– Je ne sais pas ce qui se passe entre Randy et toi, mais il fait vraiment profil bas depuis qu'on est rentrés de Muskoka et ça ne lui ressemble pas. Je voulais juste te le signaler. À plus !

Je raccroche avant qu'elle ait le temps de répondre ou de me poser des questions. Je ne suis pas du genre à intervenir dans les relations des autres, mais en ce qui concerne ces deux-là, un petit coup de pouce ne peut pas leur faire de mal.

* * *

Le lendemain matin, je me lève tôt pour prendre l'avion pour Toronto. À vrai dire, j'ai hâte de tourner cette pub. Violet et Amber me laissent un million de messages chacune et font exploser ma boîte vocale. Elles n'ont que de bonnes intentions, alors je ne suis pas aussi énervé que je pourrais l'être en temps normal.

Je trouve Michael assez en forme lorsque j'arrive chez lui. C'est là qu'aura lieu le tournage. Il est nerveux, mais excité. Le tournage et l'interview se passent sans trop d'incidents, sauf que l'équipe insiste pour que la maquilleuse cache les bleus que m'a laissés Waters. Ils sont d'un léger vert-jaune sous mes yeux et sur l'arête de mon nez, mais il paraît que ce sera moche à l'écran. Ça me fait chier de me faire poudrer le nez et le reste, mais Michael trouve ça hilarant, alors je ne fais pas trop d'histoires.

Je débite presque parfaitement mon texte et improvise aux rares moments où ma mémoire flanche. D'après la nana qui réalise le truc, ça fonctionne plutôt bien. Michael est naturel devant la caméra et sa nervosité disparaît dès qu'on commence à lui poser des questions sur le camp, sur son traitement et ses désirs pour l'avenir.

Sa réponse est simple et poignante ; il veut survivre pour pouvoir grandir et devenir comme moi.

Il fait pleurer l'intervieweuse. Il se peut que je cligne plusieurs fois des yeux, de mon côté. D'un point de vue publicitaire et médiatique, c'est une aubaine. Et si ça nous permet d'aider sa famille à s'en sortir financièrement, ça ne me pose aucun problème. Voilà une journée qui commence bien ! Toutefois, un nuage gris assombrit l'humeur de Michael. Nous savons tous deux que la séance de chimio de cet après-midi ne va pas être drôle.

J'ai envie de le distraire. Je passerais bien la nuit chez lui, mais il aurait envie de traîner avec moi au lieu de se reposer. En plus, j'ai des rendez-vous toute la journée demain et une séance de muscu que je ne peux pas rater. Je n'aime pas particulièrement les hôpitaux, car ils me rappellent les rares moments que j'ai passés avec ma mère, mais je suis prêt à faire un effort pour Michael.

Nous jouons aux cartes jusqu'à ce qu'on lui branche sa saleté de perfusion. Nous en sommes à notre sixième partie de 8 américain – il paraît que je suis nul parce que j'ai déjà perdu cinq fois –, lorsqu'on frappe à la porte de sa chambre.

Un gamin, qui participait aussi au stage, passe sa tête à l'intérieur.

– Salut Brett !

Le regard de Michael s'éclaire.

Je n'arrive pas à retrouver où j'ai entendu ce nom, jusqu'à ce que Lily arrive derrière lui, suivie de Sunny.

Brett tape son poing contre celui de Michael, puis celui-ci serre longuement Lily dans ses bras. Je ne comprends pas bien ce qui se passe. On dirait un coup monté.

– Michael, je te présente ma meilleure amie, Sunshine.

– Hé, salut !

Il écarquille les yeux, puis nous regarde tour à tour, elle et moi.

Sunny sourit et le salue, puis son regard se pose sur moi. Elle me fait timidement bonjour et je l'imite.

Elle a l'air fatiguée, comme si elle ne dormait pas très bien en ce moment, et elle a peut-être un tout petit peu maigri, mais elle est magnifique. Vu le rythme auquel mon cœur bondit dans ma poitrine, il se peut que j'aie encore quelques sentiments pour elle.

Michael nous regarde de nouveau tour à tour.

– Tu t'appelles Sunshine ?

– Hm-hm.

Elle hoche la tête sans cesser de sourire. Elle agrippe la lanière de son sac à main et fait glisser ses doigts jusqu'au bout de ses cheveux.

Il penche la tête sur le côté.

– C'est pour elle, le projet Sunshine ?

– Euh…

Je me frotte la nuque. Je ne m'attendais pas à ça.

– Le projet porte le nom de Sunny, mais c'est pour toi que je l'ai monté.

– Cool.

Il hoche la tête comme s'il comprenait.

– Tu dois être super importante pour lui.

J'entends quelques rires gênés.

– Tu veux quelque chose à boire, Michael ? demande Lily, afin de détendre l'atmosphère. Une boisson gazeuse, peut-être ?

– Avec plaisir.

Elle me regarde.

– Non merci, ça va.

– Tu es sûr ?

Son regard se pose sur Sunny, puis sur moi.

Il me faut une bonne seconde pour comprendre ce qu'elle essaie de faire. Je me tape sur les cuisses et me lève.

– En fait, j'ai un peu soif, moi aussi. Brett, je te passe mes cartes ? Michael est en train de me foutre une branlée – la pâtée, je veux dire.

Brett et moi échangeons nos places.

– Sunshine ? Tu m'accompagnes ?

– Bien sûr. Avec plaisir.

Elle se tripote le bout des cheveux, preuve qu'elle est nerveuse.

Brett nous lance qu'il mangerait bien un truc et Michael se rend compte qu'il a aussi un petit creux. Nous nous retrouvons ainsi avec une longue liste de choses à rapporter, que Sunny tape rapidement sur son portable. Ensuite, nous partons à la recherche d'un distributeur ou d'une cafétéria. Dès que la porte de la chambre se referme, Sunny m'attrape par la main et m'entraîne vers les escaliers. Dans la cage d'escalier, elle lâche ma main et recule jusqu'à ce qu'elle soit appuyée contre la rampe.

Elle fait un geste vers mon visage.

– Ton nez a l'air guéri. On ne voit même pas qu'il a été cassé. Alex a toujours une bosse, en revanche. Je ne pense pas qu'elle partira sans chirurgie.

Jolie façon de briser la glace.

– Euh. Ouais. Mon nez a bien guéri.

– Alex a eu des bleus super longtemps.

Je suis content de l'avoir amoché à ce point.

– Michael et moi avons tourné un film publicitaire aujourd'hui, alors la maquilleuse a dû masquer mes bleus. Mais ils ont presque disparu.

Je m'appuie contre le mur et croise les bras sur la poitrine.

– Comment tu savais que je serai là ?

Elle baisse la tête et frotte une tache noire sur le carrelage du bout du pied. Elle porte des chaussures en tissu argenté et un jean moulant qui laisse apparaître les muscles bien dessinés de ses longues jambes. Son T-shirt est rose pâle et j'aperçois le contour de ses tétons à travers cette merde de soutien-gorge de sport – mais ce n'est pas le plus important, bien sûr. C'est elle tout entière qui m'importe. Je reste planté là, à la contempler, à savourer son odeur, sa présence, l'étrangeté des sentiments que provoque en moi le fait de la revoir et de lui reparler après ces deux semaines de séparation. Je suis si absorbé par tout ça que je rate presque sa réponse.

– Michael a dit au cousin de Lily que tu serais ici. Lily s'est dit que je devrais venir te voir et m'excuser, mais maintenant que je suis là, je ne suis pas sûre que c'était une bonne idée. Peut-être que je vous mets tous mal à l'aise. Je devrais sans doute y aller…

Elle s'apprête à remonter les marches, mais je l'attrape par le poignet.

– T'excuser de quoi ?

– De t'avoir fait souffrir. De ne pas t'avoir fait confiance. D'avoir écouté Lily et Alex, au lieu de rester forte et faire ce que je voulais.

Le pouce de Sunny effleure mon poignet.

Il m'est difficile de me concentrer sur ses paroles tant je suis submergé par mes sentiments. Je lâche sa main et enfonce les miennes dans mes poches pour m'empêcher de la serrer dans mes bras, et de me frotter contre elle peut-être, puisque c'est ce que ma bite m'ordonne de faire.

– C'est-à-dire ?

Elle baisse de nouveau la tête et murmure :

– Sortir avec toi.

– Et Bushman la P'tite Bite ?

– Quoi ?

– Kale.

Une porte s'ouvre quelque part au-dessus de nous et le bruit métallique me rappelle que nous n'avons pas beaucoup d'intimité ici. Cette conversation est beaucoup trop importante pour que nous ne lui accordions que cinq minutes dans une cage d'escalier.

– Je n'ai pas envie de sortir avec lui.

– Mais tu l'as laissé te ramener à Guelph.

– Parce qu'Alex insistait pour que je le fasse.

– Mais c'est toi qui as dit qu'il valait mieux partir.

Un bruit de pas descendant les marches interrompt notre conversation. Nous nous poussons sur le côté pour laisser passer un couple.

Sunny attend que retentisse le bruit d'une autre porte métallique, afin d'être sûre que nous sommes de nouveau seuls.

– Je ne voulais plus vous voir vous bagarrer. Vous êtes impétueux, tous les deux. Mais j'ai fait beaucoup d'erreurs ce jour-là.

Une autre porte s'ouvre et des voix masculines résonnent dans la cage d'escalier.

Sunny soupire.

– Combien de temps restes-tu à Toronto ? Est-ce qu'on pourrait discuter quand tu repartiras de l'hôpital ?

– Je dois être à l'aéroport vers dix-huit heures trente.

– Si tôt que ça ?

– J'ai des rendez-vous demain matin.

Je regrette déjà de ne pas avoir prévu de passer la nuit ici et de ne pas l'avoir appelée avant de venir.

– Je pourrais t'emmener à l'aéroport, suggère-t-elle timidement.

– Pourquoi pas.

– Mais seulement si tu en as envie.

– Bien sûr. Ce serait bien. On pourrait parler.

– Ce serait chouette.

Sunny se mord la lèvre et fait un pas vers moi.

– Je peux te serrer dans mes bras ?

– Je suppose. Si tu en as envie.

J'ouvre les bras et elle se place entre eux, puis joint les mains derrière mon dos et pose la joue sur mon torse.

Je bande déjà à moitié – ma queue a fait à peu près le

tiers du chemin. Elle ne peut pas encore la sentir, mais si nous restons comme ça un moment, elle la remarquera sans aucun doute. Elle sent le soleil et le shampoing à la menthe.

Une autre porte s'ouvre quelque part un peu plus bas et nous nous séparons. Pourquoi les gens ne prennent-ils pas tout simplement l'ascenseur ?

– On devrait aller chercher les en-cas.

J'ouvre la porte et laisse Sunny passer devant moi. Ce jean rend son cul magnifique. Si seulement elle n'était pas aussi agréable à regarder. Et si seulement je ne tenais pas autant à elle.

Nous passons les deux heures suivantes à glander dans la chambre de Michael, à parler du camp et du match caritatif imminent. Sunny est plus silencieuse que d'habitude, mais Lily a toutes sortes de questions à me poser et me propose de m'aider si j'ai besoin, étant donné que le match aura lieu à Guelph. Mon père a dû se servir de certains contacts de Waters pour pouvoir louer la patinoire. C'est sympa qu'on s'entende bien finalement, elle et moi. Lorsque je lui dis que Randy participera au match avec moi, elle devient toute rouge et troublée.

Une fois que le traitement est terminé et que Michael repart chez lui avec sa mère, nous nous entassons tous dans la Honda Civic déglinguée de Lily.

– Tu peux nous déposer à l'appart d'Alex, Miller et moi ? demande Sunny.

– Bien sûr.

Lily sourit derrière le volant.

Tandis que nous nous frayons un chemin à travers la circulation dans les rues de Toronto pour rejoindre le lac, je lui demande :

– Tu as discuté avec Randy récemment ?

Ses doigts se resserrent autour du volant et un rougissement envahit son cou, puis ses joues.

– Il m'a appelée il y a quelques jours.

– C'est vrai ? s'écrie Sunny. Pourquoi tu ne m'as rien dit ?

– J'ai raté son appel. Il m'a laissé un message.

Je reste silencieux pour le moment, mais dès que je serai de retour à Chicago, il faudra que j'en touche un mot à Randy. Je pense qu'il tient beaucoup plus à Lily qu'il ne veut l'admettre. Je n'ai pas envie qu'il fasse comme d'habitude dès que les choses deviennent sérieuses avec une fille et qu'il se casse. Et pas seulement parce que ça provoquera des problèmes entre Sunny et moi. L'ex de Lily semble être un énorme pot de colle. Elle ne doit surtout pas ressortir avec lui.

Trois quarts d'heure plus tard, Lily nous dépose devant un énorme immeuble. Ce n'est pas la distance, mais la circulation qui nous a fait perdre autant de temps. Comme il y a tout le temps plein de bouchons dans cette ville, Sunny et moi allons devoir repartir immédiatement. Nous pourrons au moins parler pendant qu'elle conduit.

D'abord, Sunny me fait monter à l'appart de Waters au dernier étage de l'immeuble. Il y a beaucoup d'espace et on a une super vue sur le lac Ontario. D'après Sunny, personne n'a envie de se baigner dedans. Apparemment, celui qui s'y risque pourrait bien se retrouver avec quelques bras en plus à cause de la pollution. Je ne sais pas si elle est sérieuse, mais je préfère la croire sur parole.

Elle prend un trousseau de clés de voiture à un crochet près de la porte.

– Si seulement tu n'étais pas obligé de partir si tôt.

– Ouais, je sais.

– Tu pourrais prendre un vol un peu plus tard ?

Elle me regarde à travers ses cils blonds.

– C'est vraiment ce que tu souhaites ?

Elle fait tourner les clés autour de son doigt.

– Seulement si toi, tu en as envie.

Nous y voilà. Autant avoir la conversation que j'ai si stupidement évitée. J'appelle Amber. Elle vérifie les différentes options qui s'offrent à moi. Il n'y en a que deux et aucune ne m'offre beaucoup plus de temps que prévu.

– Attends.

Je couvre le combiné du téléphone.

– Je peux prendre le vol de 21 h 30 ou celui de 22 h 10.

– Tu ne peux pas rester plus longtemps ?

Sunny n'a pas l'air contente.

– Pas ce soir, non. J'ai des rendez-vous à Chicago demain matin.

– Tu peux prendre le dernier vol ?

Je hoche la tête. Amber fait une nouvelle réservation pour moi et s'assure que j'ai bien reçu les informations. Ce changement de vol nous laisse une heure de plus pour parler ; je programme une alarme de mon portable pour que nous ne partions pas trop tard à l'aéroport. Sunny cherche quelque chose à boire dans le frigo. Elle trouve quelques bouteilles de bière et du Perrier. J'opte pour celui-ci, afin que la bière ne me gêne pas pour parler.

Je me laisse tomber sur le canapé en cuir noir dans le salon et pose les pieds sur la table basse de Waters. Sunny pose nos deux verres d'eau gazeuse et s'assied à côté de moi. Près de moi, mais sans me toucher.

Elle se met à parler avant que j'aie le temps d'ouvrir la bouche.

– Je suis désolée de ne pas t'avoir fait confiance.

– Ouais. Moi aussi.

– J'aurais dû te croire.

– Je ne peux rien changer au passé, ni au nombre de photos que les gens prennent, Sunny. Je suis seulement responsable de ce que je dis et de ce que je fais – pas du fait que mes paroles soient sorties de leur contexte, ni de la façon dont les médias veulent les déformer. Tu peux me dire que tu es désolée et que tu aurais dû me faire confiance, mais ça ne change rien à la manière dont tu as réagi et ça ne prouve pas que tu ne réagiras plus jamais ainsi.

Elle ramène ses pieds sous elle et tire sur un fil de son jean sur son genou.

– Donc tu ne veux pas qu'on ressorte ensemble ?

– Je n'ai pas dit ça.

Elle cesse de tripoter le fil pour me regarder.

– Alors…

– Je te répète depuis le début que je veux que notre histoire fonctionne. Ça n'a pas changé pour moi. J'ignore simplement si c'est possible.

Je me passe une main dans les cheveux, conscient de devoir être franc.

– Qu'est-ce que j'étais censé penser quand tu as choisi de repartir avec Bushman la P'tite Bite plutôt que de discuter avec moi ? Je comprends que mon passé te pose problème. Je sais qu'il va te falloir du temps pour t'habituer aux conneries des médias, mais ce n'est pas comme si tu n'y étais pas déjà exposée.

– Les attaques n'étaient jamais dirigées contre moi, avant. Les rumeurs ne concernaient qu'Alex et ses groupies. C'est différent, cette fois-ci.

Elle a raison, mais moi aussi.

– D'accord. Je peux comprendre que ça t'ait posé problème au début. Je sais que j'ai été nul au sujet des photos et de tous ces trucs, mais les choses ont changé. J'essaie de faire plus attention, d'être plus vigilant. J'ignorais totalement ce que serait ce lavage de voitures avant d'arriver là-bas, et ensuite, il nous a été impossible de repartir. Il faut que je m'améliore sur ce plan-là, mais je ne veux plus me disputer sans arrêt avec toi pour les mêmes raisons. Ça devient pénible. Je crois que j'ai été très clair sur mes intentions, non ?

– Si.

– Alors pourquoi tu tires sans arrêt des conclusions hâtives ? Je ne comprends pas.

Elle recommence à tripoter son fil.

– Je crois que je n'ai pas été tout à fait franche avec toi.

Je n'aime pas cette phrase. Pas du tout. Peut-être qu'elle a couché avec Bushman la P'tite Bite pendant qu'on était séparés ? Peut-être qu'il l'a enfin fait jouir avec sa mini-queue et que ma baguette n'est plus du tout magique. Il me vient à l'esprit que je la verrai au mariage de Vi. Il faudra que je me bourre la gueule pour tenir le coup, ou alors je me trouverai une cavalière à la dernière minute pour ne pas être obligé d'y aller seul. Je ne peux plus puiser dans ma liste de chéries et je n'ai pas envie d'en créer une nouvelle.

– À quel sujet ?

– Personne ne m'a jamais encouragée à développer mes talents quand j'étais petite. Il fallait que je me contente d'être belle. Toute l'attention se concentrait sur Alex, sur son talent et son intelligence. Je refusais de faire du patinage artistique, et c'était peut-être en partie le problème. Ma mère a été anéantie quand Alex a choisi de devenir hockeyeur professionnel. C'était dingue. Elle refusait de voir qu'il préférait de loin le hockey au patinage et que pratiquer ces deux disciplines le rendait malheureux.

– Combien de temps ça a duré ?

– Dix ans.

Eh bien, voilà qui explique pourquoi c'est un excellent patineur.

– C'est long, dix ans.

– Enfin bref, elle a fini par s'en remettre. Elle n'avait pas vraiment le choix, en fait. Ensuite, elle a commencé à voir les choses différemment. Alex gagne beaucoup d'argent. Les bons joueurs se font un fric fou – mais tu es déjà au courant. Au bout d'un moment, je crois que ma mère a décidé que je finirais avec l'un de ses copains hockeyeurs. De cette façon, elle se disait que je ne manquerais jamais de rien, ou quelque chose comme ça.

– Qu'est-ce que tu veux dire ?

Je crois deviner où elle veut en venir et c'est un raisonnement franchement tordu.

– Que mon avenir serait assuré, financièrement parlant.

– Elle pensait que tu ne pourrais pas t'assumer toi-même ?

Elle m'adresse un petit sourire condescendant.

– Évidemment ! Je n'avais pas l'intelligence, ni le talent d'Alex. J'ai trouvé difficile de vivre dans son ombre en grandissant. C'est encore le cas, parfois. Au lycée, j'ai commencé à sortir avec Kale parce qu'il était tout le contraire de mon frère et ses amis. Tout ce qu'il faisait, c'était fumer de l'herbe et jouer les figurants dans son équipe de débat. Il n'avait aucune ambition et ça n'a pas changé depuis. C'est vrai quoi, ce mec a la moitié d'un diplôme universitaire et travaille à temps partiel. Il vit toujours dans le sous-sol de ses parents et y restera sans doute jusqu'à la fin de ses jours.

– Mais tu es sortie avec lui pendant quatre ans.

– On était ados. On était d'accord sur plein de choses et il m'aimait pour ce que j'étais, pas parce que mon frère était hockeyeur professionnel, qu'il voulait des billets pour les matchs ou rencontrer d'autres joueurs. Il ne faisait même pas de sport, à moins que le bière-pong en soit un. Lily sortait avec Benji, et Kale était son meilleur copain. Mes parents trouvaient Kale inoffensif et ma mère pensait que je finirais par me désintéresser de lui. Elle avait raison.

– Pourtant, Daisy semble toujours l'adorer.

– C'est seulement parce que je sors plus avec lui. On a été amis pendant longtemps. Il était facile à vivre. À la fin du lycée, je me suis dit qu'il était temps de passer à autre chose. C'était un peu gênant au début, parce que Lily et Benji sortaient toujours ensemble, mais au bout d'un moment, Kale s'est trouvé une copine, alors les choses sont devenues plus faciles.

Elle pose son verre sur la table et passe ses mains sur ses cuisses.

– Je n'aurais pas dû aller camper avec lui. Il était sous le coup d'une déception amoureuse et je le savais. Mais tu sais, je n'ai pas seulement pris cette décision à cause des photos de tes groupies et toi ou pour te rendre jaloux.

– Pourquoi tu as fait ça, alors ?

– J'adore ma mère. C'est une personne géniale et elle est pétrie de bonnes intentions, mais je ne veux pas devenir comme elle.

Sunny soupire.

– Quand tu as commencé à m'appeler, elle s'est mise à prier pour que le courant passe entre nous, mais pas seulement parce que tu étais un mec super – tu es vraiment quelqu'un de bien. Ma mère aime son style de vie. Elle aime ne pas être obligée d'aller travailler tous les jours, passer ses journées au spa et déjeuner avec ses copines. Elle pense que je cherchais la même chose, mais elle se trompe.

Donc, si je suis partie camper avec eux, c'était aussi pour réfléchir. Je me demandais si je supporterais la vie avec toi, surtout après avoir vu combien c'était dur pour Violet. Je ne veux pas être écrasée par la personne avec qui je sors.

Je la comprends. J'aime que Sunny ait de l'ambition et de la volonté. Elle pourrait certainement surpasser son frère si elle le voulait – et il la soutiendrait à coup sûr –, mais elle ne fonctionne pas de cette façon.

– Je ne voudrais surtout pas que ça arrive.

– Je sais.

Elle se rapproche de moi et croise les jambes, si bien que son genou touche l'extérieur de ma cuisse.

– Je t'explique simplement pourquoi j'ai eu autant de mal à me laisser aller avec toi.

– En plus, tu pensais que j'allais te sauter et me barrer.

– Je sais que tu n'en as jamais eu l'intention.

Je pose un bras sur le dossier du canapé.

– Il t'en a fallu du temps pour me croire !

– Je sais. J'aurais dû me fier à mon intuition et ne pas écouter les autres.

– Je t'ai appelée pour discuter tous les jours pendant trois mois, je suis venu te voir alors que tes parents étaient là pour nous surveiller… Tout ça aurait dû te mettre la puce à l'oreille.

– C'est sûr.

Sunny pose la tête sur mon bras.

– Et puis il y a le projet Sunshine.

Son nez effleure ma peau et elle presse ses lèvres sur mon biceps.

J'enroule une mèche de ses cheveux autour de mon doigt en évitant de la regarder dans les yeux.

– En effet.

– Depuis combien de temps tu songeais à monter ce projet ?

– Un moment.

Je n'ai aucune envie d'être totalement honnête avec elle. Pour le moment. Après mon week-end à Guelph, j'ai su que je vivais autre chose qu'une simple passade avec une groupie. Au moment où Sunny et moi sommes passés à l'acte, j'essayais de trouver un moyen de rendre la distance supportable et de nous créer une relation à long terme. Mais pour le moment, nous ne ressortons pas officiellement ensemble, alors je préfère garder ces pensées pour moi jusqu'à ce que j'aie la preuve concrète qu'elle est aussi prête que moi à faire en sorte que ça marche.

– C'est-à-dire ?

– Est-ce que c'est important ? Est-ce que ça change quelque chose ?

Sunny décroise les jambes et en ramène une sous ses fesses.

– Non.

– Alors pourquoi veux-tu le savoir ?

– Je suis curieuse, c'est tout.

Elle se rapproche de moi et effleure ma mâchoire du bout des doigts.

– Tu es une personne incroyable.

– Pas vraiment.

– Si, vraiment.

Ses lèvres rôdent tout près des miennes.

Je ne comprends pas très bien ce qui se passe. Nous étions en train de discuter de façon tout à fait sérieuse et, soudain, Sunny est collée contre moi. Heureusement qu'elle porte un jean et que sa peau est couverte, sinon je serais foutu.

– Miller.

– Ouais ?

Elle pose ses paumes de chaque côté de mon cou.

– Tu m'as manqué.

– Je… euh…

Ses lèvres touchent les miennes.

– Nos conversations m'ont manqué. Ta voix m'a manqué.

Ta présence m'a manqué. J'aimais tellement savoir que tu pensais à moi, avant.

– Toutes ces choses m'ont manqué aussi.

Sunny glisse sa langue dans ma bouche. Si je comprends bien, ça veut dire que nous ressortons ensemble. Elle s'assied à califourchon sur mes genoux, pose ses bras sur mes épaules, puis glisse ses mains dans mes cheveux.

– Euh, Sunny ?

Je prononce ces mots alors que sa langue est dans ma bouche.

– Hmm ?

– On était pas censés discuter ?

Elle recule suffisamment pour pouvoir me regarder sans loucher.

– Je pensais qu'on avait fini, dit-elle. Tu voulais qu'on parle d'autre chose ?

– Euh…

Elle balance les hanches et appuie sur l'érection qui se forme dans mon pantalon. Elle se penche vers moi pour m'embrasser de nouveau.

– Et la distance ?

Elle effleure mes joues du bout des doigts.

– On se débrouillera.

– Je voyagerai beaucoup à partir du mois prochain.

– J'aurai fini les cours fin décembre. Il ne me restera qu'à trouver un stage. Je pourrai le faire n'importe où.

Ses lèvres rôdent près des miennes.

– Il ne nous reste pas beaucoup de temps avant que tu partes, Miller. On parlera de ça plus tard, d'accord ?

Si j'ai bien compris, elle se projette sur le long terme, comme moi. Elle a raison. Nous allons bientôt devoir partir pour l'aéroport, alors autant profiter du temps qu'il nous reste.

Sa bouche a le goût du Perrier au citron. Elle se frotte contre moi tandis que nous nous embrassons, nous pelotons et rattrapons le temps perdu sans prononcer un mot, malgré toutes nos incertitudes.

Alors que je m'apprête à tirer son T-shirt par-dessus sa tête, mon portable se met à biper. C'est le signal du départ.

– Ignore-le, me supplie Sunny.

– Je ne dois pas rater mon vol.

– Je serai rapide.

Elle tire son T-shirt par-dessus sa tête – en même temps que son soutien-gorge.

Je jette un œil à l'horloge sur le mur, puis à sa poitrine nue aux faibles traces de bronzage et aux tétons parfaits, entièrement guéris. Il ne nous reste pas beaucoup de temps, mais ça suffira. Je peux la faire jouir très vite. Nous n'avons qu'à faire l'amour comme des fous pour rattraper le temps perdu, et nous irons plus lentement la prochaine fois.

Je tire mon T-shirt par-dessus ma tête. Comprenant le signal, Sunny enlève son jean et sa petite culotte, pendant que je baisse mon pantalon sur mes chevilles. Ça ne va pas être romantique, mais une chose est sûre, ça va nous faire beaucoup de bien. Ma bite est super excitée, tout comme le reste de mon corps.

Dès que Sunny est nue, elle s'assied à califourchon sur moi. Nous nous embrassons pendant une minute en nous frottant l'un contre l'autre, jusqu'à ce que ma bite soit humide et que nous gémissions en chœur. Il faut tout de même un peu de préliminaires avant de la pénétrer, alors j'interromps notre baiser et passe un doigt sur ses lèvres. Elle les écarte et je le glisse à l'intérieur, puis le regarde disparaître presque jusqu'à la troisième articulation. J'ai de grands doigts. Je revois aussitôt Sunny la queue dans ma bouche.

Elle prend mon poignet et se met ensuite à sucer mon majeur. Lorsqu'elle a fini de tailler une pipe à tous mes doigts et que ma bite est sur le point d'exploser, je glisse une main entre ses jambes pour caresser son clitoris. Elle soupire et ses yeux se ferment quand j'enfonce mes doigts en elle. Trouvant son point sensible, je les agite jusqu'à ce qu'elle ouvre la bouche et commence à émettre de petits sons aigus.

L'alarme de mon portable se déclenche de nouveau. Je n'ai aucun bagage. Je devrais arriver à temps. Avec un peu de chance.

– Combien de temps ? me demande Sunny d'une voix rauque.

– Dix minutes.

Elle repousse ma main et attrape ma queue, qui était nichée contre l'intérieur chaud de sa cuisse. Elle aligne tout ce qu'il faut et se laisse tomber sur moi.

Nous gémissons en chœur. Sunny bat des paupières.

– Tu m'as manqué.

– Toi aussi.

Prenant appui sur mes épaules, elle se soulève jusqu'à ce qu'il ne reste en elle que le bout de mon gland. Elle repart ensuite en sens inverse et se baisse lentement, puis recommence.

– Pourquoi est-ce que c'est toujours aussi bon ?

– J'en sais rien, mais je pourrais faire ça jusqu'à la fin de mes jours et je serais parfaitement heureux.

J'ai l'impression que ma bite est serrée dans l'étau le plus lisse et velouté au monde et enveloppée dans des chamallows chauds.

Sunny prend mon visage dans ses mains.

– Miller.

Je fais un bruit censé ressembler à un oui.

– On est de nouveau ensemble, n'est-ce pas ?

Je suis en elle, alors ça veut sans doute dire que oui, mais il est peut-être préférable de le lui confirmer.

– Pour autant que je sache, ouais.

– D'accord. Tant mieux.

Nous nous embrassons jusqu'à ce que le mouvement s'accélère et qu'il devienne dangereux de garder nos lèvres collées, parce que nous risquons de nous cogner les dents. Les genoux de Sunny se resserrent contre mes cuisses et de la chair de poule apparaît sur ses bras. Elle agite les hanches fermement et rapidement. L'alarme se déclenche une troisième fois.

– J’y suis pres…

Un gémissement déforme sa voix. Je la regarde dans les yeux au moment où elle jouit.

Je suis à deux doigts de jouir à mon tour, mais je ralentis pour qu’elle puisse reprendre son souffle. Je la fais grimper sur moi en lui tenant les hanches pour atteindre plus agréablement l’orgasme.

– Je t’aime, Miller, murmure-t-elle en refermant ses doigts autour de mon menton.

– Je t’aime aussi.

Je lui donne un dernier coup de reins et l’orgasme m’envahit. C’est carrément magique. À la place des étoiles habituelles, je vois des licornes danser devant mes yeux.

La perfection de cet orgasme est anéantie par l’ouverture brutale de la porte d’entrée.

J’en ai vraiment ras le bol que Waters gâche tous mes moments de plaisir.

26

Chatte éclair

– Oh, zut, marmonne Sunny.

De l'endroit où je suis assis sur le canapé, Sunny à cheval sur moi, j'ai une vue mortelle sur le visage horrifié de Waters. S'il n'avait pas interrompu notre partie de jambes en l'air et nos déclarations d'amour, je le trouverais très drôle. Mais là, je suis surtout très énervé.

Waters nous tourne le dos.

– Mais qu'est-ce que vous foutez ?

– Miller et moi étions en train de discuter.

Il est évident que nous faisions tout autre chose, alors je ne vois pas bien pourquoi Sunny prend la peine de mentir, ni pourquoi Waters nous a posé cette question.

– Vous êtes à poil ! Sur mon foutu canapé ! Butterson, t'as intérêt à virer tes sales pattes de ma sœur, sinon je te casse la gueule une deuxième fois.

– Hors de question ! hurle Sunny.

Je me penche et attrape mon T-shirt sur le sol. Sunny lève les bras et je l'aide à l'enfiler pour qu'elle ne soit plus nue. Waters et moi avons l'habitude de voir les fesses de l'autre dans le vestiaire.

J'aide Sunny à se relever. Ma bite tombe mollement sur ma cuisse en faisant un bruit humide. Sunny grimace et montre mes jambes du doigt.

– Tu es tout poisseux.

– Butterson, dis-moi que ta bite a pas giclé partout sur mon canapé…

– Ça suffit ! J'en ai ras la casquette de tes menaces, Alex !

Sunny agite la main au-dessus de sa tête. Mon T-shirt se soulève et nous offre un aperçu de sa chatte.

– Baisse les bras !

Il lève une main devant son visage.

– Ne me dis pas ce que je dois faire !

Je pose doucement la main dans son dos.

– On voit ton cookie, poussin.

Elle baisse la main et la pose sur sa hanche.

– Tu n'as toujours pas le droit de me dire ce que je dois faire, Alex.

– Mais qu'est-ce que vous faites là, tous les deux ? Quand est-ce que je vous ai autorisés à transformer ma piaule en baisodrome ?

– On est venus ici pour parler.

– Ouais, eh bien, je n'ai pas vraiment eu l'impression que c'était ce que vous faisiez. Mais bon sang, rhabille-toi, Butterson !

– Ne parle pas sur ce ton à Miller ! s'écrie Sunny.

– C'est mon appart. Je lui parle comme je veux. Habille-toi, Sunny. Je te ramène à la maison.

– Je ne rentrerai pas avec toi, Alex.

– C'est ce qu'on va voir, la défie-t-il.

– Je m'en fous que tu montres agressif avec moi, Waters, mais ne crois pas que je vais te laisser parler à Sunny de cette façon.

J'attrape mon pantalon sur le sol et l'enfile rageusement.

– Interdit de se battre ! crie Sunny.

Waters gonfle le torse comme s'il se préparait à me casser la gueule. Sunny court le rejoindre et se plante juste devant lui. Elle tremble.

– J'en ai tellement ras le bol de ton attitude protectrice. J'ai presque vingt et un ans. Je peux prendre des décisions toute seule. Autrement dit, je choisis ce que je fais et avec qui.

– Mais il est hors de question que tu baises sur mon foutu canapé.

– Tu es sérieux, Alex ? Non mais quel hypocrite ! Tu as couché avec la sœur de Miller dans votre vestiaire *pendant* un match ! Et tout le monde vous a surpris ! Tout le monde ! Toute l'équipe en a parlé pendant des semaines !

Elle s'arrête pour reprendre son souffle.

– Et nous ne baisions pas ! Nous faisions l'amour après nous être réconciliés, parce que tu n'arrêtes pas d'intervenir et de foutre en l'air ma vie sentimentale.

Waters a l'air choqué. Je ne sais pas si c'est à cause de l'emportement de Sunny, du fait qu'elle vienne de jurer ou qu'elle lui résiste, mais je prendrais bien une photo de son visage pour l'encadrer.

– Je n'essaie pas de foutre en l'air ta vie sentimentale ; je veux simplement t'éviter de souffrir.

– Par quel moyen, exactement ?

– Je…

Elle le coupe. C'est épique.

– En essayant de tout diriger dans ma vie ? En pétant les plombs chaque fois que tu vois une photo de Miller avec une autre fille que moi ? En cassant le nez de mon petit ami ? Tu ne me protèges pas, Alex, tu me casses les c… pieds. Est-ce qu'au moins tu t'es excusé auprès de Miller ?

Waters serre les lèvres et ses yeux se posent tour à tour sur Sunny et moi.

Elle lève les mains en l'air et nous échappons de peu à un nouvel aperçu de sa chatte.

– Sérieux ? Tu m'avais promis de le faire !

Waters enfonce ses mains dans ses poches.

– Je n'en ai pas eu l'occasion.

– Eh bien, la voici.

Elle me désigne d'un geste.

– Profite donc de cette occasion.

Waters fixe un point au-dessus de ma tête.

– Je suis désolé de t'avoir cassé la gueule.

Il n'a pas l'air sincère. Mais alors, pas du tout.

Sunny le lui fait aussitôt remarquer.

– C'était les pires excuses du monde. Recommence.

Il pousse un soupir et se passe une main dans les cheveux. Cette fois, il me regarde dans les yeux.

– Je suis désolé de m'être comporté comme un con.

Sunny lui fait signe de poursuivre.

– Et de t'avoir cassé le nez.

Comme elle en attend clairement plus, il fait craquer sa nuque.

– Et de m'être mêlé de vos affaires. Je veux seulement ce qu'il y a de mieux pour Sunny. C'est mon unique sœur. Je n'étais pas un bon modèle pour elle, jusqu'à ce que je rencontre Violet. J'essayais peut-être de me rattraper et je suis allé trop loin. Je sais que tu tiens à elle, Miller. Je le vois. Je n'ai pas été très juste envers toi. Alors, ouais, je suis désolé. Est-ce qu'on peut faire la paix ?

Il s'avance vers moi et me tend la main. Je le rejoins, puis pense à ce que je viens de faire avec mes doigts.

– Euh, il vaut peut-être mieux qu'on se serve de nos poings.

Je serre le mien et le tends vers lui.

Il plisse le front, puis fait une grimace. Il vient de comprendre.

– Je l'ai bien mérité, hein ?

– Après le coup du vestiaire, tu veux dire ? Absolument.

Nous tapons nos poings l'un contre l'autre.

– Tu vois ? Ce n'était pas si horrible que ça. En plus, vous allez devenir frères, alors autant essayer de vous entendre, non ?

Sunny serre rapidement Waters contre elle, puis passe les bras autour de mon cou.

– J'apprécierais que tu enfiles tout de suite quelques vêtements, Sunny.

Waters contemple le plafond.

Je regarde par-dessus l'épaule de Sunny et vois ses fesses qui dépassent du T-shirt.

– Oups !

Elle baisse les bras et se couvre les fesses des deux mains, bien que ce ne soit plus nécessaire.

– Cet ascenseur a mis une éternité à arriver !

Violet franchit le seuil, un sac de plats à emporter à la main.

– Oh, salut vous deux…

Elle examine la scène : Alex cherche des toiles d'araignées sur le plafond, Sunny n'est vêtue que de mon T-shirt et se tient les fesses, et je suis en pantalon, tandis que le reste de nos vêtements est éparpillé sur le sol.

Elle plaque le sac contre le torse d'Alex et se précipite vers Sunny.

– Oh mon Dieu ! Vous ressortez ensemble ?

– Hm-hm.

– Oh, putain de merde, c'est cool ! Vous étiez tellement bornés, tous les deux, que j'avais peur que ce soit foutu.

Elles bondissent et se font des câlins, comme si on venait de leur remettre des pass pour les coulisses du concert d'un boys band. Waters et moi attendons d'un air gêné qu'elles aient fini de se raconter des messes basses. Je n'entends pas ce qu'elles disent, mais Sunny rougit, alors je suis sûr que Violet lui en dit trop.

Mon portable se met à sonner quelque part sous la pile de vêtements.

– Oh, merde. Il est quelle heure ?

– Environ dix-neuf heures trente ? Vous voulez dîner avec nous ? Ou vous avez déjà mangé ?

Violet ricane.

Waters lève les yeux au ciel.

– Euh. Merci pour l'invitation, mais je suis censé être à l'aéroport, en ce moment.

C'était déjà juste, alors j'aurai de la chance si je ne rate pas mon vol.

– À quelle heure décolle ton avion ? me demande Violet.

– Vingt-deux heures.

– Ouais, en gros, c'est mort.

Waters laisse tomber le sac sur la table basse et jette ses chaussures dans un coin.

– Autant que tu reportes ton vol et que tu passes la nuit ici. Il y a une chambre d'amis dans le couloir.

Il se dirige vers le placard et sort des assiettes.

Je reporte donc mon vol une nouvelle fois et convaincs mon père de se rendre à mes rendez-vous de demain matin. Sunny et moi passons la nuit dans la chambre d'amis de son frère et faisons l'amour tout doucement.

Le lendemain matin, elle me conduit à l'aéroport. Nous nous embrassons beaucoup plus longtemps qu'il n'est permis de le faire dans un espace public. J'enlève ma casquette de baseball et la place devant nos visages pour que nous ne choquions personne et pour que nous n'attirions pas trop l'attention. Des photos apparaissent quand même sur Internet quelques minutes plus tard, mais je m'en moque. Sunny aussi, apparemment. L'une d'elles devient même son avatar sur les réseaux sociaux. Et ce n'est pas du tout de la provoc, bien entendu.

27

Les dangers de l'épilation

De retour à Chicago, je consacre presque tout mon temps et mon énergie à l'organisation de ma collecte de fonds et aux entraînements préparatoires. Le match a lieu dans trois petites semaines et nous avons déjà vendu la moitié des billets. Le film publicitaire est diffusé depuis hier. Mon père s'attend à ce que le reste des billets soit vendu avant la fin de la semaine, ce qui signifie que nous pourrons aisément remettre cinquante mille dollars à la famille de Michael. En constatant le succès que remporte mon projet, je me dis que c'est exactement le genre de chose que j'aimerais faire davantage. Pas la peine d'attendre que ma carrière de hockeyeur soit terminée. Je dois encore améliorer mes compétences en logistique avec l'aide de Vi et de mon agent, mais j'ai l'impression que c'est un bon moyen de développer mes talents d'organisateur et ce projet a incontestablement détourné l'attention des médias des conneries habituelles. Les photos de Sunny et moi à l'aéroport ont aussi fait leur petit effet.

Randy m'apporte une aide considérable au niveau des entraînements et de la préparation de l'événement, car il sort toujours assez peu en ce moment. Lance a tendance à lui casser les couilles plus qu'à moi, mais finalement, il s'est un peu calmé aussi. La semaine dernière, quand nous avons eu une séance d'entraînement chez lui, Lance s'est comporté comme un gentleman avec Tash et pas une seule groupie ne traînait dans le coin.

Sunny et moi avons discuté sur Skype tous les soirs cette semaine. Elle prend l'avion ce matin pour venir passer le week-end ici. J'ai envie de la kidnapper dès son arrivée, mais elle est censée rendre visite à Waters et Violet. Je leur laisse la journée, mais elle vient dîner chez moi ce soir. Mon projet est de la convaincre de rester dormir et de passer la majeure partie du week-end avec moi. Je ne pense pas que Waters s'y opposera, étant donné que Vi a déjà commencé à lui en parler.

Vi passe me voir juste avant onze heures. Elle est venue pour m'aider à me préparer. Elle a pris son après-midi en prétendant avoir un rendez-vous d'affaires, qui consistera entre autres à aller chercher Sunny à l'aéroport. Je ne suis pas sûr que ce soit très légal.

– Quoi de neuf, frérot d'une autre mère ?

Elle tient un énorme carton.

– Et d'un autre père, poursuit-elle en fronçant le nez. Ce n'est même pas drôle, hein ?

– Euh, non.

Elle laisse tomber son carton sur le plan de travail.

– Je crois que je suis en train de perdre mon sens de l'humour à cause de cette merde de fête de fiançailles. Je me demande si on peut être allergique à ce genre de chose.

– J'en doute.

Elle pointe une bougie vers moi.

– Tu ne m'aides pas du tout. Il faut que je mette fin à la démence totale de ma mère. Je ne supporte plus sa folie. Elle essaie de s'incruster dans mon après-midi entre filles avec Sunny. Je lui ai dit qu'il était hors de question qu'elle y participe. Aucune de nous n'a envie de finir avec de l'ombre à paupières bleue.

Vi fait une pause dans sa tirade pour balayer mon appart du regard.

– Est-ce qu'au moins tu as commencé à te préparer pour la venue de Sunny ?

– J'ai changé mes draps et j'ai essuyé la table de la salle à manger.

Je l'ai débarrassée de toute sa paperasse, que j'ai ensuite posée sur la table basse, afin qu'on ait de la place pour manger.

– Tu es un vrai célibataire.

J'ouvre son carton pendant que Vi fouille dans mes placards.

– Ça doit être à toi.

Je lui lance une boîte sur laquelle on voit une jambe de femme. On dirait un produit dépilatoire.

Elle lève les mains pour se protéger le visage, mais reçoit la boîte dans la poitrine. Celle-ci tombe à ses pieds sur le sol.

– Aïe ! Pourquoi tu me l'as jetée à la figure ?

– Je ne te l'ai pas jetée. Je te l'ai lancée. Par en dessous. Tu l'aurais rattrapée si tu ne t'étais pas cachée derrière tes mains.

Elle ramasse la boîte et me la lance. Je la rattrape avant qu'elle me heurte la tête. Vi vise de mieux en mieux – ou alors c'était juste un coup de chance.

– C'est pour toi.

– C'est quoi ? De la crème dépilatoire ?

Je retourne la boîte et examine l'emballage en attendant ses explications. Ça ne lui prendra que trente secondes, alors qu'il me faudra cinq bonnes minutes pour déchiffrer ces caractères tout seul.

– Tu vas pouvoir te débarrasser de ta toison.

Je passe une main sur mon bras.

– Je n'en ai pas besoin. Tu peux la rapporter chez toi et t'en servir pour ta moustache.

Je fais glisser la boîte vers elle sur le plan de travail.

Violet lève une main devant sa bouche, puis la baisse.

– Je n'ai *pas* de moustache. Toi, en revanche, tu devrais entretenir un peu mieux ton cul de yeti. Sunny vient chez toi pour la toute première fois. Vous allez probablement passer votre temps à vous envoyer en l'air.

– Je suis prêt. Je me suis déjà occupé de mes poils hier. Je me suis même rasé les couilles.

Elle mime un haut-le-cœur.

– Cette précision était superflue. Comme tu voudras, mais la soirée promet d'être très chaude. Tu devrais t'occuper de la fourrure sur tes bras pour éviter que Sunny se perde dedans.

Son portable bipe.

– Il faut que j'y aille. Je vais chercher Sunny, et ensuite, nous allons au spa. Elle et moi avons rendez-vous avec mon esthéticienne.

– Ton esthéticienne ?

– Tu me remercieras plus tard.

– Assure-toi qu'elle garde sa piste d'atterrissage.

– Pourquoi ? Tu auras du mal à trouver ton chemin sans elle ?

– Non, c'est parce que ça me plaît. Et je refuse de parler de ces choses avec toi. Ne torture pas ma petite amie, c'est tout.

– Oooh, tu es tellement mignon quand tu parles de ta *petite amie*. Je ne suis pas surprise que tu aies réussi à l'attirer dans ton antre de yeti.

Elle prend une bouteille de Vitaminwater dans mon frigo. Soudain, un gémissement bruyant retentit derrière le mur mitoyen de mon appart. Nous nous figeons en même temps.

– Mais qu'est-ce que c'était que ce bruit ?

– Ma voisine ? Ou une chatte en chaleur ?

Je n'ai entendu son chien qu'une fois et jamais à travers le mur.

Vi et moi grimaçons lorsque le son devient plus aigu et puissant. On dirait que ma voisine – ou son chat – est sur le point d'atteindre l'orgasme de sa vie. Sunny jouit toujours en silence. C'est agréable. Tout le contraire d'une star du porno.

Vi regarde fixement le mur.

– Ça arrive souvent ?

– Non, c'est la première fois. Elle a emménagé juste avant que je parte pour le camp. C'est peut-être sa façon de se réveiller le matin.

Juste avant que ma voisine pousse le cri ultime, le bruit s'arrête. Nous nous regardons, perplexes.

– Hm. On dirait bien qu'elle va rester sur sa faim.

Vi secoue la tête.

– Peut-être que ta voisine aime regarder des pornos en mettant le volume à fond.

– Ou qu'elle est contre l'orgasme.

– Si ça se reproduit, tu voudras bien me l'enregistrer ? Ça ferait une sonnerie géniale pour Alex sur mon portable.

Vi est ridicule, mais je suis prêt à payer pour voir la tête de Waters si elle parvient à le faire. J'espère qu'il n'y aura pas d'autres sons de ce genre quand Sunny sera là. Sinon, la bande-son de notre soirée en tête à tête risque d'être embarrassante. Le portable de Vi bipe de nouveau.

– Bon, il faut vraiment que je file. Je reviens dans deux ou trois heures. Tu devrais peut-être envisager d'utiliser ce truc en attendant.

Elle tapote la boîte sur le plan de travail et part.

J'ignore sa suggestion et fouille dans le carton qu'elle a apporté. Je dois admettre qu'elle a choisi quelques trucs utiles. Si elle vivait seule et n'avait pas accès à la fortune de Waters – il a déjà ouvert un compte joint sur lequel il dépose ce que Vi considère comme une somme d'argent faramineuse tous les mois et dont elle réinvestit soixante-quinze pour cent –, j'aurais envie de la rembourser. Mais il y a aussi de grandes chances pour qu'elle ait ajouté ces choses à sa note de frais mensuelle. Quoi qu'il en soit, elle s'est mise en quatre pour moi et ça en dit long sur ce qu'elle pense de ma relation avec Sunny.

Elle m'a acheté tout un tas de bougies au parfum naturel nommé Séduction Sensuelle. Elles sentent bon. Je n'avais encore jamais acheté de bougies parce que je n'en ai jamais eu besoin. Mais le moment est apparemment venu pour moi de jouer les hommes romantiques. Violet m'a aussi apporté de l'huile de massage, de l'huile de bain et ce que je prends au début pour une petite culotte. En fin de compte, il s'agit d'un mini-slip pour homme. J'ignore totalement comment je pourrai rentrer toutes mes affaires dedans, mais je suis partant pour l'essayer, histoire de rigoler. Au fond du carton, je découvre un livre sur la légende du yeti et une bande dessinée. En l'examinant, je découvre que Vi a créé son propre guide sexuel. Je suis un yeti et Sunny est un tournesol. Ce truc est totalement stupide, mais il me fait bien rire.

Comme ma femme de ménage est passée en début de semaine, je n'ai pas à m'inquiéter de la poussière et de ce genre de chose. Le problème, c'est le bazar. Je ne suis pas très doué en rangement. En général, je m'ennuie rapidement quand je m'y mets et je finis par laisser les choses en plan.

Je fais un gros effort pour ranger un peu, mais au bout de vingt minutes, j'ai déjà été distrait quatre fois et ai fini dans la cuisine, la tête dans le frigo. Je jette tous les trucs qui traînent dans le salon dans un carton et le range dans mon placard. Ensuite, j'emporte les bougies dans ma chambre et les aligne tout le long de ma commode. Je pose les huiles de massage près du lit et les trucs pour le bain près de la baignoire.

Maintenant que tout est en place, je n'ai plus qu'à attendre le retour de Violet. J'envoie un message vocal à Sunny pour ne pas être obligé d'utiliser le correcteur automatique.

J'ai hâte de te voir ce soir.

Trois minutes plus tard, elle me répond :

Moi aussi :) <3

En chemin vers la cuisine, je m'arrête pour feuilleter le livre sur le yeti. Il y a surtout des photos et des dessins.

La boîte avec la jambe de femme est posée sur le plan de travail, à l'endroit où l'a laissée Vi. Par pure curiosité, je la prends et lis ce qui est écrit au dos. Il me faut un moment pour déchiffrer les petits caractères, mais je comprends l'essentiel. Apparemment, cette crème est magique. Il suffit de l'étaler sur ses bras, d'attendre juste un peu moins d'une heure et paf ! Tous les poils disparaissent. Ce serait chouette d'avoir les bras lisses. D'après ce qui est écrit sur la boîte, ils le resteront pendant des jours et les poils seront plus doux en repoussant, ce qui pourrait être avantageux. Il me reste une heure à tuer avant le retour de Vi…

Je me mets à poil pour être sûr de ne pas foutre de la crème sur mes vêtements. Il me faut plus de temps que prévu pour l'appliquer. Il faut que je l'étale de la deuxième articulation de mes doigts jusqu'au sommet de mon épaule – je laisse mes aisselles tranquilles –, alors le résultat est irrégulier et assez bizarre à voir. Je mets mon minuteur en marche et sors ma console de jeux vidéo. Mes coudes sont la seule partie de mes bras dépourvue de crème. Je les pose sur mes genoux pour pouvoir jouer confortablement. Cependant, au bout d'une demi-heure, j'ai l'impression d'avoir les bras en feu. Du coup, je perds à tous mes matchs. Je relis les instructions. Ces caractères sont minuscules, c'est casse-couilles. Ce truc a intérêt à marcher parce que c'est super désagréable. En plus, il a une horrible odeur chimique, vaguement masquée par un parfum de fleurs. J'ai du mal à savoir si l'odeur a envahi tout mon appart ou si ce sont juste mes bras qui puent.

Dix minutes plus tard, je n'y tiens plus. Je me dirige vers la salle de bains lorsque sonne l'interphone. J'hésite à répondre, mais ça pourrait être Violet, ou peut-être même Sunny. J'appuie sur le bouton et réponds.

– Je suis de retour !

C'est Violet.

– Tu peux repasser dans un quart d'heure ?

– Tu plaisantes ? Il fait dix mille degrés dehors. Il a suffi que je marche de ma voiture à ta porte pour avoir les seins trempés. Laisse-moi entrer.

– Sexy… Est-ce qu'on peut le voir à travers ton T-shirt ? Est-ce que c'est embarrassant ?

– Tu veux bien me laisser entrer, à la fin ?

– Non. Je m'aère les bourses. Je les fais profiter du soleil.

C'est en partie vrai. Je ne me suis pas rhabillé après avoir étalé cette merde sur mes bras. Je commence à avoir envie de me débarrasser de ce truc, même si ma peau doit partir avec.

– Tu t'aères les coucougnettes ? Ta fourrure de yeti ne t'en empêche donc pas ? hurle-t-elle.

– Les coucougnettes ? Mes couilles sont aussi grosses que des pamplemousses.

– Pff. Ça, c'était après ta morsure d'araignée. C'est fini maintenant. Bon, laisse-moi entrer. Je n'ai pas mis de crème solaire. Je serai rouge comme une tomate dans un quart d'heure. Ce sera ta faute et Alex te cassera encore la gueule.

– C'est quand même pas ma faute si tu es blafarde.

– Je t'emmerde, espèce de gnou. Tant pis. Quelqu'un me laissera bien entrer. Tête de nœud.

La ligne grésille, puis j'entends le bruit d'une conversation étouffée entre Violet et quelques mecs, semble-t-il. La porte s'ouvre et la voix de Vi se tait.

Parfois, il faut attendre quelques minutes pour que l'ascenseur atteigne cet étage. C'est le seul inconvénient de cet immeuble, mais grâce à lui, je vais avoir suffisamment de temps pour débarrasser mes bras de cette crème à l'acide et enfiler des vêtements.

Je fais couler l'eau de la douche ; la brûlure est presque insupportable et l'odeur est tout aussi atroce. J'avance sous le jet pour rincer mon corps tout entier, parce que la douleur m'a fait transpirer. Toutes les parties de ma peau doivent sentir bon pour ce soir, surtout mes couilles – au cas où Sunny voudrait les prendre dans sa bouche, par exemple.

La crème disparaît immédiatement par la bonde, en même temps que les paquets de poils de mes avant-bras. Très vite, la sensation de brûlure est remplacée par un fourmillement sous ma peau, puis j'ai l'impression de prendre une douche de lave.

Il se peut que je hurle. Il se peut que mon hurlement soit aigu, mais il n'y a personne pour m'entendre, alors aucun témoin ne pourra jurer que c'est bel et bien arrivé.

Je me dépêche de couper l'eau bouillante de la douche. Il me reste des touffes de poils sur les bras, alors qu'ils auraient tous dû disparaître comme par magie, et ma peau est rouge vif. Mon temps de répit s'est écoulé : on frappe bruyamment à ma porte. Je noue une serviette autour de ma taille et me dirige vers la porte. En général, mieux vaut ne pas faire attendre Violet dans le couloir – elle est capable de parler à n'importe qui et peut être bruyante.

– Aide-moi ! Je suis sur le point de perdre mes bras, hurle-t-elle quand je la laisse entrer.

Elle a les mains chargées de sacs. Comme elle les dépose tous, sauf un, dans mes bras, je ne peux plus tenir la serviette autour de ma taille. On dirait qu'elle va tomber.

– Je crois que ta voisine est une star du porno.

Vi traverse la cuisine et laisse tomber son sac sur le plan de travail. Deux citrons roulent et tombent sur le sol.

– Qu'est-ce qui te fait croire ça ? Tu l'as croisée ? Est-ce qu'elle a d'énormes faux seins ?

– Les seins, toujours les seins ! Il y avait trois mecs avec moi dans l'ascenseur. Ils étaient tous si musclés que c'en était écœurant. Ils ont frappé à la porte de ta voisine.

– Et elle était toute nue quand elle leur a ouvert ?

– Non, je ne l'ai pas vue. C'était une hypothèse basée sur les bruits qu'on a entendus ce matin. Et les mecs discutaient du problème qu'ils avaient pour bander pendant quatre heures.

– C'est vrai ?

– Non. J'invente. Mais qui reçoit chez lui trois mecs archi musclés aux visages déplaisants, si ce n'est pour tourner des films pour adultes ?

Pour le moment, je me fiche totalement de savoir ce que fait, ou ne fait pas, ma voisine pour gagner sa vie, alors je coupe court à la conversation en lui posant une question qui n'a rien à voir avec le sujet.

– Comment va Sunny ? Quand vient-elle ici ? Tu as bien recommandé à l'esthéticienne d'y aller doucement ?

– Elle va bien. Elle est à la fois impatiente et nerveuse. Je ne lui ai pas demandé comment la fille lui avait taillé les poils de la chatte. Je l'ai déposée chez Alex en venant ici. Elle se prépare et c'est lui qui l'amènera ici. Tu as une demi-heure devant toi.

Elle se penche pour ramasser un citron.

Je tiens toujours les sacs et il y a quelque chose de froid à l'intérieur. Comme c'est agréable, je ne les ai pas encore posés. Le visage de Violet se trouve au niveau de ma taille, lorsque ma serviette se défait et tombe sur le sol.

– Oh mon Dieu !

Elle se rince l'œil pendant que mon zguègue pendouille à l'air libre. Heureusement qu'il n'y a qu'elle dans mon appartement.

– Mais qu'est-ce que tu fous, Buck ?

Elle se penche en arrière et me lance le citron. Il me heurte la joue, ce qui est surprenant. Peut-être qu'Alex lui a donné quelques cours. Il est plus téméraire que je le pensais.

Je me place derrière l'îlot de cuisine pour cacher mes affaires.

– C'est ta faute, c'est toi qui m'as obligé à prendre tous ces trucs !

– Ma faute ? Tu savais que j'arrivais ! Pourquoi tu ne t'es pas habillé avant d'ouvrir cette foutue porte ?

Je pose les sacs sur le plan de travail et ramasse ma serviette sur le sol.

– J'étais en train de me rincer les bras. Cette merde n'a pas marché, au fait. Regarde-moi ça !

Je tends mes avant-bras rouge vif. La plupart de mes poils sont toujours là et j'ai quelques tonsures irrégulières.

Vi se calme brusquement, fronce les sourcils et saisit mon poignet.

– Aïe ! Ne fais pas ça.

Je lui donne une tape sur la main et elle me lâche.

– Ce genre de problème n'est pas censé arriver. Tu as fait une réaction allergique ?

– Peut-être. Je n'ai même pas réussi à tenir jusqu'au bout. Je ne vois vraiment pas à quoi sert cette merde. Ça pue et il faut attendre une éternité. J'ai eu l'impression de fondre.

– Comme un yeti au printemps.

Elle m'adresse son sourire de conne.

– Ce n'est pas drôle !

– Combien de temps tu l'as laissée ?

– J'ai réussi à tenir trois quarts d'heure, mais on aurait dit que cette crème me dévorait la peau.

La sensation de brûlure est de retour, encore plus violente.

– Tu devais attendre seulement vingt minutes avant de l'enlever.

– Je pensais que c'était écrit cinquante. Il me semblait bien que c'était long, aussi.

– C'est sans doute une brûlure chimique.

Au lieu de se comporter comme elle le fait habituellement, autrement dit de me faire passer pour un idiot, Vi ouvre le robinet et m'emmène vers l'évier.

– Je suis désolée. C'était une mauvaise idée.

L'eau froide apaise la sensation de brûlure. Elle bouche l'évier, sort un bac à glaçons du frigo et le vide dans l'eau. Au début, le froid est mordant, mais ensuite, je ne sens plus rien.

– Qu'est-ce que je vais faire ? Sunny va bientôt arriver et on dirait que j'ai une maladie carnivore.

– Ce n'est pas si horrible que ça.

Je regarde mes avant-bras, puis lève les yeux vers elle.

– Ça pourrait vraiment être pire. Tu n'as qu'à porter des manches longues pour cacher tes bras.

– Pourquoi pas.

Je ne suis pas sûr que ça fonctionne. Dans l'appart, il fait aussi chaud qu'à l'intérieur de mes couilles et j'ai l'impression que le frottement du tissu sur ma peau va me faire un mal de chien. C'est pire que la fois où je suis allé à Cancún et ai oublié de me couvrir de crème solaire. J'ai été rouge comme une écrevisse pendant une semaine.

Vi fait une rapide recherche sur Internet. J'applique une pommade antibiotique sur les endroits les plus atteints – ceux où les poils ont disparu –, mais j'y vais mollo sachant que Sunny ne va pas tarder à arriver. Je prends l'un des antidouleurs qu'on m'a donnés après que Waters m'a cassé le nez et cherche le spray anesthésiant que j'ai piqué la dernière fois que je me suis fait recoudre pendant un match. Ça fait un mal de chien, mais une fois que le produit fait effet, c'est beaucoup mieux. Il est 16 h 55 lorsque nous terminons de nous occuper de ma brûlure chimique. Sunny est ponctuelle. Je porte juste un short.

Vi nettoie la cuisine et range tout mon bazar dans la salle de bains, pendant que j'enfile des vêtements propres, y compris le mini-slip qu'elle m'a acheté. J'avais raison ; je parviens tout juste à ranger mes affaires à l'intérieur, mais il est trop tard pour faire marche arrière.

Vi me retrouve devant la porte lorsque la sonnerie de l'interphone retentit. Elle grimace en voyant l'état de mes bras.

– Tout est fin prêt. Le menu vegan est posé sur le plan de travail et je t'ai surligné tous les plats préférés de Sunny. Commande-les tous et tu feras un malheur.

– D'accord. Merci pour ton aide. Tu aurais juste pu t'abstenir de m'acheter de la crème pour mes bras.

– Tu as très mal ?

– J'ai l'impression de les avoir plongés dans un bain d'acide et de les avoir aspergés de vinaigre ensuite.

– Je suis désolée. Je mangerai de la crème glacée pour me punir quand je serai à la maison. Mets de la gaze dessus quand tu iras te coucher, sinon ta peau va coller aux draps.

Elle me serre fort dans ses bras.

– Je te souhaiterais bien bonne chance, mais venant de moi, ce serait comme un baiser de la mort.

Je la suis jusqu'à la porte, me racle la gorge même si ma voix est parfaitement claire et appuie sur le bouton.

– Oui ?

– Miller ? C'est Sunny.

– Hé ! Pile à l'heure. Je t'ouvre.

– D'accord. À tout de suite.

Vi enfile ses tongs couvertes de décorations brillantes, me tapote la joue et s'en va. Je fais une dernière fois le tour de l'appart pour vérifier que je n'ai rien laissé à traîner, vaporise encore de la lotion anesthésiante sur mes bras, me fais un bain de bouche et m'assure que le vin est bien dans le frigo, car Sunny aime le vin blanc, et attends qu'elle frappe à la porte. Comme il n'y a toujours rien au bout de quelques minutes, je jette un œil dans le couloir.

Elle est bel et bien là, sauf qu'elle s'est arrêtée devant la porte de ma voisine.

– Hé oh ! dis-je avant qu'elle lève la main pour frapper.

Si, comme le pense Vi, ma voisine est une star du porno, c'est le genre de personne que Sunny n'a aucune envie de rencontrer.

Elle s'arrête et regarde de mon côté, sa perplexité laissant place à un sourire.

– J'ai bien failli frapper à la mauvaise porte, chuchote-t-elle en marchant vers moi sur la pointe des pieds.

Elle est vêtue d'une robe d'été blanc cassé aux larges bretelles. Je doute qu'elle porte un soutien-gorge. L'arrivée imminente de l'automne rafraîchit l'air de cette soirée. Si elle commence à avoir froid, je devrais bientôt voir ses tétons à travers le tissu. Je cesse de penser au sexe suffisamment longtemps pour lui répondre de façon appropriée.

– Tout va bien. Je t'ai aperçue à temps.

Je lui lance un clin d'œil et ouvre la porte en grand.

– Entre.

Sunny jette ses chaussures dans un coin et balaie mon appart du regard.

– C'est sympa. Et grand.

– Merci. Ça n'a rien à voir avec le cottage de Waters ou son appart à Toronto, mais l'immeuble a une piscine extérieure. Et les chiens sont autorisés.

Je ne sais pas pourquoi je lui dis ça. Aucun risque qu'elle fasse voyager Andy ou Titus en avion la prochaine fois qu'elle viendra pour le week-end.

– C'est vrai ? Génial.

Elle se tripote les cheveux et j'accroche mes pouces dans mes poches – même le dessus de mes articulations est brûlé à cause de cette merde dépilatoire.

Nous restons plantés comme ça une minute. Enfin, peut-être pas aussi longtemps ; j'en ai simplement l'impression parce qu'aucun de nous ne parle. Nous nous regardons bêtement dans les yeux.

Les autres fois où j'ai fait venir une femme chez moi, c'était dans l'unique but de baiser. Parfois, on mangeait aussi, mais c'était généralement après. Le sexe m'ouvre l'appétit. C'est la première fois que j'invite une femme dans l'intention de discuter avec elle autour d'un dîner, avant de la mettre dans mon lit. Si seulement il existait un manuel que je pourrais consulter.

– Tu veux que je te fasse visiter ?

J'embrasse d'un geste le vaste espace salon-cuisine-salle à manger.

– Je peux te serrer dans mes bras d'abord ?

– Quoi ? Oh. Ouais. Bien sûr.

Je n'ai absolument rien contre les contacts physiques. J'ouvre grand les bras. Elle presse son corps tout entier contre le mien. C'est vraiment agréable. Je referme les bras autour de ses épaules et enfouis mon visage dans le creux de son cou. Si seulement je pouvais transformer son parfum en désodorisant.

Sunny soupire et se blottit davantage contre moi, ses bras se resserrant autour de mon corps. Nous restons comme ça jusqu'à ce que mon érection devienne flagrante. Je recule en m'attendant à ce que Sunny fasse pareil. Mais au lieu de ça, elle lève la tête et se lèche les lèvres.

C'est le signal.

Celui qui m'indique qu'elle veut que je l'embrasse. Je n'ai pas mis ma langue dans sa bouche depuis presque une semaine, alors je suis tout à fait prêt à exaucer ses souhaits.

Je baisse très légèrement la tête et Sunny lève le menton. Le premier baiser est doux, seules nos lèvres se touchent. Sunny suce ma lèvre inférieure. J'ouvre la bouche pour elle et la laisse prendre les commandes. Toute ma nervosité fond comme de la barbe à papa sur ma langue. Les sentiments que je ne pouvais ou ne voulais pas nommer avant qu'on se réconcilie à Toronto deviennent tout à fait clairs et sa lente exploration rend mon érection douloureuse.

Elle prend mon visage entre ses mains et interrompt notre baiser pour reprendre son souffle.

– La semaine a été longue. Je te préfère en 3D plutôt que tout plat sur mon écran d'ordinateur.

– Il est beaucoup plus facile de nous rouler des pelles comme ça, non ?

– Sans aucun doute.

Nous passons au deuxième round de notre bataille de langues. Elle doit sentir mon érection maintenant. Les filles ont de la chance. Tous les signes de leur excitation peuvent rester cachés. Les mecs ont cet énorme – pour les plus chanceux d'entre eux – gourdin qui s'enfonce dans le ventre des gens pour leur faire savoir ce qui se passe.

Sunny se met à passer les mains sur mes biceps, mais je lui attrape les poignets.

– Mieux vaut que tu évites de faire ça aujourd'hui.

Elle jette un œil à mes bras.

– Oh mon Dieu ! Qu'est-ce qui t'est arrivé ?

– Je, euh… j'ai fait une réaction allergique à une crème.

Ce n'est pas entièrement faux.

– Bon sang. C'est horrible. Quel genre de crème ?

– J'ai oublié son nom. En tout cas, ce n'est pas aussi douloureux que ça en a l'air. Tout devrait rentrer dans l'ordre d'ici quelques jours.

J'espère que je n'aurai pas de croûtes. Je dois répondre à des interviews et si mes bras sont affreux à voir, il faudra que je porte une chemise à manche longue. Je préfère les polos ; ça m'évite de devoir m'embêter à porter une cravate.

– Tu n'as des brûlures que sur les bras ?

– Ouais.

– Il va falloir que je fasse super attention en te touchant, non ?

– Pas trop quand même.

Sunny prend un air perfide en passant les mains sur mon torse et en les glissant sous mon T-shirt.

À ce moment-là, un gémissement bruyant retentit chez la voisine. Le moment ne pouvait être plus mal choisi.

Sunny se fige.

– Qu'est-ce que c'était que ça ?

– Je crois que le chien de ma voisine est en chaleur.

Le gémissement suivant est encore plus puissant.

– On ne dirait pas un chien.

Je suis certain que ça n'en est pas un et j'espère bien que ça va s'arrêter très vite.

– Je vais mettre de la musique.

J'attrape la télécommande sur le dossier du canapé et allume la télé, mais je ne suis pas assez rapide.

Cette fois, le gémissement est accompagné de paroles.

– Oh mon Dieu ! C'est bon. J'y suis !

– Euh…

– Ma voisine a emménagé quand j'étais au camp. Je ne l'ai pas encore rencontrée.

Ça n'explique absolument pas ce qui se passe chez elle. Jusqu'à maintenant, la seule chose que j'ai entendue, c'était un battement occasionnel. Les appartements-terrasses devraient être mieux insonorisés.

Le bruit cesse aussi rapidement qu'il a commencé. Je suis à peu près sûr que nous y aurons encore droit plus tard et je ne veux plus d'interruptions gémissantes pour ce soir, à moins qu'elles viennent de Sunny.

– Je reviens tout de suite.

– Où vas-tu ?

– Je vais parler à ma voisine.

– Mais elle est en train de faire l'amour. Ou quelque chose comme ça.

Les yeux de Sunny se posent sur mon entrejambe. Je ne bande que légèrement – rien de flagrant, par chance.

– Elle pourrait le faire moins fort.

Sunny m'observe discrètement depuis la porte lorsque je sors pieds nus dans le couloir. Je frappe à la porte de ma voisine et attends. Quelques longues minutes plus tard, quelqu'un vient m'ouvrir. Je reconnais immédiatement son visage. Il s'agit sans aucun doute d'une star du porno. Je ne dirai jamais, absolument jamais à Sunny que je l'ai vue nue, même si ce n'était que sur un écran pendant que je me branlais.

Heureusement, elle n'est pas nue, ni même partiellement à poil. Elle porte un jean et un T-shirt qui moule son énorme poitrine. On dirait que des ballons remplis d'eau sont cachés en dessous. Elle porte également un paquet de feuilles. Derrière elle, dans le salon, se trouvent les trois mecs musclés dont Violet m'a parlé. Ils sont aussi entièrement habillés. L'un d'eux est allongé sur le canapé. Un autre se tient debout, un pied posé sur le canapé, et fait semblant de tenir quelque chose. Le troisième est derrière le canapé et donne des indications scéniques aux deux autres. Les présentations avec ma voisine promettent d'être bizarres.

– Je peux vous aider ?

– Euh. Ouais. Je m'appelle Miller. J'habite juste à côté.

J'agite le pouce par-dessus mon épaule et elle jette un œil dans le couloir en même temps que Sunny.

Ma voisine lui sourit, agite la main, puis la tend vers moi. Je la prends en espérant qu'elle est propre et n'a touché aucune bite récemment.

– Je m'appelle Nina. Nous répétons une scène.

D'un geste, elle désigne les mecs dans le salon.

– Ouais. À ce propos…

Je me gratte la nuque.

– Nous vous… euh… nous vous entendons à travers le mur.

Je jette un œil dans le couloir et vois Sunny arriver vers nous en sautillant sur ses pieds nus. Oh, merde.

– Oh ! C'est vrai ? Est-ce qu'on était bien ?

– Ça avait l'air authentique.

La situation est super embarrassante.

– Très authentique !

Sunny se glisse sous mon bras et fait bonjour aux mecs sur le canapé. Celui qui se tient derrière fait semblant d'agiter les hanches. Tous trois répondent à Sunny. Je l'attire contre mon flanc et embrasse le sommet de sa tête.

– Voici ma petite amie, Sunny.

Nina et elle se serrent la main.

– Nous dînons en amoureux ce soir !

Sunny me sourit.

– Oh ! Je suis vraiment désolée. On a dû vous distraire. En principe, nous répétons chez Igor, mais il fait repeindre son salon en ce moment, alors les autres sont venus ici aujourd'hui. On va s'installer dans ma chambre pour ne plus vous gêner.

Igor ? Pas très porno comme nom.

– Super. Merci. Nous vous sommes vraiment reconnaissants ! dit Sunny. Et si nous faisons trop de bruit et que vous nous entendez à travers le mur, faites-nous signe !

Les seins de Nina rebondissent en même temps lorsqu'elle éclate de rire.

– C'était sympa de vous rencontrer ! On devrait prendre le café ensemble un de ces jours.

– Tout à fait. Bonne répétition.

– Oh, elle le sera certainement.

Nina lance un clin d'œil à Sunny.

– Bonne soirée en amoureux.

– Oh, elle sera certainement bonne aussi.

Sunny glisse ses doigts entre les miens.

– Viens, Miller.

Sunny se met à balancer exagérément les hanches, tandis que je la suis dans le couloir. Elle attend que la porte soit fermée pour chuchoter :

– Une voisine star du porno ? Ça n'arrive vraiment qu'à toi. Pourquoi est-ce que tu attires autant les femmes dévergondées ?

Je ferme la porte à clé derrière moi.

– Tu n'es pas dévergondée.

Elle lève un sourcil.

– J'ai fait l'amour avec toi dans la forêt. Deux fois.

Je passe un bras autour de sa taille avec précaution et l'attire contre moi.

– Je n'appelle pas ça être dévergondée, mais plutôt aventurière et un peu exhibitionniste.

– C'était marrant. Enfin, pas ce qui est arrivé après.

Elle presse ses hanches contre les miennes.

– Ta voisine n'a pas intérêt à te proposer de jouer dans un de ses films.

– Si elle ose le faire, je déménage.

– Tu es ridicule. Tout autant que les seins de ta voisine.

Sunny baisse les yeux vers sa poitrine et fronce les sourcils.

– Les miens seraient trop petits pour un film porno.

– Ils sont parfaits. Tout comme le reste de ton corps. Et franchement, si elle me propose de jouer dans un porno, je me débarrasse illico de cet appart. Je crois que la maison à côté de celle de ton frère est à vendre. Je suis sûr qu'il serait ravi de m'avoir comme voisin.

Sunny lève les yeux au ciel.

– Tu crois vraiment que je le ferais ? Tu devrais mieux me connaître, maintenant que je te mange dans la main.

Elle sourit d'un air satisfait.

– Tu as raison.

– Hmm… Ne prends pas ce petit air suffisant.

J'effleure ses lèvres avec les miennes.

– Peut-être que je pourrais te manger ailleurs que dans la main, qu'est-ce que tu en dis ?

Le rire de Sunny est aussi chaleureux que son prénom. Nous recommençons à nous embrasser.

– Tu devrais me faire visiter ton appart, maintenant, dit-elle, ses lèvres toujours collées aux miennes.

– Mon appart est assez ennuyeux. J'aime bien quand on se roule des pelles comme ça.

– Moi aussi, mais ce serait peut-être encore mieux si on le faisait nus et allongés.

– Tu as toujours de bonnes idées.

Je l'entraîne dans le couloir sans cesser de l'embrasser et pointe les différentes pièces du doigt. Elles ne sont pas nombreuses, la visite est donc rapide.

J'ouvre la porte de ma chambre et me rappelle que nous n'avons même pas dîné.

– Attends. Je t'avais invitée à dîner. Nous sommes censés manger.

– On le fera plus tard.

– Mais…

Sunny tire sa robe par-dessus sa tête. J'avais raison. Elle ne porte pas de soutien-gorge. Lorsqu'elle pivote sur elle-même, je découvre qu'elle porte un string. Violet a dû l'emmener faire du shopping.

– Alors, rien que tu aurais envie de manger ?

– Manger ? Non.

Je secoue lentement la tête.

– Dévorer ? Sans aucun doute.

Ses bras se couvrent de chair de poule. Elle recule jusqu'à ce qu'elle heurte le matelas et s'assied sur le bord. Ensuite, elle ramène ses pieds sous elle, s'agenouille et me fait signe d'approcher.

Mon corps tout entier a envie de la plaquer contre le matelas et de faire exactement ce que j'ai dit : la dévorer. Mais ça reviendrait à tirer un coup rapide, alors que ça fait une semaine que j'attends ce moment. J'ai envie d'y aller lentement et de faire durer les choses. Je pousse ses cheveux par-dessus ses épaules et effleure le long de ses bras.

Je pose mes lèvres sur son épaule et suis la ligne de sa clavicule jusqu'à son cou. Lorsque j'atteins sa mâchoire, j'effleure l'un de ses tétons du bout du pouce. Sunny gémit.

– Ce son m'a manqué.

Je fais le tour de son téton pour voir si elle va recommencer. Ce qu'elle fait. Sunny attrape le bord de mon T-shirt et tire dessus.

– Doucement, bébé.

– Oh, c'est vrai. Tes bras.

Je me charge de retirer mon T-shirt moi-même. Ce n'est pas agréable. Mes bras sont rouges et sensibles.

Sunny passe les mains sur mon torse et lève les yeux vers moi, puis le bout de la langue se glisse entre ses dents, lorsqu'elle atteint ma ceinture. Elle ouvre mon bouton et baisse ma braguette. Mon sous-vêtement rouge apparaît aussitôt. Le gland de ma queue joue à cache-cache.

– On dirait bien qu'il est content de me voir.

– Ça, tu l'as dit.

Elle caresse le bout avec son doigt.

– Qu'est-ce que c'est que ce sous-vêtement ?

– Je voulais essayer quelque chose de nouveau.

– Hmm. Il est un peu petit, tu ne trouves pas ?

– Tu veux le voir de plus près ? Histoire de me donner ton avis ?

Elle s'agenouille sur le lit.

– C'est parti.

Je retire mon short.

– Je trouve qu'il met bien mes affaires en valeur.

– Il est beaucoup trop petit. Tu devrais l'enlever.

– Et si tu le faisais avec les dents ?

Je la plaque contre le lit et Sunny se met à glousser.

– J'adore ce son.

Glissant un bras sous elle, je la soulève et la dépose un peu plus loin, la tête sur l'oreiller. Le contact de la couette sur mes brûlures est aussi agréable que du papier de verre. Mais je sens partout ailleurs de la peau douce sur la mienne, alors je survivrai. J'embrasse son menton avant de reposer ma bouche sur la sienne. Je pourrais passer des heures ainsi. Au bout d'un moment, je me déplace vers sa poitrine et lui consacre toute mon attention. Je continue à descendre vers le sud et me délecte du son saccadé de son souffle lorsque je dépasse son nombril.

Je soulève l'élastique de sa petite culotte, jette un œil à l'intérieur et pousse un soupir de soulagement en voyant que l'esthéticienne n'a pas touché à ma piste d'atterrissage. Je m'agenouille et pousse son string sur le côté. La piste d'atterrissage a la forme d'une flèche.

– Laisse-moi deviner ; c'est Vi qui te l'a suggéré.

Elle sourit.

– Je me disais que ce serait drôle.

Je baisse son string sur ses jambes douces et lisses.

– Je m'en doute.

Je lève le string en l'air et demande :

– Et ça ?

– Je voulais essayer quelque chose de nouveau, moi aussi. J'ai eu l'impression d'avoir le slip coincé entre les fesses toute la journée, cependant.

– Je vote pour que tu ne portes plus jamais de sous-vêtements et que tu ne mettes que des robes ; comme ça, je pourrai te grignoter le cookie dès que j'en aurai envie.

– C'est une idée de génie.

J'écarte ses cuisses et baisse la tête.

– On va bien s'amuser ce week-end.

Les parties de jambes en l'air avec Sunny ne sont ni démentes, ni bruyantes, mais elles sont drôles. On se contorsionne beaucoup et atteignons plus d'une fois le summum du plaisir.

Plus tard, nous prenons une douche et nous faisons livrer des plats. Je ne prends pas la peine de m'habiller, parce qu'on s'en fout. En plus, il est beaucoup plus facile de s'envoyer en l'air sur un coup de tête quand on est déjà nus. Et c'est exactement ce que nous faisons, plusieurs fois.

J'allume la télé pour regarder un film, persuadé que Sunny s'est endormie sur mon torse, mais elle me surprend en levant la tête.

– Je peux rester ici ce soir ?

– Et même tout le week-end, si tu veux. Le côté droit de mon lit est tout à toi.

J'embrasse le sommet de sa tête.

– En parlant de lit, j'irais bien me coucher maintenant.

– Fatiguée, poussin ? Tu as envie de dormir ?

– Non. J'ai envie que tu me fasses l'amour.

– Tu ne risques pas de te lasser, au bout d'un moment ?

Ses lèvres se posent sur les miennes.

– Jamais.

Épilogue

Walking on Sunshine

Trois semaines plus tard

Je balaie les gradins pleins à craquer du regard. La satisfaction et la fierté me donnent l'impression d'être invincible. Nous menons deux-un contre l'équipe de Waters. Il est vénère. C'est génial. On est censés jouer pour le plaisir, mais on ne peut pas demander à un groupe de hockeyeurs professionnels de jouer les uns contre les autres en laissant de côté leur goût pour la compétition. Il ne reste que trois minutes à jouer. Il est donc peu probable que l'équipe de Waters parvienne à égaliser. Peu probable, mais pas impossible.

Waters et Randy se font face. Le public va en avoir pour son argent cette saison. Randy est rapide et agressif sur la glace. Le seul avantage que Waters a sur lui, c'est son expérience et toutes ses années de patinage artistique.

Assis sur le banc à côté de moi, Michael bondit d'excitation. Un chèque de cinquante mille dollars va lui être remis à la fin du match. Les choses s'améliorent pour lui. La chimio et les rayons ont beau le faire chier, ils sont efficaces. Si tout continue à bien se passer, il pourra se faire opérer avant les vacances. Par chance, le pronostic est favorable, parce que je me suis beaucoup attaché à ce gamin, et Sunny aussi.

Elle se tient derrière moi, les mains sur mes épaules. Ce contact est aussi bienvenu que distrayant. Elle a été fantastique ces dernières semaines. Elle m'a aidé à organiser tout le reste de la soirée et a passé du temps avec Michael quand j'étais trop occupé. Elle est beaucoup plus organisée que je ne pourrai jamais espérer l'être. Nous faisons une bonne équipe. Une super équipe, même. Je l'aime un peu plus chaque jour. C'est à la fois terrifiant et merveilleux.

Mon père est debout à côté d'elle, les bras croisés sur la poitrine, un petit sourire suffisant aux lèvres. Le palet tombe, Balls le pique à Waters en le bousculant d'un coup d'épaule et file sur la glace. J'ai hâte de reprendre l'entraînement la semaine prochaine. Je suis prêt pour cette saison. Je suis prêt pour beaucoup de choses.

Le changement de joueur approche. Avant de retourner sur la glace pour terminer le match, je soulève ma grille et me tourne vers Sunny. Elle porte un maillot de hockey, ses joues et son nez sont rougis par le froid et je lis dans ses yeux brillants le même enthousiasme qui fait vibrer la foule. Je tapote mes lèvres avec mon gant.

– J'ai besoin que tu me souhaites bonne chance, Sunny Sunshine.

Avec un sourire doux, elle dépose un chaste baiser sur mes lèvres.

– Allez, va mettre une raclée à mon frère. Enfin, pas pour de vrai.

Je baisse ma grille, l'attache à mon casque, tape mon poing contre celui de Michael, ajuste mes gants et file sur la glace pour remplacer Lance. Nous frappons dans le gant de l'autre en nous croisant et je traverse la patinoire en direction de notre gardien.

Je fais dévier le palet et Randy le rattrape. Il file sur la glace vers le but de l'équipe adverse. Les dernières secondes commencent à s'égrener. Il ne reste qu'une minute et l'équipe de Waters reprend le contrôle du palet.

Waters déboule sur la glace avec la grâce et la rapidité qui nous ont aidés à remporter la Coupe cette année et se jette sur le palet. Je me positionne de façon à l'empêcher d'atteindre le but. Nous savons tous deux que le virage que prend Waters est trop serré au moment où il frappe le palet. Mes options sont limitées – je peux m'écarter pour le laisser marquer ou essayer de le bloquer. Je choisis la deuxième, même si je sais que ça va faire très mal.

Je protégeais notre but il y a une seconde et me voilà écrasé contre la balustrade par les cent kilos de Waters. Nous nous efforçons de nous redresser en agrippant le maillot de l'autre pour éviter de tomber. La foule fait un vacarme de folie. Je tombe et entraîne Waters dans ma chute. Ma tête heurte la glace ; par chance, mon casque fait ce qu'il est censé faire, mais je suis tout de même sonné. J'essaie de me dégager, mais Waters est lourd et je ne peux prendre appui nulle part sur la glace. Finalement, il roule sur le côté et s'agenouille.

– Miller ?

Waters laisse tomber son gant. L'espace d'un instant, je pense qu'il va me frapper. Ensuite, il claque des doigts devant mon visage.

– Ça va, mec ?

Je secoue la tête pour voir.

– Ouais. Mais ne t'avise pas de me foutre ton poing dans la figure.

J'attrape son maillot plutôt que sa main et il perd de nouveau l'équilibre. Quelqu'un souffle dans un sifflet et la sonnerie retentit.

– Arrête d'essayer de me rouler une pelle et prends ma main, Butterson.

Je laisse tomber un gant et parviens cette fois à attraper sa main tendue.

– Et toi, arrête de te frotter contre moi.

Il m'aide à me relever en grognant. Ensuite, il rit et me tient fermement par le maillot jusqu'à ce que je retrouve l'équilibre.

– Tu étais censé t'écarter pour que je puisse marquer.

– Je t'emmerde.

Je cogne ma tête contre la sienne.

– Je voulais gagner. Et tant pis si tu me détestes toujours.

Il lève mon bras en l'air comme si on était à un match de boxe.

– Bien joué. Tu n'auras pas autant de chance la prochaine fois.

C'est à ce moment-là seulement que je comprends que nous venons de gagner grâce au gardien.

Les joueurs déferlent comme des fous sur la glace. L'enthousiasme est presque aussi fort que lorsque nous avons remporté la Coupe. Je patine vers le banc et fais venir Michael sur la glace. Nous le portons sur nos épaules comme s'il était lui-même la Coupe.

C'est un peu une victoire pour nous, en un sens. C'est pour Michael que nous nous sommes tous rassemblés aujourd'hui – et c'est grâce à lui que les choses ne cessent de s'améliorer entre Sunny et moi.

Elle m'attend à la sortie de la patinoire, absolument adorable dans son maillot trop grand. Les médias locaux attendent de pouvoir m'interviewer. Je n'ai rien préparé, parce que c'est que voulait Amber. Ils devront continuer à patienter, cependant, car Sunny est plus importante. Elle est tout ce qui compte à mes yeux.

Dès que j'enlève mes gants et mon casque, elle prend mon visage dans ses mains et fronce le nez.

– Tu es tout mouillé.

– Tant pis, je t'embrasse quand même.

Elle rit lorsque je l'attrape par la taille et dépose un baiser sur sa bouche. Les haut-parleurs se mettent à diffuser de la musique ringarde des années 1980, une chanson qui parle de marcher sur le soleil. Les flashs des appareils photo ne gâchent rien pour une fois. Du moins pour moi.

– Qu'est-ce que c'est ? demande-t-elle contre ma bouche.

– C'est notre chanson à partir de maintenant. Je la trouvais appropriée et nettement moins déprimante que *You are my Sunshine*. Waters n'est pas le seul à aimer les déclarations d'amour ringardes.

Son sourire est plus radieux que tous les levers de soleil du monde.

– Je t'aime.

– Je t'aime aussi.

Il n'y a pas de remboursement ni d'échange possibles en amour. Il faut faire avec ses défauts et ses imperfections. Il est brut, non filtré et, parfois, il ne nous rend pas les choses faciles. Mais j'ai découvert que les meilleures choses dans ma vie étaient celles pour lesquelles je devais travailler dur. Sunny, en particulier.

Remerciements

Mon cher petit mari, tu es vraiment le meilleur. Rien de tout ce que je vis ne serait possible sans toi. Merci de me donner la possibilité de faire ce que je fais. Je t'aime.

Debra, ma couleur complémentaire, même les moments les plus pénibles me paraissent supportables quand tu es là.

Kimberly, tu as l'étoffe d'un héros. Je suis tellement contente que tu aies déjeuné avec Nina un jour et que tout se soit arrangé. Cette aventure s'est révélée incroyable jusqu'à maintenant, merci pour tes encouragements, tes impressions et tes idées. Grâce à toi, ces montagnes russes sont tellement amusantes.

Nina, je ne sais pas comment tu fais tout cela, mais je suis ravie que tu le fasses. Merci d'être mon amie depuis toutes ces années et de supporter mon excentricité névrotique.

Shalu, tu as tellement de talent. J'ai vraiment hâte de te voir briller. Grâce à toi, le contenant reflète parfaitement le contenu, merci.

Jessica, avec toi, je sais que je suis toujours entre de bonnes mains. Merci de rester patiente, même lorsque je n'arrête pas de modifier des choses à la fin. Marla, merci de faire disparaître les fautes et les coquilles. Mayhem, il y a tellement de texte dans celui-ci ! Le résultat est incroyable ! Daisy, Kelly, Julia, Liv, merci de ne pas être seulement des lectrices vigilantes, mais aussi des amies. Merci d'aimer ce que j'écris et de me dissuader d'appuyer sur la touche retour arrière quand c'est tout ce que j'ai envie de faire. Un remerciement tout spécial à toi, Liv, car c'est une conversation avec toi qui, au fond, m'a donné l'idée de nommer ainsi cette série. Tu es trop géniale !

À mes Filet Chignon's, aux Pams, aux Nap Ladies, aux 101 ladies, aux Indies, aux One-Clicks, aux filles du PUCKED Locker Room et à l'équipe de HH Street. Je me sens tellement soutenue grâce à vous. Merci. C'est vous qui me donnez l'envie de continuer quand je traverse une période difficile.

À mes BBBabes, merci de supporter mes épanchements. Ils sont fréquents et nombreux. Je vous adore.
Maven, chaque fois que tu es absente à une manifestation littéraire, je panique un peu, et puis je me rappelle toutes les choses gentilles que tu me dis pour me remonter le moral et je réussis à m'en sortir. Merci de me tenir la main. Kandace, tu es une personne incroyablement chère à mon cœur. Je te remercie de participer à cette aventure avec moi.
Jessica R. Hodnett, merci de m'avoir raconté ton horrible mésaventure avec cette araignée-loup – et de m'avoir montré les photos. Tu comprendras très bientôt à quel point elles m'ont aidée.
À mon « W.-C. crew », qui assiste depuis le début à cette aventure. Merci de me soutenir des deux côtés de ma vie et de rester mes amis au fil des années.
Et comme toujours, à mes fans de la première heure, ces amies qui me suivent depuis le début. Si je suis là aujourd'hui, c'est grâce à vous.